ISABELLE VON FALLOIS

La fuerza sanadora de tus ángeles

Emprende tu propio camino
y realiza los sueños de tu vida

EDICIONES OBELISCO

Si este libro le ha interesado y desea que le mantengamos informado
de nuestras publicaciones, escríbanos indicándonos qué temas son de su interés
(Astrología, Autoayuda, Ciencias Ocultas, Artes Marciales, Naturismo, Espiritualidad,
Tradición…) y gustosamente le complaceremos.

Puede consultar nuestro catálogo en www.edicionesobelisco.com.

Colección Angelología
LA FUERZA SANADORA DE TUS ÁNGELES
Isabelle von Fallois

1.ª edición: marzo de 2014

Título original: *Die heilende Kraft deiner Engel*

Traducción: *Sergio Pawlowsky*
Maquetación: *Marga Benavides*
Corrección: *M.ª Jesús Rodríguez*
Diseño de cubierta: *Enrique Iborra*

© 2011, Isabelle von Fallois
(Reservados todos los derechos)
Original alemán publicado por: KOHA-Verlag GmbH Burgrain
© 2014, Ediciones Obelisco, S. L.
(Reservados los derechos para la presente edición)

Edita: Ediciones Obelisco, S. L.
Pere IV, 78 (Edif. Pedro IV) 3.ª planta, 5.ª puerta
08005 Barcelona - España
Tel. 93 309 85 25 - Fax 93 309 85 23
E-mail: info@edicionesobelisco.com

ISBN: 978-84-15968-44-3
Depósito Legal: B-5.599-2014

Printed in Spain

Impreso en España en los talleres gráficos de Romanyà/Valls S. A.
Verdaguer, 1 - 08786 Capellades (Barcelona)

Prólogo

Hallaremos paz.
Escucharemos a los ángeles
y veremos el cielo chispear con diamantes.

ANTÓN CHÉJOV

En los últimos años me he encontrado a menudo con personas que me han contado que les gustaría mucho cambiar de vida y que en el pasado han probado varias posibilidades, pero ninguna les ha dado resultado. Yo misma, en cambio, había logrado con ayuda de los ángeles realizar casi todos los cambios que me había propuesto: me ayudaron a salvar la vida, que durante cuatro años estuvo una y otra vez colgando de un hilo debido a mis graves brotes de leucemia, y hasta hoy me ayudan a realizar mis sueños y a vivir.

Finalmente me dirigí, como hago casi siempre que algo me conmueve y busco una respuesta profunda, a los ángeles y medité junto a ellos sobre la causa de que muchas personas no logren realizar los sueños de su vida.

Los humanos, me dijeron los ángeles, suelen abordar lo nuevo con mucho entusiasmo, pero a menudo este ímpetu no tiene continuidad. Los dogmas y las creencias inveteradas que arrastramos durante años, en cambio, tienen en nosotros un efecto mucho más fuerte de lo que deseamos o siquiera sabemos: nos sabotean de una forma tan sutil que a menudo ni siquiera nos damos cuenta cuando nuestro subconsciente ha vuelto a poner el piloto automático.

Creo que casi todo el mundo conoce estos mecanismos. Veamos el siguiente ejemplo: nos proponemos alimentarnos de un modo más consciente y perder peso. Por eso hemos llenado la despensa y la nevera de alimentos sanos y nutritivos. Comenzamos el día haciendo ejercicio y disfrutamos con la magnífica sensación que esto produce en nuestro organismo.

Al cabo de muy poco tiempo ocurre entonces lo siguiente: nos resfriamos o sufrimos una herida, lo que nos impide seguir debidamente con el programa de ejercicios. O nos invitan a una fiesta y no sabemos decir que no cuando nos ofrecen una bebida alcohólica o un postre de chuparse los dedos. Tal vez la cosa no se limite entonces a una cerveza y una mousse de chocolate, por no hablar de otros platos que podríamos aplicarnos directamente a las caderas, por mucho que en casa nos hubiéramos propuesto permanecer firmes por esta vez.

El motivo de esta «recaída» se halla en las sinapsis (uniones entre neuronas) de nuestro cerebro, que a lo largo de la vida se han activado tantas veces que en determinadas situaciones reaccionamos siempre de la misma manera. Para cambiar estos automatismos y crear nuevas sinapsis que nos ayuden a alcanzar nuestros objetivos, es preciso que durante 28 días operemos continuamente con una «nueva» programación. La investigación ha demostrado que para romper con una pauta antigua y programar otra más positiva se necesitan de 21 a 28 días. Entonces se forman nuevas vías neuronales en el cerebro y con ellas otras creencias favorables a la vida.

Mientras estaba yo meditando con los ángeles en Maui (Hawái), ellos me aconsejaron que elaboráramos juntos un programa de 28 días para ayudar a las personas a alcanzar sus metas. La idea me entusiasmó desde el primer momento, pues no en vano yo misma había obtenido ya efectos maravillosos y trasformaciones fantásticas con programas de este tipo.

Por ejemplo, hace diez años estuve trabajando con el libro *El camino del artista*, de Julia Cameron, que propone un programa de tres meses (!) con tareas diarias. Entonces todavía estaba yo muy debilitada debido a los numerosos tratamientos de quimioterapia que me habían aplicado para combatir mi leucemia. Sin embargo, mi mayor deseo era volver a dar un concierto de piano, pero también sabía que me sabotearía a mí misma, pues antes de la larga fase terapéutica acostumbraba a tocar el piano, el día que tenía concierto, por lo menos durante cuatro a ocho horas, y ahora apenas estaba en condiciones, debido a la debilidad de mi organismo, de ensayar cada día durante una hora u hora y media.

Por supuesto que, como era previsible, en mi cabeza pululaban toda clase de malos augurios: «¡Imposible si ensayas tan poco!», «¿quién te crees que eres?», «no tienes ninguna posibilidad de aprender de memoria todas esas piezas», «te saldrá todo mal y no te invitarán nunca más», «el público abandonará la sala».

Así que el libro *El camino del artista* me vino de perlas. Tuve que analizar cada día conscientemente mis dogmas y esforzarme por cambiarlos duraderamente.

En todo caso, terminé el programa de 12 semanas de Julia Cameron apenas siete días antes de mi primer concierto después de la leucemia. De inmediato obtuve la prueba de que había funcionado efectivamente. Tres días antes del concierto tuve que volver a guardar cama debido a un brote de fiebre muy alta, como solía ocurrir con frecuencia desde hacía un año y medio, de manera que no podía ensayar lo más mínimo. En circunstancias normales, esto habría significado la suspensión del concierto, pues estaría absolutamente convencida de que sin una preparación intensa durante los días previos no tendría ninguna posibilidad de tocar medianamente bien las piezas musicales, que en parte eran bastante difíciles. Sin embargo, puesto que había roto a fondo con mis antiguos dogmas y además confiaba firmemente en las fuerzas celestiales, el concierto fue un éxito tan rotundo que al final el público se puso en pie para dedicarme una larga ovación.

También obtuve resultados fenomenales con el programa de cinco semanas «Living From Vision», de Ilona Selke, Dr. Rod Newton y Don Paris, como se puede leer en mi segundo libro, titulado *Die Engel so nah*. En aquella época yo ya mantenía estrechas relaciones con los ángeles, que me acompañaron constantemente durante las cinco semanas. Ya entonces tenía la sensación de que sería maravilloso crear algo parecido junto con los ángeles, y de pronto éstos me propusieron, en Maui, nada menos que escribir un libro sobre un programa de 28 días con los ángeles.

Pocos días después, mi marido Hubert y yo nos levantamos muy temprano para ir por la carretera del litoral hasta un viejo faro en desuso, cerca del cual se ven a menudo ballenas por la mañana. Ni él ni yo habíamos visto antes ballena alguna, pero en la víspera nos habíamos preparado para el encuentro meditando con ayuda de diversas diosas acuáticas, de los angelotes y de la energía de los delfines. A pesar de ello, yo ni siquiera sospechaba qué intensa experiencia me esperaba ese día. Apoyada en el faro, sentí un poco de frío y bebí de la infusión caliente que compramos en el camino en Starbucks. Estaba admirando el fabuloso ambiente matutino cuando de pronto mi cuerpo empezó a vibrar internamente de una manera que yo nunca había experimentado. De inmediato avisté, no muy lejos de mí, la enorme aleta de una ballena y reconocí los típicos sonidos que emiten los cetáceos. Una tras otra comenzaron a aparecer cada vez más ballenas. Noté cómo de repente fluía una energía cristalina sumamente poderosa a través de todo mi cuerpo, que abrió mi plexo solar y mi chakra corona de una forma que hasta entonces me era desconocida. Después me invadió una sensación de completa unidad con todo lo existente, un estado de absoluta felicidad y claridad cristalina que perduró varias horas.

Cuando hacia el mediodía llegamos finalmente a una playa para tomar un baño, yo seguía estando profundamente emocionada con la experiencia vivida y noté que algo muy fuerte me unía a las ballenas. Estuve dormitando un rato en la playa cuando de pronto volví a notar esa fuerza increíble en el plexo solar y a percibir la vibración del chakra corona. Al instante me incorporé y noté que las ballenas me llamaban, y efectivamente vi a lo lejos dos aletas que sobresalían del agua. Nunca antes se habían visto ballenas en esa playa. De inmediato me metí en el agua, porque sabía que iba a ocurrir algo importante. Apenas empecé a nadar comenzaron a fluir a través de mí los mensajes de las ballenas: me proporcionaron la estructura definitiva de este libro y gran parte del material del segundo módulo de mi cursillo ANGEL LIFE COACH®.

Cuando volví a la orilla cogí rápidamente papel y lápiz, que los ángeles me habían aconsejado que llevara siempre encima, y anoté todo lo que me habían comunicado las ballenas. Así, ante mis ojos apareció la subdivisión de los 28 capítulos de este libro con los ángeles respectivos y algunas cosas más. Me habría gustado ponerme a escribir allí mismo, pero las vacaciones estaban a punto de acabar.

Mientras tanto ha trascurrido medio año, durante el cual no he hecho otra cosa que viajar para acercar todavía más los ángeles a los humanos, y no he tenido tiempo para escribir. Pero sé muy bien que en estos seis meses he podido tener algunas experiencias importantes que son fundamentales para este libro.

Ahora me encuentro de nuevo en una isla y estoy unida a las energías del mar, de las diosas acuáticas, los angelotes, los delfines, las ballenas, las gaviotas y los ángeles. Me llena de gozo ponerme a escribir por fin este programa de 28 días.

De todo corazón te saludo con la energía trasformadora del mar. Que los ángeles te ayuden a tomarte el tiempo necesario para dedicarte con resolución, concentración y compromiso al programa: en estos 28 días, tu vida cambiará totalmente.

Con cariño y profunda simpatía
ISABELLE VON FALLOIS
Ibiza, 1 de agosto de 2010

P.D.: Las demás partes del libro las he escrito también, en su mayoría, en lugares situados cerca del mar. Este libro está tan lleno de energía marina que te ayudará a trasformar todo lo que ya no te sirve con buen ánimo, soltura y compasión –por así decir, con «brío»– y a crearte la vida de tus sueños.

Introducción

La mejor manera de trabajar con este libro

Los ángeles nos amparan,
dondequiera que vayamos.
Los ángeles nos rodean, tan pronto nos giramos.

FRIEDRICH RÜCKERT

No importa cómo ha caído este libro en tus manos o por qué lo has adquirido, en todo caso tu alma ha puesto de manifiesto que ha llegado la hora de establecer, con ayuda de los ángeles, una relación más profunda contigo mismo y tu auténtico yo. Para sanar y convertirte en la máxima expresión de tu ser es preciso que te reconozcas en tu interior más profundo.

El retorno a tu verdadero yo no será tan sencillo, ya que en este viaje tendrás que enfrentarte continuamente a tus propios miedos y debilidades. Sólo podrás trasformarte si miras a la verdad a los ojos, con valentía, y entonces podrás andar tu propio camino y realizar los sueños de tu vida.

Para hacer un uso óptimo de este libro, los ángeles te ruegan que leas atentamente esta Introducción y la interiorices.

Por supuesto que existen diversas posibilidades de sacar el máximo provecho de este programa. Lo que más importa es que encuentres el camino adecuado para ti, que trabajes seriamente tu propio yo y pongas en marcha el programa siguiéndolo hasta el final.

Si te resulta más fácil cumplir este compromiso en compañía de una amiga o un amigo, busca a alguien que sienta el mismo entusiasmo por los ángeles que tú y que desee cambiar su vida duraderamente. Comenzad el programa al mismo tiempo y hablad regularmente (en persona, por teléfono o Skype) de las acciones llevadas a cabo, etcétera. De este modo podréis apoyaros mutuamente en la realización del programa en caso de que salgan a la superficie viejos temas desagradables.

Si en cambio prefieres hacerlo a solas, no hay ningún problema en que sigas las indicaciones del libro sin que nadie te acompañe. Yo soy de las personas que lo prefieren así y siempre he realizado los programas de este tipo a solas. Sin embargo, en este caso convendría que pudieras contar con alguien (la pareja, un amigo y/o un coach[1]) que te escuche y te apoye en el caso de que necesites hablar de tus experiencias y emociones durante el viaje de trasformación.

Cada capítulo tiene más o menos la misma estructura. Se compone de:

- Citas
- Canalizaciones (mensajes de los ángeles al comienzo de cada capítulo)
- Historias verídicas de mi marido, amigos, ANGEL LIFE COACH®, clientes, etcétera, y de mí misma[2]
- Reflexiones
- Acciones
- Afirmaciones del alma
- Viajes del alma

---

1. Si quieres contar con un apoyo más intenso y competente, te recomiendo que recurras a uno de los Advanced y Master ANGEL LIFE COACH® certificados por mí. Sus nombres y datos personales constan en mi página web www.AngelLifeCoachTraining.com.

2. En algunos pocos casos he cambiado los nombres para salvaguardar la privacidad de las personas en cuestión.

Si lo deseas, puedes llevar a cabo el programa durante más de 28 días, pero para obtener resultados óptimos es importante que trabajes con él de un modo disciplinado, continuado y sin interrupciones. Si de entrada ya sabes que necesitarás más de 28 días, pues no dispones de mucho tiempo para dedicarte a ti misma, los ángeles te aconsejan realizar por lo menos cada día las afirmaciones y los viajes del alma del capítulo en el que te hallas en ese momento. No pases al capítulo siguiente hasta que hayas llevado a cabo las «acciones para hoy».

De nuevo: trabaja todos los días con el programa de los ángeles para que puedas desarrollar nuevas sinapsis potentes que te ayudarán a manifestar la vida de tus sueños.

Si ya has realizado el proceso una vez y hay un tema que te afecta especialmente, de manera que quieres trabajarlo con más profundidad, puedes utilizar el libro como un manual de consulta. En este caso, trabaja el capítulo correspondiente hasta que sientas que has conseguido lo que querías.

También puedes emplear el libro como un oráculo, abriéndolo por cualquier página y después comprobando de qué trata el capítulo correspondiente. Puesto que la ley de la atracción siempre funciona, no es una «casualidad» que hayas abierto el libro por una página determinada. Dedícale el tiempo que haga falta, pues sin duda tiene algo que comunicarte.

Por último, conviene que sepas que puedes repetir el programa de los ángeles cuando lo desees, siempre que quieras llevar a cabo una introspección exhaustiva y manifestar nuevos objetivos. Yo también he realizado el curso «Vivir desde la visión» dos veces, y cada una de ellas con excelentes resultados.

Preparativos para tu viaje de trasformación

◈ Elige un período de 28 días en el que te resulte fácil dedicar cada día una hora de **tiempo** para ti y para el programa de los ángeles.

🙵 Adquiere un bonito **diario** en el que te guste anotar cosas, además de papel, notas autoadhesivas y rotuladores de distintos colores. Es importante que respondas a todas las preguntas por escrito.

🙵 Cómprate **semillas, tierra** y una maceta adecuada: lo necesitarás el sexto día.

🙵 Tal vez quieras tener alguna de las «**gemas angelicales**» para el trabajo con este libro. Lo mejor es que hojees un poco el libro antes de empezar y repases las acciones que tendrás que llevar a cabo, y así podrás determinar qué gema podría ser importante para ti. Cada una de las gemas indicadas se corresponde con la energía del ángel respectivo. A veces facilitan el acceso a los seres lúcidos de los ángeles, ya que las gemas forman parte del mundo tridimensional y son tangibles.

Puesto que probablemente no todos conocen mi libro sobre los arcángeles, en este punto describiré brevemente el **ritual de las gemas:**

– Encuentra cada vez un ejemplar de la gema/cristal señalado que te atrae especialmente. Si puedes elegir entre varias, toma la primera en tu mano receptora (la mano con la que *no* escribes), cierra los ojos y siente; o acércala a tu tercer ojo, cierra los ojos físicos y presta atención a las vibraciones que recibes. Prueba cada gema. Después sabrás si una gema te corresponde o no.

– Limpia el ejemplar escogido por lo menos durante 20 segundos bajo el chorro de agua para liberarlo de todas las viejas energías.

– Llama seguidamente al ángel correspondiente y pídele que a partir de ahora la gema se cargue única y exclusivamente con la energía de ese ángel. Notarás cómo se refuerza la energía de la gema. Una vez cargada, puedes tomar la gema en tu mano receptora, cerrar los ojos y dejar que la energía especial actúe sobre ti.

🙵 Antes de comenzar con el programa de cada día, créate un **espacio sagrado:** asegúrate de que nadie te interrumpa cuando estés trabajando con el libro. Apaga el móvil, el teléfono fijo, el ordenador, el televisor, etcétera, para que nada desvíe tu atención. Rodéate, por ejemplo, de buena música, velas encendidas, un aroma agradable (pomo de perfume, varilla de sándalo, pulverizador de aura, etcétera), y la correspondiente «gema del día» (si la tienes) u otro cristal, para preparar e incrementar la vibración del entorno para tu labor sagrada sobre tu persona.

✥ Cada **mañana,** antes de levantarte, llama a tu lado a los arcángeles Aniel y Miguel. Pide a Aniel que proteja la esencia de tu alma con su luz plateada y a Miguel que te envuelva en su luz dorada de manera que estés protegido en todos los planos. Puedes repetir esta petición cada vez que sientas que tu coraza protectora se ha debilitado.

✥ Lee el **capítulo del día** en el curso de la mañana, aunque no te pongas de inmediato a llevar a cabo las tareas. Esta manera de empezar el día es muy recomendable, para que estés en contacto durante toda la jornada con la energía deseada.

Si no tienes el libro a mano durante el día, anota las afirmaciones del alma del día para que puedas recitarlas repetidamente en el curso de la jornada.

✥ Recita las **afirmaciones del alma** repetidamente (por lo menos tres veces) durante el día y, acto seguido, respira hondo tres veces cada vez que las recites, para interiorizarlas realmente.

A fin de arraigarlas todavía más profundamente en el conjunto de tu sistema, mientras recitas puedes golpear con el puño de una mano contra la palma de la otra, dos o tres veces, y viceversa; cuanto más rápido, mejor.

✥ Antes de emprender un **viaje del alma,** retírate a un lugar tranquilo. Si tienes necesidad de escuchar el viaje del alma dos veces al día, los ángeles te recomiendan realizarlo en todo caso también antes de acostarte.

Todos los viajes del alma comienzan adrede de la misma manera, para que cada vez te relajes más y al cabo de 28 días hayas aprendido a pasar al estado zeta (estado de meditación y relajación muy profunda del cerebro) con ayuda de una única respiración. De este modo, a partir de entonces podrás obtener resultados fenomenales incluso con períodos de meditación cortos).

Tal vez te sorprenda por qué he escrito «estado zeta» en vez de «estado alfa», como he enseñado durante mucho tiempo. Los ángeles me pidieron en mayo de 2011 que cambiara esto. La frecuencia de vibraciones del mundo y de las personas ha seguido aumentando, y de pronto a muchas personas les resulta mucho más fácil alcanzar la frecuencia zeta, puesto que gracias a técnicas como ThetaHealing® y ThetaFloating se ha arraigado cada vez más en el campo morfogenético.

⤝ Puedes leer los viajes del alma y dejar que actúen sobre tu persona. Sin embargo, la eficacia es mayor si puedes grabar y escuchar después tus meditaciones. Ocurre que los ángeles han elaborado este programa conscientemente en el modo *yin* y *yang* a fin de establecer un equilibrio interno. Esto significa que se compone de puntos programáticos activos y pasivos. Son especialmente importantes para la sanación interna las partes *yin*, los llamados viajes del alma. La sanación en los planos interiores sólo se produce en modo *yin*. Por eso, los ángeles te recomiendan que escuches los viajes del alma; es la única manera de hallarte en el modo *yin*.

Ésta es la razón por la que los ángeles han dado a las meditaciones el nombre de «viajes del alma»: porque tienen mucho efecto en el plano del alma.

Como he podido experimentar en innumerables ocasiones, durante estas meditaciones canalizadas por los ángeles se producen continuamente milagros mayores o menores, por muy breves que sean las meditaciones. (Un ejemplo de ello es la historia de Peggy del tercer día.) Por tanto, los viajes del alma dentro del programa de cada día revisten una importancia especial, y los ángeles te ruegan que los lleves a cabo conscientemente y no mientras duermes, para que puedan surtir pleno efecto en todos los planos.

✎ En los capítulos 3, 5, 6 y 18 se trabaja con una determinada **técnica respiratoria.** Esta forma de respirar sirve para activar el sistema nervioso parasimpático en lugar del simpático, que está activo en situaciones de estrés, rabia, enfurecimiento, frustración y pánico.

Cuando prevalece el sistema nervioso simpático, el corazón trabaja más y el organismo inyecta cortisona, adrenalina, etcétera, en el flujo sanguíneo: es cuando las personas se hallan en estado *«fight or flight»* (lucha o huye), en el que ya no están en condiciones de pensar racionalmente, sino que se comportan como niños asustados y estresados y, además, perjudican su salud.

A través de esta respiración especial se hace intervenir al sistema nervioso parasimpático, con lo que la persona recupera un estado en que puede decidir a conciencia, pues no reacciona de la manera instintiva en que lo hace un niño presa del miedo. Además se calma el ritmo cardiaco, mejora el riego sanguíneo y se segregan hormonas que favorecen la relajación.

La respiración funciona del modo siguiente (a ser posible, sin cruzar las extremidades):

– Aspira profundamente por la nariz sin levantar los hombros ni tensar ningún músculo; mientras lo haces, cuenta hasta cuatro (el número de los ángeles).
– Espira lentamente por la boca emitiendo el sonido «aaaaahhh».

✎ Además, durante las «acciones» se tocan a veces determinados **puntos de acupuntura** que corresponden a las respectivas emociones que se trabajan en un contexto dado. Los números atribuidos a esos puntos de acupuntura están tomados de los diagramas de flujo de «equilibrio emocional» de Roy Martina y de los míos de «equilibrio emocional con ángeles».

19

❧   No olvides pedir al menos cada **noche** al arcángel Miguel que corte todas las bandas energéticas que llevas pegadas y que no sean de luz y de amor, para que puedas dormir mejor.

También es aconsejable rogar seguidamente al arcángel Rafael que te envuelva en su energía sanadora de color esmeralda, de manera que pueda producirse la sanación.

Al final, repite de nuevo el ritual de la mañana con Aniel y Miguel, de modo que durante el sueño también tengas protección en todos los planos.

Contrato contigo mismo

Sucede muy a menudo que una persona se propone algo, pero no consigue perseverar en el propósito. Por eso, los ángeles me han pedido que elabore con ellos un contrato para ti, con el fin de que te comprometas seriamente a llevar a cabo hasta el final el programa de 28 días. Claro que esto no significa que tengas que realizar todo el programa necesariamente en cuatro semanas; puedes tomarte más tiempo si deseas interiorizar más intensamente alguno o algunos de los capítulos.

Sin embargo, sería de gran ayuda que no dejaras pasar ningún día sin trabajar al menos algún aspecto del programa, ya que las nuevas sinapsis que se formarán en tu cerebro gracias a este proceso intensivo pierden fuerza si se producen interrupciones. Esto te dificultaría la realización consecuente del programa.

Contrato

Yo, _____

_____, soy consciente de que con ayuda
de los ángeles voy a tener un intercambio
muy intenso con mi pasado, mi presente,
mi futuro y con mi propia persona.

Yo, _____, soy consciente
asimismo de que este encuentro intensivo con mi persona y mis
problemas despertará en mí unas emociones a las que haré frente
para sacar fuerzas, andar mi propio camino y realizar los sueños
de mi vida.

Yo, _____, me comprometo
por el presente a llevar a cabo el programa de 28 días en todas
sus partes, a mi ritmo y sin interrupciones.

Yo, _____, me comprometo
a cuidarme con sumo esmero durante la realización del programa
completo, manteniéndome en buen estado de salud, durmiendo
suficientemente, haciendo ejercicio regularmente, mimándome y so-
licitando el apoyo y la ayuda que me hagan falta.

Lugar, fecha

Firma

21

Observaciones

Los ángeles son seres andróginos y asexuados, pero tienen energías diferenciadas. Algunos irradian una energía claramente masculina, como por ejemplo el arcángel Miguel, y otros, como Shushienae, el ángel de la pureza, tienen un efecto indudablemente femenino. Por eso, en este último caso emplearé el género femenino para recordar la naturaleza de sus energías.

Puesto que resulta un tanto engorroso escribir o leer siempre tanto la forma masculina de un nombre como la femenina –por ejemplo, «un o una cliente», o «el lector o la lectora», etcétera–, he decidido utilizar la mayoría de las veces la forma masculina. Por supuesto, en estos casos también deben sentirse aludidas las mujeres.

Buenos deseos

Pues bien, te deseo ahora que tengas un comienzo maravilloso en tu viaje hacia ti mismo y hacia la realización de los sueños de tu vida. Puedes estar seguro de que mis pensamientos te acompañan con cariño. Es posible que también me percibas en los otros planos, como ya han hecho muchos de mis «alumnos».

Que siempre sientas el amor y la bendición de los ángeles.

¡Aloha!
Isabelle von Fallois

Parte I

Purificación

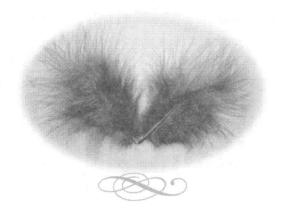

Día 1

Toma conciencia con el arcángel Miguel

Camino sobre las nubes...
las voces del mundo enmudecen en su resplandor...
atrás el zumbido de los ángeles, delante la luz...
como en un sueño, tan cerca de la libertad.

MICHAEL ADOLPH

«Querido ser humano, te saludo. SOY el arcángel Miguel. Si quieres vivir tu sueño, es muy importante que te liberes de antiguas pesadumbres, viejos sufrimientos e inmundicias del pasado. Es la única manera de entrar en resonancia con tus más íntimos deseos y estar en condiciones de manifestarlos efectivamente.

Por consiguiente, te recomiendo encarecidamente que te tomes un tiempo, lejos del mundanal ruido, para contemplar y reconocer tu vida desde el silencio, dondequiera que te halles en este momento. Únicamente a partir de este conocimiento descubrirás gran parte de la verdad sobre ti mismo, tu verdadera ansia, tu misión sagrada y tu entorno actual. Al hacerlo adquirirás la libertad para tomar nuevas decisiones sobre tu vida que cada día te acercarán un poco más a tu objetivo. Será para mí un gran placer poder apoyarte en este proceso con cariño y activamente, si así lo deseas. Así que de ahora en adelante puedes sentirte envuelto en mi manto protector y estar en condiciones de emprender el viaje hacia ti mismo sin ningún temor».

Arcángel Miguel: máximo ángel protector
Colores del aura: azul royal, violeta, dorado
Gema: sugilita

La aparición

Gary Quinn, escritor de éxito y experto en ángeles de los Stars de Los Ángeles, adquirió conciencia de su misión del modo siguiente:

Cuando llegamos a este mundo, cada uno de nosotros está dotado de un don. Sé que de niño yo poseía una vista muy especial: si no recuerdo mal, era capaz de ver luces brillando alrededor de las personas y percibir informaciones sobre ellas. Durante un tiempo pensaba que todo el mundo tenía esa capacidad, pero no pasó mucho tiempo hasta que me di cuenta de que los demás no se hallaban en la misma onda que yo. Sólo con los años adquirí la capacidad para poner mi don a disposición de otros. Tuve que esperar mucho tiempo hasta encontrarme con el arcángel Miguel.

La vivencia clave de mi vida la tuve en la catedral de Notre-Dame de París. Hasta entonces yo había sido igual que cientos de personas: quería ser cantante. Para acudir a una grabación en París abandoné en Los Ángeles mi trabajo, mi vivienda y mi coche, pues mi sueño iba a realizarse.

Pero la amarga realidad fue que el proyecto se vino abajo y así me encontré de pronto en París sin trabajo, sin vivienda y sin posibilidad de cruzar el gran charco. Me desesperé, anduve desconcertado por las calles, buscando una posibilidad de quedarme en Francia.

Iba cada día a la catedral de Notre-Dame a rezar, tal como había aprendido. Pero no hubo respuesta. Yo rezaba y escuchaba, mas nadie me contestaba. A pesar de todo fui a orar todos los días, durante tres semanas, encendiendo velas y, sentado en un banco, sumergiéndome en una profunda meditación.

Al final de la tercera semana me llegó la respuesta. Aquella tarde entré en la iglesia como todos los días, pero en esa ocasión me sentía de una forma totalmente distinta. Al instante me libré de todos los pensamientos e ideas que me bloqueaban.

Entonces sucedió: me senté, cerré los ojos y entré en estado de meditación. Al cabo de cinco minutos noté que un rayo de luz alumbraba mi cabeza. Abrí los ojos y para mi sorpresa vi un remolino de luz violeta alrededor de mi cabeza. Se expandía cada vez más, como si se aprestara a engullirme. Desde el techo de la catedral descendió sobre mí otro remolino de luz violeta, que me bañó y me rodeó danzando, hasta que de pronto vi a cinco o siete ángeles. Se movían alrededor de mi cabeza y uno de ellos me habló telepáticamente.

Me dijo que debía confiar en mi viaje, porque formaba parte de mi plan estar allí. Mi ángel de la guarda, el arcángel Miguel, se me presentó mencionando su nombre. Me aseguró que todo iría bien.

A pesar de todo yo tenía miedo; al fin y al cabo, casi ya no me quedaba dinero y no podía quedarme más que una semana en casa de mis amigos. Sin embargo, la energía de los ángeles era asombrosa –cálida, vital, fuerte– y me mantuvo sobre una ola de calma. Puesto que todos se comunicaban conmigo por vía telepática, al principio no se intercambiaron palabras, hasta que el arcángel Miguel se me acercó y me habló a la cara:

«SOY el arcángel Miguel. Estamos aquí para explicarte que te hemos traído con el fin de que reconozcas tu sendero espiritual y para enseñarte el viaje de tu vida».

De entrada me quedé boquiabierto, pero logré comunicarme telepáticamente con el arcángel Miguel. Se encontraba pegado a mí y empecé a llorar. Nunca antes había notado tanto amor, protección y abrigo.

El arcángel Miguel dijo cariñosamente:

«No hay razón para estar preocupado. Ya está previsto y arreglado todo lo que tiene que ver contigo y tu estancia en Francia».

Su presencia irradiaba seguridad, amor y luz. Nunca he percibido tanta paz.

Di las gracias al arcángel Miguel, que ascendió a la luz a través de la abertura del cielo. También la luz violeta desapareció lentamente.

En ese momento supe la respuesta. Por primera vez pude ver con toda claridad que las cosas irían bien.

Me quedó claro que estos ángeles se me habían mostrado porque en las tres semanas de oraciones y meditación me había vuelto por fin receptivo a sus mensajes. Había abierto mi corazón y confiado en que se ocuparían de mí y me guiarían. Hicieron más que tranquilizarme y asegurarme que hacía bien quedándome en Francia, más que darme la sensación de que recorría la senda a la que estaba destinado en mi vida. También hicieron más que disipar mis temores y mis dudas. Yo sabía en mi fuero interno que estaban preparándome para el siguiente paso importante de mi vida. Me preparaban para el trabajo de mi vida, que yo empezaba a comprender y abrazar. Entonces me quedó clara la finalidad de mi estancia en Francia y de mis visitas a la catedral de Notre-Dame. Estos ángeles diligentes y amorosos necesitaban mi ayuda, como necesitan la *tuya* y la de todos nosotros. Querían que divulgara la noticia. Sanación, alegría, iluminación, realización, entusiasmo, sentido, amor: todos estos estados tan ansiados son mucho más fáciles de alcanzar que lo que saben la mayoría de las personas.

Mi mensaje es que todos deben saber que el amor y la orientación están ahí para todos nosotros, ahora mismo. Lo único que tienes que hacer es acogerlos en tu vida.

Si tuvieras aunque sólo fuera una ligerísima idea de cuánto te aman los ángeles, con qué plenitud y con qué fuerza, te pondrías a llorar de alegría y muy pronto estarías convencido de que dispones de todos los recursos –incluso muchos más de lo que jamás pudiste soñar– para convertir tu vida en la gran aventura que deseas vivir.

Reflexión

Hoy, en el primer día de tu viaje de 28 días hacia ti mismo y la manifestación de tus sueños, es preciso que ante todo tengas claro qué es lo que funciona en tu vida y qué no. Al adquirir esta conciencia puedes decidir qué cuestiones deseas abordar efectivamente en las próximas cuatro semanas para configurar tu vida conjuntamente con los ángeles y con arreglo a tus sueños.

Recuerda crearte en primer lugar un espacio sagrado, como se ha descrito en la Introducción, antes de responder por escrito a las siguientes preguntas.

Llama al arcángel Miguel a tu lado mientras te dediques hoy a trabajar sobre ti y pídele que te envuelva con su luz dorada para que estés completamente protegido y al mismo tiempo en sintonía con la frecuencia del amor. Respira hondo para absorber la luz y relájate. Cuanto más tranquilo estés, tanto más fácil te resultará mirar a la cara a la verdad desnuda, que te ayudará a liberarte como ya dijo Jesucristo: «Así conoceréis la verdad y la verdad os hará libres» (Juan 8,32).

Responde ahora espontáneamente, sin pensar mucho, a las siguientes preguntas, escribiendo una cifra entre 0 y 10; en esta escala, el 10 representa el peor estado imaginable y 0 el más maravilloso que consideras posible.

- ¿Cómo estás de salud?
- ¿Te encuentras en buena forma?

- ¿Realizas alguna actividad física?
- ¿Te sientes realizado en tu actividad profesional?
- ¿Tienes éxito en tu profesión?
- ¿Te sientes feliz en tu vida social?
- ¿Estás muy unido a tu familia?
- ¿Aprecias la calidad de tus amistades?
- ¿Estás satisfecho con el tiempo que tienes para dedicarte a ti mismo (es suficiente o demasiado poco)?
- ¿Eres disciplinado en tu actividad espiritual (meditación, oración, afirmaciones, etcétera)?

Una vez has atribuido una cifra a cada una de las preguntas, examina el conjunto. ¿En qué aspectos te sientes muy bien y estás satisfecho y en cuáles es urgente que se produzca un cambio? Tenlo en cuenta cuando decidas qué objetivos deseas alcanzar con este programa de 28 días.

Recuerdo del alma

Los ángeles dicen que cuando nos encarnamos en seres humanos en este mundo llevamos con nosotros los sueños del alma que queremos realizar en esta vida. Estos sueños están en consonancia con nuestro plan de vida, pero algunas personas los pierden con el tiempo, y muchas nos dicen que no son más que utopías.

Son pocos los que consiguen seguir desde el principio su «*burning desire*» (ardiente deseo del alma), como lo llama el doctor Wayne W. Dyer en muchos de sus libros y conferencias (si bien la expresión la acuñó originalmente Napoleon Hill). En la mayoría de los casos admiramos a estas personas de todo corazón: sus ojos tienen un brillo indescriptible; irradian una alegría de vivir increíble, pues se sienten profundamente realizados en su vida. Una se siente bien en su presencia, pues emiten tanta energía positiva que resulta contagiosa.

Si nos atrevemos a vivir este llamado «deseo ardiente», el mismo encierra una fuerza inmensa que incluso puede llegar a salvar vidas, como yo misma pude experimentar en propia carne hace diez años durante mi grave enfermedad de leucemia:

Después de haber acudido al médico en numerosas ocasiones durante meses a raíz de una creciente sensación de debilidad que yo no sabía explicarme, una mañana sufrí un desmayo mientras estaba corriendo. Los análisis que me hicieron, sin embargo, no permitieron formular un diagnóstico claro, hasta que finalmente me sometieron en el policlínico de Grosshadern en Múnich a una punción de médula ósea que resultó ser bastante dolorosa.

El mismo día, ya cerca de la medianoche, un médico a quien yo no conocía abrió de repente la puerta de mi habitación en la clínica y me espetó sin ningún prolegómeno: «Su vida está pendiente de un hilo. En el peor de los casos, dentro de tres días, o a lo sumo de tres semanas, habrá muerto. El diagnóstico es: leucemia aguda». Palabras despiadadas que me dejaron totalmente postrada.

Aquella misma semana había perdido también a mi pareja, mi casa y mi estancia de estudio en California. Todo se me había derrumbado y yo no sabía cómo iba a recuperarme de ese golpe. Puesto que en esas condiciones no quería quedarme de ninguna manera en la clínica, lo primero que hice fue irme a casa para intentar aclararme. Sabía que era la única posibilidad que tenía de sobrevivir.

Cuando finalmente volví a la clínica al cabo de dos semanas y media, los médicos estaban más que contentos de verme viva. Por lo que yo les había contado estaban al tanto de que mi «deseo ardiente» era la música y de que tocar el piano me ayudaría a movilizar todas las fuerzas para mantenerme en vida. Por eso me permitieron que mi familia, mis amigos y los padres y madres de mis alumnos me llevaran a la clínica un teclado electrónico con auriculares, aunque en realidad esto es totalmente inimaginable en una habitación individual esterilizada.

Efectivamente, cuando me era posible me sentaba en la cama, estando incluso conectada al gotero que me infundía los fármacos quimioterapéuticos, y tocaba el piano. Cuando no podía tocar, visualizaba que volvería a viajar y dar conciertos, y eso me ayudaba. ¡Eso fue lo que sucedió!

Acción de hoy

Créate un espacio sagrado como se describe en la Introducción. Llama al arcángel Miguel a tu lado, pídele que te envuelva en su luz poderosa y aspira y espira hondo.

Ha llegado el momento de aclararte (si es que todavía no lo has hecho) sobre cuál es tu «deseo ardiente», tu don, y lo anotes por escrito.

- ¿Qué soñabas en la infancia o la adolescencia sobre tu futuro? Trasládate al período de tu niñez y lo sabrás. Justamente eso es en la mayoría de los casos nuestro «deseo ardiente» que anima al alma.
- Si no lo recuerdas, pregúntate: ¿qué deseas haber hecho o creado antes de abandonar esta vida? Así descubrirás tu don especial.

Afirmación del alma

Ruega primero al arcángel Miguel que te envuelva en su luz de color violeta, azul royal y dorado y aspira y espira hondo antes de pronunciar (preferiblemente en voz alta) las siguientes palabras:

El deseo de mi alma es un signo de mi plan de vida. Me merezco y seré capaz de realizar mis sueños interiores y exteriores con alegría, buen ánimo, soltura y compasión.

Antes de comenzar, ten preparado algo para escribir.

Aspira hondo con los ojos abiertos y espira lentamente mientras cierras los ojos a cámara lenta y ordenas al cerebro que pase automáticamente al estado zeta. Aspira hondo y espira todo el aire y relájate. Deja correr los pensamientos como hojas que pasan flotando sobre el río, y céntrate en tu interior. Disfruta sintiendo la respiración y relájate cada vez más profundamente.

Delante de ti hay un hermoso puente de oro que te invita a cruzarlo. Apenas lo pisas, notas cómo comienza a aumentar tu frecuencia.

Cuando llegas al final del puente, ves delante de ti un jardín paradisiaco, en el que está esperándote el arcángel Miguel. Te abraza con sus enormes alas y te envuelve en su luz dorada, y entonces te sientes maravillosamente seguro y protegido.

Acto seguido te coge de la mano y levanta el vuelo contigo; ascendéis cada vez más alto hasta llegar a un bello templo etéreo. Miguel te acompaña al interior y estás sobrecogido ante la belleza que te recibe. Miguel te pide que te sientes en el trono de cristal que hay en el centro de la sala cuando te ves envuelto en una luz radiante como nunca habías visto. En ese instante, el arcángel Miguel te pone en contacto con tu sí-mismo superior. Disfruta de la sensación de unirte a él.

Entonces resuena la voz del arcángel Miguel en tu oído:

«Métete en tu corazón y reconoce desde tu sí-mismo superior qué es lo que quieres cambiar en las próximas semanas. Encuentra un objetivo interior y otro exterior por el que quieres trabajar en los 28 días venideros. No te asombres, querido ser, si lo que percibes no se corresponde necesariamente con tus mayores deseos. Puede ser que tu sí-mismo superior elija otra cosa, pues está conectado con tu alma y desde su atalaya tiene una visión más completa de tu vida, de modo que sabe exactamente sobre qué hay que trabajar para que tu vida mejore duraderamente. Confía en él y en mí, que estaré siempre a tu lado durante todo el proceso».

Si quieres, escribe ahora los dos objetivos, el interior y el exterior.

A continuación, visualiza tu vida suponiendo que has alcanzado tus dos objetivos y percibe cómo te sientes y qué significa esto para toda tu vida. Disfruta con esta sensación y decide ahora realizar estos dos objetivos con disciplina y concentración y con ayuda de los ángeles.

Nota el poder del arcángel Miguel a tu lado, que te proporciona la fuerza para acercarte a tus objetivos con buen ánimo, soltura y alegría. Debes estar seguro de que lo lograrás.

Miguel te envuelve en su abrigo de color azul oscuro, que te protegerá y dará calor en el camino hacia tus objetivos, de manera que las cosas terrenales te preocupan cada vez menos. De nuevo te coge de la mano y te hace salir del templo celestial. Juntos alzáis el vuelo y volvéis a la Tierra. Aterrizas suavemente sobre los pies en el jardín paradisiaco. Disfrutas al notar a la madre Tierra bajo tus pies y te unes con las raíces del subsuelo. Estira brazos, piernas y tronco, abre los ojos y vuelve plenamente a tu cuerpo y al aquí y ahora.

Si todavía no has anotado tus dos objetivos, el interior y el exterior, hazlo ahora. La fuerza de la palabra escrita es mucho mayor que la de un pensamiento.

Día 2

Refuerza el lazo con tus ángeles de la guarda

Los ángeles de la guarda de nuestra vida vuelan a
veces tan alto que ya no podemos verlos, pero ellos
nunca nos pierden de vista.

JEAN PAUL

*«Te saludo, querido ser humano. Somos los dos ángeles de la guarda que
estamos a tu lado desde el comienzo de los tiempos. Es para nosotros un
gran honor y nos colma de alegría acompañarte en tu viaje existencial.
Pero te rogamos que nos introduzcas más en tu vida para que podamos
ayudarte más, tanto en los momentos malos como en los buenos. Conoces la ley del libre albedrío y sabes, por tanto, que sólo podemos ayudarte si nos lo pides o si te encuentras antes de que se acaben los tiempos en
una situación de vida o muerte.*

*Por favor, háblanos en todo instante de tus penas y placeres, de modo
que podamos apoyarte como hacen los mejores amigos. Porque eso somos
nosotros y mucho más. Esto nos complacería enormemente y la vida te*

resultaría más fácil. Acepta nuestra ayuda y disfruta cada vez más de la vida».

Ángeles de la guarda: te protegen desde el comienzo hasta el final de tu vida
Color del aura: blanco
Gema: angelita

Reflexión

Incluso a personas que normalmente no creen en los ángeles se les escapa a veces esta frase: «Debiste de tener muchos ángeles de la guarda», cuando alguien sale milagrosamente indemne de un accidente grave. El caso es que toda persona, tanto si cree en los ángeles y/o en Dios como si no, tiene siempre a su lado, desde que nace hasta que muere, a dos ángeles de la guarda. Uno de ellos suele tener un aspecto más masculino y el otro más femenino, lo cual no significa, por supuesto, que los ángeles tengan sexo. A pesar de ello, en muchos casos sus energías se diferencian claramente. El ángel de la guarda más bien femenina tiene la misión de ayudarte, abrir tu corazón, prestarte oído y consolarte cuando es necesario, mientras que el ángel más bien masculino te protege y a veces incluso te da un empujón para que no te desvíes de tu camino, pues él se ocupa de que cumplas tu plan de vida. Contrariamente a la suposición de que nuestro deseo ardiente de comunicarnos con los ángeles es mucho mayor que el de ellos de estar en contacto directo con nosotros, lo cierto es que han declarado lo siguiente:

«Nosotros los ángeles os amamos de todo corazón y anhelamos todavía más que vosotros entrar en contacto con nuestros protegidos».

Recuerda asimismo que para los ángeles nada es demasiado banal. Quieren ayudarte en todo lo que sea necesario en tu vida.

Pequeña historia de ángeles de la guarda

El hijo de unos amigos de mi familia siempre tenía mala suerte en el amor y con las mujeres, hasta el punto de que ya casi había perdido toda esperanza de establecer una relación plenamente satisfactoria. En cierta ocasión le reveló a mi madre el dilema en que se hallaba y ella le contestó en toda confianza: «¿Sabes qué voy a hacer a partir de hoy? Voy a rezar todas las noches y pedir a tus ángeles de la guarda que se pongan en contacto con los ángeles de la guarda de la mujer de tus sueños. Entonces, tus ángeles de la guarda se ocuparán de que llegado el momento oportuno vuestros caminos se crucen».

A lo que él respondió riéndose: «Bueno, daño no me puede hacer. ¡Muchas gracias!».

Así que mi madre se puso a rezar cada noche para que ambos se encontraran.

No pasó mucho tiempo y el chico encontró a una mujer tan guapa como maravillosa. Desde el primer instante supo que por fin había dado con su media naranja. Convencerla le llevó un poco más de tiempo, pero al cabo de poco lo logró; forman una pareja de ensueño y se han casado.

Acciones para hoy

❧ Crea un buzón para los ángeles

En este buzón introducirás los deseos que quieras manifestar. Puede ser un buzón comprado especialmente o una caja de zapatos decorada por ti con pintura o estampas de ángeles. A menudo se encuentran cajas bonitas en las papelerías o grandes almacenes, que a veces incluso están decoradas con imágenes de ángeles.

Coloca el buzón en un lugar adecuado (por ejemplo sobre tu altar, si tienes uno). Cada vez que quieras manifestar algo (el momento más idóneo para ello es la noche de luna nueva), escríbelo en una hoja de papel y añade: «… esto o mejor», pues a veces no somos capaces de imaginar las más excelentes manifestaciones ni siquiera en nuestros sueños más audaces. Después introduce el papel en el buzón y suelta el deseo como si fuera un globo. Sólo si te desprendes de él dejarás de sabotearte a ti mismo con dudas y temores, de manera que el deseo pueda cumplirse.

✍ Escribe una carta a tus ángeles de la guarda

Recuerda que antes que nada has de crearte un espacio sagrado, tal como se ha descrito en la Introducción.

En esta ocasión no escribirás la carta en tu diario, sino en hojas de papel sueltas, para poder echarlas después en el buzón de los ángeles. No hay ningún problema en mostrarse creativo y utilizar papel de carta decorado y lápices o rotuladores de colores. ¡Los ángeles aman los colores!

Ahora escribe a tus dos ángeles de la guarda y explícales los objetivos que quieres alcanzar en los 28 días con su ayuda y la de los demás ángeles. Señala también en qué aspectos necesitarás especialmente su ayuda, para que no te pongas tú mismo palos en las ruedas. Puedes estar seguro de que ambos harán todo lo posible para que este período de trasformación te resulte lo más agradable posible. Comunícales todo lo que consideres importante.

Si también estás buscando a la pareja de tus sueños, como en el caso de la pequeña historia contada más arriba, puedes pedir a tus ángeles de la guarda que se pongan en contacto con los de tu futuro amado o amada y rogarles que os ayuden a fijar un lugar y una fecha para que podáis encontraros (no conviene que señales tú el lugar, pues es preferible dejar estas cuestiones prácticas en manos de los ángeles). Por supuesto que, aparte de lo ya indicado, puedes añadir todo lo que desees en este sentido. Asimismo, puedes pedir a tus ángeles de la guarda que se pongan en contacto con los de tu pareja y les comuniquen todo lo que consideres importante. Es curioso, pero después de esto a veces ni siquiera es necesario poner sobre el tapete determinadas cuestiones en el plano personal, ya que el asunto ha quedado resuelto entre los ángeles de la guarda.

Lo mismo cabe decir, lógicamente, de cualquier otro tipo de relación.

Termina la carta con un cordial saludo de despedida y palabras de agradecimiento. Puedes estar seguro de que tus ángeles de la guarda te ayudarán. Una vez terminada la carta, ponla en tu maravilloso buzón para los ángeles.

Afirmación del alma

Ruega primero a tus ángeles de la guarda que te envuelvan en su luz blanca y aspira y espira hondo antes de pronunciar (preferiblemente en voz alta) las siguientes palabras:

Dondequiera que vaya me rodean mis ángeles de la guarda, que velan por mí, me protegen y me ayudan a cumplir mi plan de vida. Me siento siempre querido y completamente aceptado tal como soy. Nunca estoy solo.

Viaje del alma

Aspira profundamente con los ojos abiertos y espira lentamente mientras cierras los ojos poco a poco, y ordenas a tu cerebro que pase automáticamente al estado zeta. Aspira y espira hondo y relájate.

Deja que tus pensamientos pasen como aves que siguen su vuelo. Limítate a observar y no retengas nada mientras te relajas más y más. Disfruta de la sensación de percibir el fluir de la respiración y relájate cada vez más. Sumérgete progresivamente en la relajación.

Te hallas en un magnífico camino del bosque que te conduce cuesta arriba, hacia la cumbre de una montaña. Te acompaña el alegre trino de los pájaros y te sientes más lúcido y ligero a medida que asciendes.

De pronto oyes el ruido de un riachuelo cercano y te propones gozoso ir a descubrirlo. Sales a un maravilloso claro del bosque que resplandece bajo el sol matutino y ves el riachuelo. Te sientas en la orilla y te pones cómodo sobre la hierba fresca. El sol te da calor y hace que te relajes todavía más.

Entonces oyes un murmullo, giras la cabeza y reconoces a un tierno ángel de belleza sobrenatural con rasgos más bien femeninos, quien te dice con voz amena:

«Te saludo, alma querida, soy una de tus ángeles de la guarda. Mi misión consiste en estar a tu lado, abrirte el corazón, rodearte suavemente con mis alas, consolarte y llevarte cuando la vida te plantee grandes desafíos y en librarte de la tristeza y el dolor, de manera que puedas estar cada vez más contento y puedas danzar por tu vida con placidez».

Nota cómo te rodea amorosamente con sus alas y te susurra su nombre al oído. Disfruta de la sensación de ser amado y sostenido.

Entonces aparece un segundo ángel, que irradia mucha fuerza y esplendor. Te resulta curiosamente familiar. También él te habla con una voz hermosa y llena:

«Alma querida, te saludo. Yo también soy tu ángel de la guarda y sé que me reconoces, porque siempre que has estado en peligro te he protegido. Ésta es mi misión. También soy el que una y otra vez te empuja suavemente para que sigas avanzando, para que recorras tu camino y cumplas el plan de vida que has emprendido al nacer».

Este ángel también te rodea con sus alas y te sientes completamente seguro y protegido. Entonces oyes en la oreja el sonido de un nombre conocido. Tal vez entre de lleno en tu conciencia. Es el nombre de este ángel de la guarda.

Disfruta durante un rato más de la feliz reunión a orillas del riachuelo y después emprende el descenso.

Al llegar abajo te sientes completamente realizado por el encuentro con tus dos ángeles de la guarda y estás contento y feliz de haber trabado con ellos una relación más fuerte que nunca. Une ahora tus pies conscientemente a la tierra, estira brazos, piernas y tronco y desperézate, abre los ojos y disfruta sabiendo que tus ángeles de la guarda siempre están a tu lado aquí y ahora.

Día 3

Reconcíliate con tu pasado con ayuda del arcángel Remiel

Vive de manera que, cuando tropieces,
una mano de ángel te conduzca a la meta
que se te escapó.

HAFIZ

«Te saludo, alma querida. SOY el arcángel Remiel. Ha llegado la hora de que hagas las paces con tu pasado, pues ésta es la única manera de que vuelvas a ser el recipiente puro que eras cuando viste la luz en esta Tierra. Mientras lleves encima y mantengas todas esas heridas, lesiones y decepciones que te han causado otros o tú mismo, tu frecuencia no será la misma que la de tus sueños y nunca los verás realizarse. Por eso te recomiendo encarecidamente que abordes con mi ayuda tu pasado, de modo que pierda definitivamente su poder sobre ti. Reconociendo y aceptando con gratitud los regalos en tus lecciones del alma, volverás a

brillar con un corazón puro y una mente clara. Ése es el camino que te conducirá a las estrellas».

Arcángel Remiel: es el ángel que te ayuda a superar dificultades y a deshacerte de los lazos que te atan al pasado
Color del aura: violeta
Gema: amatista

Reflexión

Es una cosa emocionante, nuestro pasado. Creo que todos conocemos la situación en que una y otra vez atraemos al mismo tipo de persona (y no me refiero únicamente a la pareja), a pesar de habernos jurado y perjurado que no volveríamos a caer otra vez en sus redes. Ocurre algo muy parecido con las vivencias que parecen repetirse en nuestra vida siguiendo un patrón similar al oleaje.

La causa estriba en que si bien lo que deseamos es una persona o situación distinta, no hemos hecho borrón y cuenta nueva con nuestro pasado, de manera que somos como un lienzo sobre el que se han pintado varias capas. Por mucho que creemos una imagen nueva, debajo se mantienen muchas otras capas que actúan sobre nosotros y nos ponen palos en las ruedas. Todas las imágenes juntas conforman la resonancia que emitimos hacia el exterior, y la ley de la resonancia impide atraer algo totalmente nuevo si seguimos siendo una mezcla de pinturas del pasado. Por eso es tan necesario romper del todo con el pasado y dejar atrás el victimismo para volver a ser un lienzo virgen, tan claro y puro que admita todas las posibilidades.

Yo misma era un ejemplo de libro de texto de los patrones repetitivos...

Durante muchos años atraje siempre a hombres de los siguientes tipos, claro que con las lógicas variaciones: hombres que no eran libres, hombres que no eran fieles y hombres que tenían miedo de mi potencial. Parecía realmente una brujería.

Cuando después incluso me hundí del todo físicamente (tenía la leve sospecha de que podría ser leucemia, pero esto no se confirmó hasta la punción de médula ósea que me hicieron en el hospital, pues tenía una variante poco común que no era fácil de diagnosticar) y mi pareja me dejó sin más en la estacada, me quedé completamente destrozada y me convencí definitivamente de que tenía que romper de una vez por todas con el mundo de los hombres.

Pero lo que vino después era absurdo. En la sección de oncología de la Policlínica de Grosshadern yo era más o menos la única mujer que no tenía pareja, y me sentía tan sola y abandonada que no deseaba nada más ardientemente que tener a otro hombre a mi lado. Aunque en realidad tenía muchas cosas de qué preocuparme, ya que a fin de cuentas me hallaba entre la vida y la muerte, gran parte de mis pensamientos giraban en torno a esta cuestión.

Cuando además empecé a quedarme calva y a perder las cejas y pestañas, y las hormonas que tenía que tomar para no desangrarme me dejaron completamente hinchada, estuve a punto de caer en una profunda depresión. Estaba del todo segura de que en ese estado nunca más encontraría pareja. Durante un tiempo estuve revolcándome literalmente en mi victimismo.

Cada vez que entre una y otra sesión de quimioterapia pude regresar por poco tiempo a casa, me puse a buscar, pero siempre con resultados decepcionantes.

Llegó un momento en que me di cuenta de que si seguía así tenía todas las de ir nuevamente hacia la perdición en lo referente a los hombres, y entonces me puse a analizar seriamente mi pasado con espíritu crítico. Descubrí varias pautas de comportamiento inaceptables por mi parte, que comencé a modificar paso a paso, y sobre todo me percaté de que antes que nada tenía que encontrar todo el amor en mí misma y volver a ser *entera* antes de adquirir el «aura» que me permitiera atraer a mi pareja ideal.

Aprendí realmente a hacerlo, me bastaba a mí misma y no necesitaba a nadie para sentirme entera. Y de pronto vinieron volando los hombres hacia mí; ahora podía escoger a aquel con el que quisiera emprender algo. Entre todos esos hombres encontré finalmente a quien me acompaña en todos los avatares, que con mi historia no era desde luego ningún camino de rosas. Y estoy profundamente agradecida por ello.

La columna vertebral erguida

Peggy, una de mis traductoras (y que ahora también es ANGEL LIFE COACH®) vivió la siguiente experiencia:

Los ángeles tienen de verdad sentido del humor. Casi sin darte cuenta ocurre algo que nunca pensabas que sería posible y después crees que lo que se ha vuelto posible tiene que ser imposible... Pero los hechos me desmintieron.

Yo arrastraba un problema que me acompañaba desde hacía años: dolores recurrentes de espalda. Sólo pensar en ello ya me hacía exclamar un «¡ay!» de dolor, de modo que siempre andaba con pies de plomo. Todos los diagnósticos médicos confirmaron lo que saltaba a la vista: que tenía en la espina dorsal una lordosis que no se podía corregir.

Lo había intentado todo, pero ¿cuál fue el resultado de tanto trajín? Montones de radiografías, tratamientos y consejos diversos, que con los años no hicieron más que frustrarme una y otra vez.

«El hombre propone y Dios dispone»: eso es exactamente lo que pude experimentar hace poco en vivo. En efecto, viví de cerca y en propia carne lo que es realmente posible, y todavía estoy profundamente emocionada. Todo ocurrió durante un seminario de fin de semana en el que me había propuesto cambiar algunas cosas en mi vida.

Con el título de «El poder de los ángeles», Isabelle y Gary Quinn impartieron en Velden su segundo taller conjunto, aunque parecía que venían colaborando desde tiempos ancestrales. Los poderes celestiales estaban muy presentes en ese fin de semana especial y se mostraron también a la vista de los humanos a través de fotografías de *orbs*.

La maravillosa combinación de diversos elementos interactivos, ejercicios y meditaciones guiadas nos puso progresivamente en contacto con lo que es realmente posible, por muy inverosímil que pareciera. Cuando recuerdo ese fin de semana me invade una gratitud inconmensurable por haber podido estar allí y vivirlo en persona.

Sucedieron realmente muchas cosas, visibles e invisibles. Yo podía tener tal vez una ligera sospecha de la dimensión que iba a adquirir todo aquello, pero el domingo por la mañana me quedé perpleja. Durante la rutina matinal y los rituales que a menudo llevamos a cabo más bien inconscientemente comprobé que de pronto algo había cambiado…

En efecto, había algo que yo sentía de modo muy distinto, algo que no era capaz de comprender del todo. Desde que era joven, la parte inferior de mi columna vertebral sobresalía como un gran «bulto», por muy erguida que me pusiera. Y justo esa parte parecía haberse «aplanado» de repente. Podía creérmelo o no, pero en mi espalda había ocurrido algo, algo físico y por tanto perfectamente visible.

Cuando, todavía perpleja, me puse a pensar en qué había sido, me acordé de que Isabelle había conducido el día anterior una meditación en la que el arcángel Remiel eliminaba experiencias traumáticas del pasado de nuestras espinas dorsales y, acto seguido, se dedicaba durante unos minutos a enderezarlas. Ya no me acordaba muy bien de lo que sucedió, pero los efectos podía notarlos perfectamente.

Cuando unos días después de esta experiencia tan crucial para mí fui a ver a mi madre, ella me dijo extrañada: «Qué raro, parece que hayas crecido».

Sólo pensar en esta confirmación por parte de otra persona hace que se me escape una sonrisa: sobre la inmensidad de la obra milagrosa de los ángeles.

Lo más notable de todo esto es que desde aquel fin de semana mi espalda sigue «trabajando» como por arte de magia. La columna vertebral parece «enderezarse» cada vez más y noto cómo día a día adquiere una creciente movilidad.

Lo que queda es la viva sensación de que los milagros ocurren de forma milagrosa, casi siempre cuando (ya) no los esperamos. ¡Qué obsequio!

Acciones para hoy

➣ Inventario

Recuerda que antes que nada has de crearte un espacio sagrado, tal como se ha descrito en la Introducción.

Llama al arcángel Remiel a tu lado y pídele que te acompañe durante todo el día y te envuelva en su luz de color violeta, de manera que sintonices con la frecuencia de la trasformación suave. Respira hondo para absorber la luz y relájate.

Repasa junto con el arcángel Remiel tu pasado y contempla tu presente. Reconoce las vivencias y experiencias que no pudiste aceptar y con las que disputaste o sigues disputando, y anótalas en una hoja de papel.

➣ Libérate de tu pasado

Ahora cierra los ojos, pide a Remiel que te envuelva otra vez en su luz de color violeta y aspira y espira hondo tres veces.

No olvides que todas y cada una de las vivencias han contribuido a hacer de ti la persona maravillosa que eres hoy.

Señala con la mano hacia atrás y di: «Eso no es más que el pasado». Acto seguido, pon la mano izquierda sobre el chakra del corazón y di: «Mi realidad es otra». Repite esta acción dos veces más y después vuelve a respirar hondo tres veces, aspirando por la nariz mientras cuentas hasta cuatro y después espirando lentamente al mismo tiempo que exclamas «aaaaah», por la boca.

Cuida especialmente tu vocabulario. Si dijeras: «Ése es mi pasado», seguirías «poseyéndolo». Sin embargo, lo que pretendemos con esta afirmación sencilla, pero acreditada en incontables ocasiones y probadamente fuerte, es dejarlo atrás definitivamente.

∾ Reconoce las lecciones del alma

Coge ahora tu diario (no hojas de papel sueltas) y reflexiona: ¿cómo son las lecciones del alma y los obsequios ocultos de las vivencias y experiencias que has descrito antes? ¿Qué has aprendido de ellas? Escribe tus impresiones.

Cuando hayas terminado, envía la intención al universo (mejor con entonación entusiasta):

A partir de ahora me preguntaré al instante cuando ocurra algo desagradable en mi vida: «¿qué lección del alma tengo que aprender de ello y qué obsequio para mí se esconde en su interior?».

Al enviar este mensaje y actuar con arreglo al mismo, abandonas la actitud victimista y la espiral descendente para mantener las riendas de tu vida y retener en las manos los hilos que rigen tus acciones.

Escribe ahora la intención manifestada en uno o varios papelillos adhesivos y pégalos en lugares estratégicos, por ejemplo sobre el ordenador, porque como es sabido a veces no sólo se reciben correos electrónicos cariñosos.

Afirmación del alma

Pide primero al arcángel Remiel que te envuelva en su luz violeta, aspira y espira hondo, y luego di (a poder ser, en voz alta):

Acepto con gratitud mi pasado, porque ha hecho de mí la persona que soy ahora. Al hacerlo, levanto el ancla que me ha retenido y me uno a los conocimientos que he adquirido en el curso del tiempo. A partir de ahora soy quien rige mi propia vida.

Viaje del alma

Relee todo lo que hayas escrito al hacer el inventario antes de emprender el viaje del alma, porque es precisamente lo que quieres dejar atrás en este periplo.

Aspira profundamente con los ojos abiertos y espira lentamente mientras cierras los ojos, poco a poco, y ordenas a tu cerebro que pase automáticamente al estado zeta. Aspira, espira hondo y relájate.

Deja que tus pensamientos pasen como aves que siguen su vuelo. Limítate a observar y no retengas nada mientras te relajas más y más. Disfruta de la sensación de percibir el fluir de la respiración y relájate cada vez más. Sumérgete progresivamente en la relajación.

Es de noche y en el cielo brillan las estrellas. Te hallas en la orilla de un lago mágico que refleja maravillosamente la luz del firmamento. Basta con que contemples el agua luminosa para que tu cuerpo empiece a vibrar y cambiar de frecuencia.

De pronto aparece, como surgido de la nada, un bote junto a la orilla, conducido por un ángel. Es el arcángel Remiel, que te saluda con una sonrisa cariñosa y te invita a subir al bote, tendiéndote las manos para ayudarte. Disfrutas de la compañía del arcángel mientras el bote se desliza a través de la noche.

Cuando llegáis a la otra orilla, Remiel vuelve a tenderte la mano y te ayuda a saltar a tierra firme. Tomáis un sendero bordeado de velas que parte del lago y conduce a un palacio de ensueño, que brilla a la luz de las estrellas como si estuviera cubierto de polvo de diamantes. Remiel te hace entrar y te guía hasta una enorme sala en cuyo otro extremo se encuentra un espejo gigantesco. Remiel te indica que te acerques al espejo, cosa que haces.

Apenas te acercas, ante ti aparecen las imágenes de tu pasado de las que quieres desprenderte. Entonces el arcángel Remiel se acerca a ti por detrás y te envuelve en su suave luz de la trasformación, de color violeta, y notas cómo se te está cayendo un peso de encima.

De repente oyes con toda claridad la voz del arcángel Remiel:

«Proyecta ahora conmigo el fuego dorado, plateado y violeta de la trasformación, indulgencia y amor incondicional sobre las imágenes, que así se trasformarán y luego desaparecerán muy suavemente».

Juntos levantáis los brazos y emitís la potente luz en dirección al espejo, y de inmediato tu pasado se convierte ante tus ojos en luz y amor.

Notas cómo caen de tu cuerpo infinitas cargas y te llenas de indulgencia, porque las sombras del pasado han dejado de tener poder sobre ti.

De pronto dejan de aparecer imágenes en el espejo, y Remiel te dice:

«Querido ser, ahora estás preparado para asumir la responsabilidad sobre tu vida y decidir qué quieres crear de cara al futuro, porque eres el que manda en tu vida».

Lleno de gratitud te vuelves hacia el arcángel Remiel y le abrazas, mientras notas cómo te invade una profunda sensación de felicidad.

Ha llegado el momento de salir del palacio. Emprendéis juntos el camino de vuelta por el sendero bordeado de velas.

Alcanzáis el bote amarrado a la orilla y, de nuevo, os deslizáis juntos sobre el agua que centellea bajo la luz de las estrellas hacia el lugar en que has iniciado el viaje. Con ayuda de Remiel pisas otra vez tierra firme y le das las gracias de todo corazón.

Nota la madre Tierra bajo tus pies, estira brazos, piernas y tronco para volver plenamente a tu cuerpo y al aquí y ahora, y abre los ojos.

Lo mejor es que ahora quemes el papel en que has escrito el inventario.

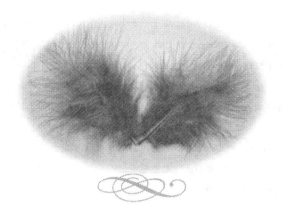

Día 4

Cuida bien el templo de tu alma
con el arcángel Rafael

Lo que para la humanidad es imposible
lo consiguen el poder y la fuerza de los ángeles
JOSEPH GLANVILL

«Te saludo, querido ser. SOY el arcángel Rafael. Tengo mucho interés en recordarte que tu cuerpo es el templo de tu alma, pues en el curso de la vida esto suele olvidarse una y otra vez. A menudo, ocurre incluso que no tomas conciencia de tu cuerpo hasta que deja de funcionar a la perfección. Sin embargo, te ruego que a partir de ahora trates tu cuerpo como el templo que es en realidad. Escucha cada día su voz, que te susurra y a veces incluso te pide a gritos lo que necesita, y actúa en consecuencia. Recuerda que un cuerpo lleno de fuerza también suele estar rodeado de un aura fuerte. Así que ¡hazle caso!

Especialmente en estos tiempos en que se desarrollan los cuerpos de luz, esto es más importante que nunca, puesto que las oscilaciones a que está expuesto tu cuerpo pueden ser ocasionalmente intensas cuando nue-

vas frecuencias de luz atraviesan tu ser y aceleran tu desarrollo en todos los planos. No te sorprendas si hay ciclos en los que lo único que quieres es descansar. Permítete simplemente satisfacer esa necesidad, tu cuerpo te lo agradecerá después con más fuerza. En este sentido te envuelvo con amor y te acompaño con sumo gusto en este tu viaje terrenal».

Arcángel Rafael: ángel de la sanación y del viaje
Color del aura: verde esmeralda
Gemas: esmeralda, malaquita

Con Rafael en la bicicleta estática

Mi amiga y asistente Dani tuvo la siguiente experiencia:

Durante uno de mis ejercicios de bicicleta estática se presentó el arcángel Rafael y me señaló lo importante que es para el cuerpo y todo el sistema que honremos nuestra comida cocinándola y consumiéndola con amor y gratitud.

«Cuántas veces estás con tus amigos comiendo en un buen restaurante y mientras coméis comentáis que lleváis todo el día sin comer nada para poder disfrutar ahora de un menú de varios platos sin ganar peso. Analizáis cuántas calorías tienen los distintos alimentos y descubrís que al día siguiente tendréis que hacer más ejercicio que de costumbre para digerirlo todo. También ocurre que habláis de toda clase de dietas que se ofrecen en el mercado. Este comportamiento hace que el organismo responda negativamente –en parte con reacciones tóxicas, aerofagia, náuseas y diarrea– a unos alimentos que en realidad son excelentes. Lo mismo ocurre cuando durante la comida se habla mal de otras personas o se comentan situaciones desagradables. De esta manera, la energía positiva que se ingiere con la comida se trasforma en negativa, lo que entre otras cosas también puede causar aumento de peso.

Te pido que de ahora en adelante, durante la comida, guardes el teléfono móvil y hables de cosas positivas, incluido lo bien que te ali-

menta la comida que estás tomando y cómo incrementa tu energía. Si no puedes dejar de mirar el televisor o escuchar la radio mientras comes, evita las malas noticias y los programas truculentos, para que no asimiles estas informaciones junto con la comida. Si sigues estos consejos, notarás de inmediato que tu energía aumenta y que tienes más fuerza».

Me di cuenta con horror de todo el mal que me había hecho yo. A partir de entonces, en las comidas con otras personas trato de conversar sobre cuestiones agradables, para conseguir que a todos los comensales les sienten bien los alimentos. Aparte del hecho de que ahora digiero la comida mucho mejor, los ratos que comparto con los amigos son mucho más alegres, vivos y agradables. Un efecto secundario muy positivo.

Pedaleando en la bicicleta estática también recibí otro mensaje del arcángel Rafael y del ángel Rufina, un ángel de la autoestima:

«La buena forma física es muy importante para la manera en que cada persona se siente con su cuerpo. No se trata únicamente de las endorfinas que segregáis en la actividad deportiva, sino que también hace que os dejéis tocar de buen grado. Si a uno no le gusta que le toquen o le abracen, o se pone rígido, aguanta la respiración y encoge la barriga cuando le abrazan, es señal de que no está satisfecho con su cuerpo. La buena forma física, en cambio, refuerza la buena sensación del cuerpo y el buen estado de ánimo, así como la autoestima. Además, hace que pongáis los pies en el suelo y se os aclaren las ideas. Las personas que están en forma caminan erguidas y están más contentas con su cuerpo y su vida, aunque tal vez tengan algunos kilos de más. Al hacer ejercicio saludable y con regularidad, tendréis un aire más mayestático y firme y os sentiréis atractivos».

Sólo puedo añadir que los dos ángeles tienen toda la razón.

Reflexión

Has llegado ya al cuarto día del programa de 28 días. Puede que sea nuevo para ti y tal vez te resulte laborioso dedicar cada día tanto tiempo a ti mismo, pero esto es imprescindible para conseguir un cambio duradero en tu vida.

Como dijo el arcángel Rafael: es muy importante que cada día atiendas bien al cuerpo, especialmente en estos 28 días de trasformación, ya que el programa afecta más profundamente de lo que puede parecer.

Recuerda que antes de contestar por escrito a las siguientes preguntas has de crearte un espacio sagrado.

Llama al arcángel Rafael a tu lado y pídele que te acompañe durante todo el día y te envuelva en su luz de color esmeralda, de manera que sintonices con la frecuencia de la sanación. Respira hondo para absorber la luz y relájate.

- ¿Cuántas horas duermes como promedio de noche? ¿Es suficiente?
- ¿Duermes bien y profundamente?
- Si no es así, ¿a qué se debe?

Acciones para dormir bien

- ¿Qué puedes hacer para cambiar esto?

Pide a Rafael que te ayude con la respuesta. Quizá se trata de oír una música hermosa y relajante antes de acostarse, o de tomar una infusión de efecto calmante o un baño caliente, o de meditar. Cualquiera que sea la respuesta, ponla en práctica hoy mismo y de momento mantenla.

Reflexión

- ¿Es sana la comida que tomas?
- ¿Compras principalmente en el supermercado o bien en la tienda de productos ecológicos?

- ¿Comes en intervalos regulares o irregulares?
- ¿Comes de pie o te tomas tiempo para comer tranquilamente?
- Después de comer, ¿te sientes lleno y te entra sueño o te encuentras satisfecho y lleno de energía y con ganas de hacer algo?
- ¿Eres delgado, flaco o grueso?
- ¿Tomas café, azúcar, alcohol y carne todos los días? Si es así, reduce lentamente el consumo de estos productos con ayuda del arcángel Rafael. ¿Qué alimentos puedes tomar en su lugar?
- ¿Intercalas períodos en que ayunas o desintoxicas el organismo?

Acciones para una alimentación sana

Examina ahora lo que tienes en la nevera y en los armarios de la cocina y decide qué alimentos honran realmente tu cuerpo como templo del alma. Elimina todos los productos que no cumplan este criterio.

Escribe ahora, junto con Rafael, una lista de la compra con alimentos que nutran óptimamente tu cuerpo y ves a hacer la compra, si es posible, de inmediato.

Anota también cómo quieres cambiar tus hábitos de alimentación y empieza a actuar en consecuencia hoy mismo.

Tal vez haya llegado el momento de que te informes sobre nuevas formas de alimentación. Un libro que me ha inspirado mucho es *Flaca y espléndida* (título original: *Skinny Bitch*), de Rory Freedman y Kim Barnouin. Al principio, el título me repelía, pero después de «tropezar» repetidamente con el libro y de que durante una escala muy larga en el aeropuerto de Londres incluso se cayó del estante delante de mí, supe que tenía que leerlo.

La sabrosa comida que sirvieron en el hotel Landhaus Eggert, de Münster, durante mis clases de ANGEL LIFE COACH®, se basa en parte en recetas de este libro. Otro libro de cocina con el que me he topado varias veces durante mi trabajo es *The Kind Diet*, de Alicia Silverstone, que realmente me ha entusiasmado.

En la bibliografía figuran algunas otras sugerencias al respecto.

Reflexión

- ¿Cuánto te mueves?
- ¿Practicas algún deporte? En caso afirmativo, ¿cuál?
- ¿O haces yoga, tai-chi, qi gong o algo parecido?

Acciones para mantener un cuerpo en forma

Si no lo haces ya, programa tus visitas al gimnasio, tu hora de prueba de yoga, etcétera, con el mismo esmero que todas tus demás actividades, a poder ser hoy mismo, para que pases a la acción efectivamente.

Muévete también hoy mismo de alguna manera para ejercitar el cuerpo (como mínimo 15 minutos), aunque «sólo» sea poniendo tus canciones preferidas y bailando entre tus cuatro paredes según te venga en gana. Por cierto, los ángeles llaman a esto «Chakra Shaking» (agitar los chakras), pues sacude los chakras de una forma maravillosa y los libera de lastres inútiles.

Reflexión

- ¿Cuidas tu cuerpo?
- ¿Te untas de crema o aceite regularmente?
- ¿Vas a que te hagan masajes? ¿O a un spa?
- ¿Mimas tu cuerpo de alguna otra manera?

Acciones por el bien del templo de tu alma

Cómprate una crema corporal perfumada o un aceite corporal de aroma seductor, si no tienes ninguno, y úntate regularmente.

Toma un baño aromático.

Pide hora para un masaje, por ejemplo, lomi lomi nui, que te hará volar, un día en un spa o un fin de semana en un bonito balneario.

O deja que se te ocurra cualquier cosa para cuidar el cuerpo y honrarlo como el templo del alma que es.

Reflexión

- ¿Cuánto tiempo de silencio y soledad te dedicas? ¿Es suficiente?
- ¿Forma parte de tus prioridades o siempre es lo último en que piensas?
- ¿Te permites intercalar «tiempos muertos», en los que simplemente gozas de la vida?
- ¿O eres un adicto al trabajo y no puedes parar?

Acciones para que haya más silencio en tu vida

Medita regularmente, a ser posible como mínimo una vez al día, porque la meditación relaja, si se practica regularmente, hasta al espíritu más inquieto, y regenera el cuerpo. Elige la forma de meditar que más te convenga: meditación silenciosa, meditación trascendental, meditación del sonido primordial, meditación con una vela, viaje de meditación guiada, meditación en movimiento (danza o deambulación), meditación en trance, etcétera. O incorpora diversos tipos de meditación en tu vida si te gusta la variedad.

Programa regularmente un espacio de tiempo para dedicarte a ti mismo y anótalo en tu agenda en papel o en el móvil, como cualquier otra cita que tengas. En este tiempo, haz algo que te guste.

Resérvate horas sin teléfono móvil, sin ordenador y sin televisión, programa días y/o semanas enteras para dedicarte a ti mismo.

Prográmate períodos de vacaciones junto con otros o a solas, como prefieras.

Conclusión

Conversa todos los días con tu cuerpo y pregúntale qué necesita. Es un organismo vivo y no quiere que le den un trato rutinario. Esto significa, por ejemplo, que probablemente no quiera ingerir cada día el mismo desayuno o llevar a cabo el mismo programa de yoga. Cada cuerpo tiene sus ciclos muy particulares. Hay épocas en que el cuerpo desea vehementemente ejercitarse hasta el agotamiento, mientras que en otros períodos el mismo programa de ejercicios podría ser un auténtico veneno para él. A veces soporta una comida pesada, pero otros días esa misma comida le hace enfermar.

Por tanto, presta oído todos los días a sus mensajes en estos momentos sensibles de activación del cuerpo de luz y actúa en consecuencia. Nadie conoce tu cuerpo mejor que tú, y él te lo agradecerá con energía, vitalidad y salud.

Además, cuando quieras puedes pedir consejo al arcángel Rafael si no estás seguro; él sabe qué es exactamente lo que te conviene. Rafael te mostrará con sumo gusto los alimentos que te favorecen especialmente a ti y a tu cuerpo.

Pídele simplemente una respuesta simple y la obtendrás en forma de palabras, ideas, imágenes, sentimientos o signos.

Afirmación del alma

Pide primero al arcángel Rafael que te envuelva en su energía sanadora de color esmeralda, y aspira y espira hondo antes de pronunciar (preferiblemente en voz alta) las siguientes palabras:

Me cuido y me aseguro de dormir lo suficiente, de tomar alimentos sanos, de meditar regularmente y de hacer ejercicio todos los días. Cuanto mejor en forma estoy, tanto más fácil me resulta incrementar mi vibración y tener un aura fuerte.

Viaje del alma

Aspira profundamente con los ojos abiertos y espira lentamente mientras cierras los ojos poco a poco y ordenas a tu cerebro que pase al estado zeta. Aspira y espira hondo y relájate. Deja que tus pensamientos pasen como hojas flotando sobre el agua de un río y céntrate en tu interior. Con cada respiración que haces te relajas más profundamente.

Siente, nota o imagina cómo te envuelve una luz sanadora de color esmeralda y oro, y disfruta sintiendo cómo esa luz llena de fuerza invade tu ser y te une a tu plano divino. Es una sensación maravillosa.

Te hallas en un sendero que serpentea hacia lo alto de un montículo, cuando de pronto aparece una bifurcación y no sabes por dónde seguir. Entonces aparece un cuervo y te comunica telepáticamente que le sigas. Confiado te dejas guiar por el ave, y al cabo de no mucho tiempo aparece delante de vosotros una pirámide cristalina que brilla a la luz del sol. Miras al cuervo con gratitud, y éste parece responderte moviendo la cabeza. Lleno de admiración das una vuelta a la pirámide y descubres el portal rodeado de flores blancas. Nada más penetrar en la pirámide, aparece el arcángel Rafael, que acude a tu encuentro con los brazos abiertos. Te conduce hacia una hermosa piscina en cuyo fondo ves unas formas geométricas sagradas y enormes esmeraldas que proporcionan al agua un brillante color verde. Percibes un aroma seductor que emana

de la piscina. Rafael te pide que te desnudes y te metas en el agua sana-
dora. Apenas estás listo y te deslizas al interior de la piscina, notas cómo
pierdes el estrés que llevas encima y te sumerges en una dimensión de
relajación, lejos del mundo. Te sientes cada vez más lúcido y ligero, y
disfrutas la maravillosa sensación de la intemporalidad absoluta.

Finalmente ha llegado el momento de salir de la piscina. Rafael te
tiende un albornoz de seda que brilla con todos los colores del arcoíris.
Apenas te cubre la piel, notas cómo el cuerpo y todos los chakras y capas
del aura se equilibran de un modo muy suave gracias a los colores del
arcoíris. Te sientes magníficamente.

Acto seguido, Rafael te conduce hacia un lecho de cristal decorado
con esmeraldas de todas las formas. Te acuestas encima y entonces ves
que se encuentra exactamente debajo de la punta de la pirámide por
cuya abertura penetra la cálida luz del sol, que cae agradablemente so-
bre tu plexo solar.

Ahora se oye la voz cordial de Rafael junto a ti:

«Querido ser, mientras envío mi energía sanadora de color esmeralda
a cada una de tus células y te uno a tu modelo divino, esa forma perfec-
ta de tu cuerpo, tu ADN, tus células, de todo tu ser, la luz del sol te co-
nectará al mismo tiempo con tu verdadera fuerza vital. Te ruego que en
este tiempo respires profundamente y sin interrupción siete veces».

De inmediato notas cómo sube tu nivel de energía mientras respiras
hondo siete veces, como se te ha indicado. Al mismo tiempo sientes el amor
más puro y sabes desde lo más profundo de tu alma: tal como eres, eres
amado infinitamente. Te invade una profunda sensación de felicidad.

Te sientes deltado energizado cuando Rafael te ayuda finalmente a
levantarte del lecho. Le das un abrazo lleno de gratitud. Él te acaricia
suavemente la espalda y te asegura que puedes ir a ese lugar cuantas
veces lo desees. Te conduce al portal, donde ya está esperándote el cuervo.
Te despides del arcángel Rafael con el corazón lleno de gratitud y desan-
das el camino a casa junto con el ave que te guía.

Cuando hayas llegado, aspira y espira hondo otra vez para fijar lo
vivido en todo tu ser, haz unos estiramientos y retorna poco a poco al
aquí y ahora. Cuando estés listo, abre los ojos.

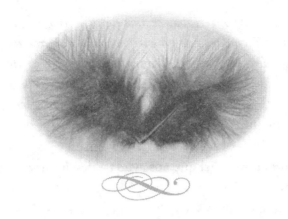

Día 5

Enfréntate a tus sombras con el ángel Lavinia

Si uno nace con alas,
debería hacer todo lo posible
por utilizarlas para volar.

FLORENCE NIGHTINGALE

«Te saludo, alma querida, SOY Lavinia, el ángel que te ayuda a tras-formar tus sombras en amor. En estos tiempos de cambio y de aumento de la vibración, a veces te parecerá muy extraño que a pesar de todo haya tanta oscuridad en el mundo y las cosas salgan cada vez más a la luz. Incluso en tu interior, aunque aspires a la luz, aparecen continua-mente sombras que creías superadas desde hace tiempo. Esto se debe a que las vibraciones se intensifican por impulsos y penetran en tu cuerpo de luz más profundamente que en los últimos años. Todo aumento de las vibraciones de la Tierra comporta asimismo un incremento de la fre-cuencia dentro de ti y, al mismo tiempo, saca a relucir aspectos todavía irresueltos que quedan en tu interior. Cuanto mayor es la intensidad luminosa, tanto más difícil resulta ocultar los puntos ciegos, por muy pequeños que sean. Así que te ruego, alma querida, que no te condenes

si alguna de esas sombras reaparece ante tus ojos, sino que trates de tras-formarla con mi ayuda, la de mi energía sanadora verde trasparente, y la de mi rayo de color platino. Al aprender a aceptar y amar a tus som-bras, éstas te serán de gran ayuda en tu camino hacia la plenitud, en mucha mayor medida que lo que podías imaginar. Déjate envolver amorosamente por mis alas».

Ángel Lavinia: un ángel que nos ayuda a descubrir y amar a nues-tras sombras
Color del aura: verde trasparente
Rayo: color platino
Gema: danburita

Primer encuentro con el ángel Lavinia

Dado que hasta ahora no he mencionado al ángel Lavinia, contaré aquí cómo entró en mi vida.

Hace exactamente un año estaba sentada junto a mi marido en un avión con destino a Niza, para disfrutar de una semana de vacacio-nes en la bahía de los Ángeles. Yo estaba impaciente por encontrar-me junto al mar y descansar, no en vano había pasado un año de actividad muy intensa: aparte del trabajo en mi consulta había escri-to un libro, canalizado y registrado más de 20 meditaciones y, ade-más, realizado numerosos viajes para dirigir talleres y hablar en con-gresos internacionales. Durante medio año no había dormido más de dos o cuatro horas por noche, y aunque no se me notaba, pues los ángeles me insuflaban continuamente energía, el cuerpo empezó a sentirse agotado.

Así que fue para mí un placer poder estar sentada tranquilamen-te en el avión y leer cuando, de pronto, apareció delante de mí un ángel encantadora cuya cara ovalada era maravillosamente bella, ro-deada de cabello rizado de color castaño claro; llevaba un vestido de color verde plateado y su aura era verde trasparente. La miré asombrada y, antes de que pudiera preguntarle nada, percibí su voz magníficamente melodiosa:

«Soy Lavinia, el ángel de las sombras. Te saludo y será para mí un placer ayudarte en esta semana que viene a trabajar sobre tus sombras y trasformarlas».

No acabé de creerme lo que estaba oyendo; yo me había propuesto seriamente no trabajar durante toda la semana, pero por lo visto los ángeles tenían otros planes conmigo. Me di cuenta de que no tenía sentido oponerme, de manera que cedí y acepté lo inevitable.

Apenas llegamos junto al mar y después de nadar un rato, el proceso comenzó sin mayor dilación. Lavinia apareció levitando encima del agua y dijo con firmeza:

«Piensa ahora, por favor, en la persona que en estos momentos más te irrita».

No tuve que pensar mucho rato, pues en pocos segundos apareció la imagen de uno de mis amigos ante mi ojo interior.

«Bien, pues ahora contempla qué comportamientos de esa persona son los que más te han ofendido», me ordenó entonces Lavinia.

Tampoco en este caso tuve que pensar mucho; al instante me vinieron a la mente las ofensas que yo había padecido. Pero Lavinia no me dejó tiempo para sentirme herida y desprotegida o relamerme las heridas, sino que me puso delante un espejo:

«¿Cuándo has ofendido tú de la misma manera a otras personas? Puede que haga más tiempo de esto, pero si eres totalmente sincera, sabes perfectamente que todo eso también lo has hecho tú».

Yo sabía que tenía razón, y de inmediato empecé a ver a mi amigo con otros ojos. Con toda la calma del mundo, me puse entonces a contemplar las escenas en las que yo misma me había comportado de la misma manera, mientras Lavinia trabajaba sobre mí y sobre estos temas con su energía sanadora verde trasparente y su rayo de color platino, que penetra hasta lo más profundo de nuestro ser. Noté cómo me sentía cada vez más ligera y más libre y era capaz de admitir amorosamente esas sombras que había en mi interior.

Cuando al cabo de bastante tiempo salí del agua, había hecho las paces completamente con aquellos comportamientos de mi amigo, y también míos, y mi corazón estaba impregnado de una purísima frecuencia del amor. Me sentí infinitamente agradecida a Lavinia.

En los días siguientes también estuvo trabajando intensamente conmigo las demás sombras que había en mi interior, y los resultados fueron simplemente increíbles. De vuelta a casa, el amigo del que he hablado mostró un comportamiento del todo opuesto al anterior, y también otras cosas experimentaron un cambio asombroso, aunque en realidad yo «sólo» había trabajado sobre mi persona y mis sombras. Entonces me vinieron a la mente las maravillosas palabras de Gandhi: «Sé tú mismo el cambio que deseas para el mundo». ¡Cuánta razón tenía!

En lo sucesivo, Lavinia siguió siendo mi fiel acompañante; me apoya asimismo en el trabajo sobre las sombras de mis clientes y de los participantes en mis cursos de ANGEL LIFE COACH® y talleres sobre sombras, con excelentes resultados.

Con Lavinia en el sofá

Mi amigo Guido, que no sólo es *coach*, sino también actor y cantante, pasó un tiempo intenso y sumamente saludable junto al ángel Lavinia:

No hace mucho tiempo atravesé una fase muy dura de mi vida. En esa época, Lavinia, un ángel con la que nunca había trabajado mucho con anterioridad, me ayudó en muy pocos días a trasformar mis sombras en luz. Sólo entonces adquirí conciencia de las posibilidades que tenemos y de lo fácil y bonita que puede ser la vida si permitimos que lo sea. ¿Qué había sucedido?

Mi relación de pareja, con quien llevaba viviendo sumamente feliz desde hacía cinco años, amenazaba con resquebrajarse. De golpe y porrazo, sin que me llegara de antemano ningún aviso perceptible, me hallaba ante la perspectiva de volver a ser soltero, a separarme de la persona que me importaba más que nada ni nadie en el mundo.

Cuando una mañana me senté a meditar, me deslicé de nuevo hasta la autocompasión, como creo que le ocurre a todas las personas que se hallan en una situación parecida, preguntándome todo el rato: «¿Por qué yo? ¿Por qué ha de sucederme esto? No me lo merezco», etcétera, hasta que de pronto se coló una pregunta distinta que decía: «¿Qué puedo aprender de ello, cómo puedo crecer a partir de esta experiencia?».

De inmediato cambió toda la energía que me rodeaba, y tenía la sensación de volver a tener en mis manos las riendas de mi propia vida. Noté que el ángel Lavinia se me acercó y me hizo saber que por fin yo estaba a punto de atreverme a dar el paso hacia el apoderamiento de mí mismo. Me concentré y escuché o sentí que me decía lo siguiente:

«No puedes cambiar ninguna situación, a ninguna persona en el exterior, sino que antes que nada has de sanar las cosas de tu propio interior. Con tu última pregunta me has dado la oportunidad de ayudarte y hacer precisamente eso. Contempla tus sentimientos, tus temores y dolores, y luego pídeme que juntos trasformemos esas sombras de aceptación».

Enseguida comprendí qué quería decirme. En los últimos años me habían llamado la atención repetidamente sobre algunas de mis pautas de comportamiento –como el miedo a envejecer y a la soledad, además del hecho de que tendía a dar más importancia a otras personas que a mí mismo–, pero a pesar de todo había logrado apartar a un lado todas esas sombras. Ahora ya no había otra salida, sólo me quedaban dos posibilidades: atribuir la responsabilidad de mi desdicha a otra persona o responsabilizarme yo mismo de mi situación. Me percaté de que el dolor que sentía no era el dolor de ser abandonado, sino la falta de confianza en llegar a ser cabal como persona.

Así que, un poco a regañadientes, fui a sentarme en el sofá con Lavinia y me dediqué durante varias horas al día a lo largo de dos semanas a recorrer con la ayuda de Lavinia el camino de la autoestima. Muchas pautas que logré sacaron a relucir otras nuevas, pero paso a paso la tarea se volvió más fácil y supe que podía vivir perfectamente con mis sombras y también sin ellas. Muchas de esas cuestiones antiguas se disiparon en pocos minutos, otras necesitaron más tiempo, y eso también estaba bien.

Tal vez sea poco viril que confiese que estuve casi dos semanas llorando en el sofá, pero la fuerza y la nueva seguridad que obtuve de estos procesos valieron la pena y me proporcionaron una confianza hasta entonces desconocida en el mundo, pues estaba en paz conmigo mismo, pasara lo que pasara. Me llamaron la atención los frecuentes comentarios de las personas de mi entorno sobre mi aspecto saludable y feliz, y su asombro cuando les explicaba los desafíos a que estaba enfrentándome en esos momentos.

Mientras, he aprendido a analizar mis problemas regularmente con Lavinia y pedirle que me ayude. No es en absoluto necesario superar todas las dificultades de una sola vez.

Reflexión

En principio, yo podría escribir varios capítulos o incluso un libro entero sobre el tema de las sombras. Te ruego que te tomes bastante tiempo para este capítulo, pues es clave para la purificación de tu frecuencia. Por eso también es más largo que todos los demás capítulos. Dedícate ahora muy especialmente a la sombra que tal vez esté relacionada con uno de tus objetivos.

Reconoce que todos llevamos todo en nuestro interior: la luz más brillante y la oscuridad más tenebrosa, los comportamientos más maravillosos y los pensamientos más abyectos que en no pocas ocasiones incluso se ponen en práctica, por mucho que casi nunca queramos darlo por cierto.

¿Cuántas veces condenamos a otras personas por su comportamiento y creemos que nosotros no somos así? Lo cierto es que lo que más condenamos o denigramos en otros es precisamente nuestra sombra más oculta. De esto puedo hablar por experiencia:

Nunca pude aceptar ni explicarme cómo otras mujeres se tornaban irreconocibles tan pronto mantenían una relación de pareja, convirtiéndose de mujeres independientes y fuertes en meras sombras de sí mismas. Eso no me pasaría nunca, pensaba yo: al fin y al cabo, yo era una mujer muy autónoma, seguía con firmeza y férrea disciplina mi carrera de pianista, viajaba sola por el mundo y no permitía que ningún hombre se interpusiera en mis planes… y luego todo cambió.

Conocí a un hombre del que ni siquiera me enamoré perdidamente y que tampoco respondía a mis aspiraciones. En realidad, supe desde el primer instante que no era el tipo de hombre que podría interesarme, pero el destino tenía otros planes (esto lo sé ahora, después de examinar nuestras vidas anteriores). En todo caso, él se esforzó de manera enternecedora por conquistarme: me regalaba los ramos de flores más hermosos que yo nunca había recibido, me escribía tiernos poemas, en los que me calificaba de ángel, me colmaba de atenciones sin hacerse pesado, siempre estaba dispuesto cuando yo necesitaba algo… cosas que hasta entonces yo nunca había vivido de esta forma.

Finalmente, mi profesor de piano me recomendó que me mudara a una casa en el campo para poder ensayar con absoluta tranquilidad, pues había tenido fuertes enfrentamientos con una inquilina de mi escalera que decía que mi música le molestaba.

Pues bien, ¿quién iba a estar dispuesto a abandonar la fabulosa ciudad de Múnich y trasladarse conmigo a un pueblecito de la provincia? Sólo en un pueblo pequeño podía permitirme yo alquilar una vivienda unifamiliar para tocar el piano, y eso compartiéndola con otra persona. Está claro que el único que se prestó era aquel hombre y nadie más. Entonces pensé: «Bueno, al menos habrá que intentarlo». Y comenzó la catástrofe.

La primera vez que nos encontramos yo había tenido una extraña sensación que me ponía seriamente en guardia frente a ese hombre, pero después de que mostrara su lado bueno disipé todas las dudas.

El caso es que cada vez más se vio que tenía problemas serios, y así acabamos metidos en un interminable torbellino de sentimientos. Me habría gustado romper allí mismo nuestra relación, pero estaba el problema de la casa que yo no podía costearme sola y, además, le había prometido que permanecería a su lado contra viento y marea. Aunque no estábamos casados, yo me tomo mis promesas muy en serio, demasiado en serio.

Para no alargarme diré que me volví dependiente, me perdí completamente y me convertí en una sombra de mí misma, lo que en última instancia me condujo a la leucemia y al borde de la muerte. Perdí la casa, la pareja, la estancia de estudio en California, y a punto estuve de perder la vida. ¡Eso sí que era una sombra muy oculta! Pero al haberme enfrentado incondicionalmente a esa sombra, me trasformé en una persona que hoy en día habla con los ángeles y logra dar un giro positivo a la vida de muchas personas.

Gracias al ángel Lavinia, cuando ahora hay algo que me molesta de alguien, me miro de inmediato en el «espejo» y detecto agradecida rasgos parecidos en mí misma. Junto con ella es mucho más fácil afrontar esas sombras, aceptarlas y amarlas.

Cuando algo te irrita, los ángeles, y sobre todo Lavinia, te recomiendan exactamente lo mismo, y de este modo pierdes menos tiempo y energía porque tus pensamientos no giran durante horas, días o incluso semanas en torno al comportamiento de otras personas. Es mejor que aproveches ese tiempo para realizar tus sueños.

Las sombras que te reflejan otras personas las trabajarás de un modo similar con Lavinia, como se desprende de las acciones descritas más abajo.

Como ya dijo sabiamente C. G. Jung, el fundador de la psicología analítica, no se trata de ser perfecto, sino de volverse *entero*.

No es imprescindible que te liberes de todas las sombras, sino que aprendas a reconocerlas, trabajarlas y estar en paz contigo mismo tanto con tu comportamiento «sombrío» como sin él. Porque mientras los seres humanos en la Tierra no seamos maestros iluminados o ascendidos, seguiremos teniendo sombras.

Es interesante observar que casi siempre sólo contemplamos como sombras nuestros llamados lados negativos, pero no nos damos cuenta de que también los rasgos que tanto admiramos en otras personas son sombras de nosotros mismos. Estas «sombras luminosas», como las califica cariñosamente Debbie Ford, escritora celebrada y experta en sombras, son partes de nuestro potencial no vivido y aspiran a salir a la superficie. A menudo es más cómodo, sin embargo, endiosar a otra persona en vez de asumir aquellos rasgos y reunir el valor y la disciplina necesarios para sacar a relucir este potencial. Pero esto lo veremos más en detalle en el viaje del alma.

En el cuarto día de nuestro programa ya has examinado tus pautas de sueño, alimentación y ejercicio físico. Hoy se trata de dar un paso más y destapar tus hábitos sombríos y tus patrones de comportamiento sombrío, pues son éstos los que sabotean el avance hacia tus sueños.

Si no logras llevar a cabo las reflexiones sobre tu comportamiento sombrío en un solo día, tómate más tiempo para este capítulo.

Recuerda crearte en primer lugar un espacio sagrado antes de responder por escrito a las siguientes preguntas.

Llama al ángel Lavinia a tu lado y pídele que te acompañe durante todo el día y te envuelva en su luz verde trasparente, de manera que estés en sintonía con la frecuencia de la sanación. Respira hondo para absorber la luz y relájate.

- ¿Qué alimentos forman parte de tu llamada «alimentación sombría» (por ejemplo, tarta de nata, una tableta de chocolate entera, etcétera)?
- ¿Existen determinados factores que te convierten en «consumidor sombrío»? ¿Qué tiempos son especialmente críticos con respecto a este comportamiento sombrío?
- ¿Qué sentimientos sombríos tienes cuando has vuelto a ingerir esos «alimentos sombríos»?

Acciones para un comportamiento nutricional consciente y sano

Si lo deseas, deja que Lavinia te envuelva otra vez en su luz verde trasparente para renovarla en tu interior. Pídele después que dirija su rayo trasformador de color platino sobre tu necesidad de tomar esos alimentos y sobre tus sentimientos sombríos, y aspira y espira hondo siete veces, contando hasta cuatro mientras aspiras (por la nariz) y espirando después muy lentamente por la boca exclamando «aaaaaah».

Acto seguido di, mientras golpeas suavemente o masajeas con el dedo tu punto de acupuntura n.º 5 debajo del labio inferior, la siguiente frase:

Me amo y me acepto de todo corazón con mi comportamiento sombrío con respecto a determinados alimentos (puedes nombrarlos).

Respira hondo y a continuación di, mientras golpeas suavemente o masajeas de nuevo el mismo punto debajo del labio inferior, la siguiente frase:

Me amo y me acepto de todo corazón sin mi comportamiento sombrío con respecto a la alimentación.

Vuelve a respirar hondo.

A partir de ahora, destierra esos alimentos sombríos de tu hogar durante el programa de 28 días. Esto no significa que tengas que tirarlos a la basura, sino que puedes dárselos a un amigo para que te los guarde durante este período.

Piensa ahora, junto con Lavinia, qué puedes hacer en lugar del «consumo sombrío» y anota tus ideas en una hoja de papel. Acto seguido, crea una intención y emítela al universo de viva voz (mejor con un tono de entusiasmo surgido de la resonancia de tu corazón), por ejemplo:

Emito la intención de bailar a partir de ahora al son de mi canción preferida cuando algo me oprima.

Trasforma seguidamente esta intención en una afirmación, escribiéndola en varias notas autoadhesivas que colocarás en la puerta del frigorífico y en las de los armarios en que guardas la comida:

A partir de ahora bailaré al son de mi canción preferida cuando algo me oprima.

Reflexión

Si no contestas a las siguientes preguntas inmediatamente después de responder a las anteriores, llama de nuevo al ángel Lavinia a tu lado y pídele que te envuelva en su luz verde trasparente, de manera que estés en sintonía con la frecuencia de la sanación. Respira hondo para absorber la luz y relájate.

- ¿Cuál es tu comportamiento sombrío con respecto al ejercicio físico? ¿Acaso te levantas por la mañana demasiado tarde o al caer la noche prefieres arrellanarte en el sofá delante del televisor? ¿Qué más se te ocurre al respecto?
- ¿Qué sentimientos sombríos tienes cuando has vuelto a sabotear tu programa de ejercicio físico?

Responde a estas preguntas por escrito.

Acciones a favor de un ejercicio saludable

Si quieres puedes dejar que Lavinia te envuelva otra vez en su luz verde trasparente para que se renueve. Pídele después que dirija su rayo de color platino a tu comportamiento de sabotaje del programa de ejercicio físico y a tus sentimientos sombríos, y aspira y espira hondo siete veces, contando hasta cuatro mientras aspiras (por la nariz) y espirando seguidamente por la boca exclamando «aaaaaah».

Acto seguido di, mientras golpeas suavemente o masajeas con el dedo tu punto de acupuntura n.º 5 debajo del labio inferior, la siguiente frase:

Me amo y me acepto de todo corazón con mi comportamiento sombrío con respecto al ejercicio físico (puedes especificar más).

Respira hondo y a continuación di, mientras golpeas suavemente o masajeas de nuevo el mismo punto debajo del labio inferior, la siguiente frase:

Me amo y me acepto de todo corazón sin mi comportamiento sombrío con respecto al ejercicio físico.

Vuelve a respirar hondo.

Piensa ahora, junto con el ángel Lavinia, en qué quieres cambiar y anótalo en una hoja de papel. Acto seguido, crea una intención y emítela al universo de viva voz (mejor con un tono de entusiasmo surgido de la resonancia de tu corazón), por ejemplo:

Emito la intención de levantarme a partir de ahora cada mañana a las 5:45 horas para hacer yoga durante media hora.

Trasforma seguidamente esta intención en una afirmación, escribiéndola en una nota autoadhesiva, que colocarás junto a tu despertador y/o sobre tu mesita de noche:

A partir de ahora me levantaré cada mañana a las 5:45 horas para hacer yoga durante media hora.

Reflexión

Si no contestas a las siguientes preguntas inmediatamente después de responder a las anteriores, llama de nuevo al ángel Lavinia a tu lado y pídele que te envuelva en su luz verde trasparente, de manera que estés en sintonía con la frecuencia de la sanación. Respira hondo para absorber la luz y relájate.

- ¿Cuál es tu comportamiento sombrío en relación con el dinero?
- ¿Tienes deudas? ¿Gastas más dinero del que dispones?
- ¿Realizas compras impulsivas cuando tienes algún contratiempo en tu vida?

- ¿Has de tener siempre lo más nuevo (moda, coches, aparatos, etcétera), que sale al mercado para sentirte bien?
- ¿Pagas tus impuestos dentro del plazo preceptivo?
- ¿Trabajas en una actividad no declarada?
- ¿Te quejas de que los alimentos ecológicos son demasiado caros, pero te gastas por otro lado mucho dinero en restaurantes?
- ¿Cuánto sueles dar de propina en un bar o un hotel (camarera)?
- ¿Eres agarrado (con respecto a otros o a ti mismo)?
- ¿Se te ocurre alguna otra cosa sobre esta cuestión?
- ¿Cuáles son tus sentimientos sombríos con respecto a esta cuestión?

Contesta a las preguntas por escrito.

Acciones a favor de una relación sana con el dinero

Si quieres, puedes dejar que Lavinia te envuelva otra vez en su luz verde trasparente para que se renueve en tu interior. Pídele después que dirija su rayo de color platino a tu comportamiento de sabotaje con respecto al dinero y a tus sentimientos sombríos, y aspira y espira hondo siete veces, contando hasta cuatro mientras aspiras (por la nariz) y espirando seguidamente por la boca exclamando «aaaaaah».

Acto seguido di, mientras golpeas suavemente o masajeas con el dedo tu punto de acupuntura n.º 5 debajo del labio inferior, la siguiente frase:

Me amo y me acepto de todo corazón con mi comportamiento sombrío con respecto al dinero (puedes especificar más, por supuesto).

Respira hondo y a continuación di, mientras golpeas suavemente o masajeas de nuevo el mismo punto debajo del labio inferior, la siguiente frase:

Me amo y me acepto de todo corazón sin mi comportamiento sombrío con respecto al dinero.

Vuelve a respirar hondo.

Piensa ahora, junto con el ángel Lavinia, en qué quieres cambiar y anótalo en una hoja de papel. Acto seguido, crea una intención y emítela al universo de viva voz (mejor con un tono de entusiasmo surgido de la resonancia de tu corazón), por ejemplo:

Emito la intención de ser generoso a partir de ahora con mis congéneres y conmigo mismo, pues soy un imán para la riqueza infinita.

Trasforma seguidamente esta intención en una afirmación, escribiendo en una nota autoadhesiva, que colocarás en tu monedero:

A partir de ahora seré generoso con mis congéneres y conmigo mismo, pues soy un imán para la riqueza infinita.

Piensa asimismo en eliminar de tu vocabulario la palabra «caro»: si calificas de caros los productos o servicios, otras personas también encontrarán caras tus prestaciones y no estarán dispuestas a pagar por ellas.

Claro, que siempre puedes decidir no gastar dinero en una cosa. Existe una enorme diferencia entre juzgar/valorar y diferenciar. Cuando piensas o dices: «¡Esto es demasiado caro para mí!», al instante no te sientes muy bien, pues con esa frase confirmas que careces de medios económicos. Pero si optas por formular: «No quiero gastar dinero en eso», tu vibración no mengua, ya que no emites un juicio, sino que tomas una decisión.

Bendice tus facturas y a las personas cuyos servicios has de pagar. Coloca una nota autoadhesiva con la siguiente afirmación sobre la carpeta o archivador donde guardas las facturas pendientes de pago:

Me gusta pagar las facturas puntualmente.

Y piensa que si quieres recibir más dinero –sobre todo si tus recursos son escasos– es importante que regales dinero de todo corazón a otras personas que tienen menos que tú en la medida de tus posibilidades. No importa tanto la cantidad como el hecho de dar. De este modo, el dinero circula.

No esperes nunca que las mismas personas te devuelvan algo. Cuanto más des sin esperar nada a cambio, tanto más te llegará por otras vías.

Reflexión

Si no contestas a las siguientes preguntas inmediatamente después de responder a las anteriores, llama de nuevo al ángel Lavinia a tu lado y pídele que te envuelva en su luz verde trasparente, de manera que estés en sintonía con la frecuencia de la sanación. Respira hondo para absorber la luz y relájate.

- ¿Cuál es tu comportamiento sombrío con respecto a las relaciones?
- ¿Eres egoísta y piensas sobre todo en tus necesidades?
- ¿O acaso haces todo lo que se espera de ti sólo para que te quieran?
- ¿Prescindes completamente de ti cuando mantienes una relación y pasas a depender fácilmente de la otra persona? ¿Tratas de complacer siempre a tu pareja y sacrificas para ellos tus propios deseos?
- ¿Eres a veces desleal o infiel?
- ¿Te callas a menudo para evitar una discusión? ¿Te escondes detrás de tu pareja?
- ¿Qué más se te ocurre al respecto?
- ¿Cuáles son tus sentimientos sombríos cuando descubres que mantienes un comportamiento sombrío en tus relaciones?

Acciones a favor de un comportamiento sano con respecto a las relaciones

Si quieres puedes dejar que Lavinia te envuelva otra vez en su luz verde trasparente para que se renueve en tu interior. Pídele después que dirija su rayo de color platino a tu comportamiento de sabotaje con respecto a las relaciones y a tus sentimientos sombríos, y aspira y espira hondo siete veces, contando hasta cuatro mientras aspiras (por la nariz) y espirando seguidamente por la boca exclamando «aaaaaah».

Acto seguido di, mientras golpeas suavemente o masajeas con el dedo tu punto de acupuntura n.º 5 debajo del labio inferior, la siguiente frase:

Me amo y me acepto de todo corazón con mi comportamiento sombrío con respecto a las relaciones (puedes especificar más).

Respira hondo y a continuación di, mientras golpeas suavemente o masajeas de nuevo el mismo punto debajo del labio inferior, la siguiente frase:

Me amo y me acepto de todo corazón sin mi comportamiento sombrío con respecto a las relaciones.

Vuelve a respirar hondo.

Piensa ahora, junto con el ángel Lavinia, en qué quieres cambiar y anótalo en una hoja de papel. Acto seguido, crea una intención y emítela al universo de viva voz (mejor con un tono de entusiasmo surgido de la resonancia de tu corazón), por ejemplo:

Emito la intención de decir a partir de ahora sin acritud lo que pienso en vez de callar.

Trasforma seguidamente esta intención en una afirmación, escribiendo en una nota autoadhesiva, que colocarás en un lugar que veas a menudo, como por ejemplo en el espejo del lavabo o sobre el teléfono. Si vives con tu pareja y no conviene que ésta lea tu intención, búscate otro lugar.

A partir de ahora diré sin acritud lo que pienso en vez de callar.

Por supuesto que existen otros temas que podemos abordar de la misma manera, pero lo dejaremos aquí para no alargar demasiado el capítulo. Si tienes algún otro comportamiento sombrío que desees tratar urgentemente, puedes hacerlo análogamente a los anteriores.

Atención: si en algún momento –incluso en los días en los que has estado siguiendo las indicaciones de este capítulo–, descubres que estás teniendo un comportamiento sombrío, no te preocupes. Lleva a cabo nuevamente, junto con el ángel Lavinia, las acciones antes descritas que encajan con el comportamiento en cuestión.

Afirmación del alma

Pide al ángel Lavinia que te envuelva en su energía sanadora de color verde trasparente y aspira y espira hondo antes de pronunciar (preferiblemente en voz alta) las siguientes palabras:

A partir de ahora haré frente a mis sombras con buen ánimo, soltura e indulgencia, porque sé que de esta manera podré contar cada vez más con mi fuerza y realizar mi potencial. Si amo a mis sombras, éstas desaparecen detrás de mí y dejan que me vuelva entero.

Viaje del alma

Ten a mano algo para escribir antes de empezar.

Aspira profundamente con los ojos abiertos y espira lentamente mientras cierras los ojos poco a poco y ordenas a tu cerebro que pase automáticamente al estado zeta. Aspira y espira hondo y relájate. Deja que tus pensamientos pasen como pajarillos volando por el aire. Déjalos pasar y disfruta notando tu respiración. Con cada respiración que haces te relajas más profundamente.

Siente, nota, ve o imagina cómo te envuelve la luz dorada más brillante que has visto jamás. Te protege en todos los aspectos y, al mismo tiempo, te sintoniza con la frecuencia del amor. Disfruta al notar cómo la luz rebosante de fuerza impregna todo tu ser y te une de nuevo a tu modelo divino.

Te hallas al pie de una montaña cristalina que resplandece con todos los colores del arcoíris. Miras a lo alto y piensas cómo podrías alcanzar la cumbre cuando de repente a tu lado aparece un ángel de aspecto maravilloso y buen porte, envuelta en una luz de color verde trasparente. Te mira profundamente a los ojos y sabes que está mirando el fondo de tu alma. Sin embargo, te sientes completamente seguro y confías en ella de todo corazón. Entonces te coge de la mano y se eleva contigo a los aires. Notas la brisa fresca en la piel y te sientes divinamente cuando llegáis al fin a la cumbre de la montaña de cristal. Delante de vosotros se alza un edificio gigantesco, rodeado de innumerables escaleras que conduce a sendas terrazas de formas inauditas, pero arrebatadoramente bellas. Lavinia te pide que elijas una terraza y te encamines a ella. Subes a solas por la escalera lleno de alegre expectación, aunque no sepas qué está esperándote allí arriba. Cuando has superado el último escalón ves delante de ti a una persona maravillosa, a quien admiras desde hace ya un tiempo. Se te acerca y te saluda efusivamente. Empezáis a dialogar y cada vez tienes más claro qué es lo que aprecias tanto en esa persona.

Al cabo de un rato se despide de ti y en su lugar aparece Lavinia, que te conduce a un altiplano, donde hay unas vistas maravillosas y te pide que te acuestes en un lecho de cristal. Cuando te has acomodado, se sienta a tu izquierda y habla con voz gentil:

«Alma querida, ahora mira hacia dentro y reconoce que esos mismos atributos maravillosos también se hallan en tu interior y sólo esperan a

que los aceptes y los vivas. Tómate el tiempo que haga falta para mirar en lo más profundo».

Haces introspección y te asombras de la verdad que encierran las palabras de Lavinia.

Cuando vuelves a mirar a Lavinia, ella sostiene un espejo delante de tu cara en el que puedes contemplar cómo vives tú mismo todos esos atributos.

Disfruta de la sensación de estar completamente unido a tu potencial y aspira y espira hondo tres veces para fijarla en tu conciencia.

Ahora depende de ti volver al plano tridimensional, para encarnar esto de forma progresiva. Te levantas del lecho y disfrutas una vez más de la vista sobrenatural, antes de bajar con Lavinia por la escalera. Miras atrás una última vez y te elevas de la mano de Lavinia a los aires. Muy suavemente os deslizáis en espiral hacia el suelo, donde Lavinia te rodea con sus alas y te susurra al oído:

«¡Ánimo! Cada día consigues vivir más tu potencial y ser la luz que prometiste ser antes de tu encarnación. Te acompaño con profundo placer».

Te invade una intensa sensación de felicidad, porque sabes que has dado un paso enorme hacia tu sueño de vivir tu potencial.

Toma contacto ahora con la madre Tierra bajo tus pies, estira brazos, piernas y tronco para volver completamente a tu cuerpo y al aquí y ahora y abre los ojos.

Anota ahora lo que has descubierto.

Por supuesto que puedes hacer el viaje tantas veces como desees, y encontrarte cada vez con otras personas.

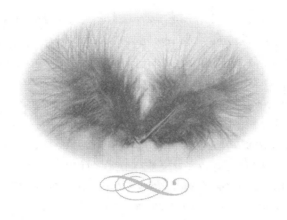

Día 6

Aprende a ser paciente con ayuda de la arcángel Jofiel

Los ángeles son de una belleza inenarrable;
brilla la hermosura de su rostro, de sus palabras
y de todos los detalles de su existencia.

EMANUEL SWEDENBORG

«*Te saludo, querido ser. SOY el arcángel Jofiel. Me alegra mucho hablar contigo, porque tu evolución en el planeta Tierra me interesa enormemente. En estos tiempos de cambio y trasformación existe el peligro de que quieras impulsar tu desarrollo espiritual con gran rapidez. Aunque es sumamente importante que incrementes la frecuencia de tu vibración para poder estar a la altura de las trasformaciones que darán lugar al cambio, en realidad, es todavía más importante que estés en paz contigo mismo y no caigas en manos del estrés. Esto implica que tengas paciencia contigo mismo y que hagas callar cariñosamente al "negrero" que llevas dentro. Date tiempo para gozar de la belleza de la naturaleza, pues ella te mostrará de forma maravillosa que no hay que forzar las cosas. Cada semilla que se ha sembrado necesita su tiempo para germinar y para que la planta se desarrolle en toda su plenitud, y tú también. Al contemplar la naturaleza y unirte en comunión a ella, interiorizas la sabiduría de que todo ocurre en su momento, y eso lo notas también en el corazón. Aprendes a ser paciente contigo y tu camino.*

Créeme, alma querida, esto te facilita la vida en gran medida y te permite vivir cada vez más en el devenir, en el presente. Ya no hay motivos para que te tortures con todo lo que habría que hacer, porque con la paciencia ha entrado la paz en tu ser. Si lo deseas, haré todo lo que esté en mi mano para apoyarte con amor incondicional».

Arcángel Jofiel: ángel de la belleza, de la paciencia y de la creatividad
Color del aura: rojo púrpura /magenta
Gema: turmalina rosa

Giro sorprendente

Joey, hijo de Roy Martina y también ANGEL LIFE COACH®, entre otras cosas, tuvo la siguiente experiencia con el arcángel Jofiel:

Si no recuerdo mal, era primavera cuando pude volver por fin a casa desde Europa para ver a mi madre, mi hermano, mis amigos y mi perro. Mi vuelo salía de Ámsterdam con destino a Palm Beach (Florida) y todo parecía marchar sobre ruedas. Puesto que soy cliente especial de KLM [una compañía aérea «real» neerlandesa], fui uno de los primeros en acceder al avión. Mi asiento era el del centro de la fila 20. Una vez se habían acomodado todos los clientes especiales, fueron entrando los demás pasajeros, entre ellos un hombre bastante grueso que se sentó a mi izquierda y, según me contó, venía de India. Yo no tenía nada en contra de ese hombre, pero emitía un olor corporal tan intenso que no me sentía muy a gusto.

Antes de que hubieran entrado todos los pasajeros, el comandante anunció un retraso de 15 minutos.

Entonces se sentó a mi derecha otro hombre, todavía más gordo que el anterior, hasta tal punto que necesitaba ocupar dos asientos. Por alguna razón, este hombre se inclinaba hacia el lado en que estaba yo, invadiendo mi espacio, en vez de hacer uso del segundo asiento. De nuevo sentí la necesidad de hacer algo, pero no tenía ni idea de qué.

De pronto oí una voz muy tenue, como si alguien me susurrara desde atrás en la oreja:

«Ten paciencia».

Antes de tener tiempo para analizar el mensaje, el comandante anunció otro retraso del despegue de una hora, debido a una serie de dificultades. Cada vez más pasajeros comenzaron a murmurar.

En ese momento, el olor del hombre de mi izquierda y la apretura a que me sometía el de mi derecha ya me estaban sacando de quicio. Vi que muchos pasajeros bombardeaban a la tripulación con peticiones de tener más espacio y de poder acceder al *único* asiento libre que quedaba en primera clase. El avión estaba muy lleno, e incluso los compartimientos para el equipaje encima de los asientos rebosaban. El pasaje se mostraba cada vez más impaciente y se quejaba.

Alrededor de media hora después me propuse preguntar a una de las azafatas si no podría ocupar el asiento libre de la primera clase, teniendo en cuenta que yo era cliente especial de KLM, cuando en ese preciso instante me dio un ataque de tos. La azafata pasó de largo sin hacerme caso.

Cuando finalmente me repuse del ataque de tos, oí de nuevo el susurro:

«Ten paciencia».

A los cinco minutos, el hombre que olía tanto de mi izquierda se trasladó a un asiento que estaba libre junto a la salida de emergencia y yo empecé a notar una sensación de libertad, cuando vino otro hombre a sentarse a mi lado que era igual de gordo que el que estaba a mi derecha. De nuevo me quedé apretujado entre mis vecinos.

En ese momento, el comandante nos «alegró» con la noticia de que no despegaríamos antes de dos horas, pues faltaban dos miembros de la tripulación.

No ocurrió nada más en las dos horas siguientes, de manera que no sé cómo conseguí dormir.

Unos cinco minutos antes del despegue me despertó una azafata: «¿Quiere ocupar el asiento de la primera clase?», me preguntó.

Claro que le contesté afirmativamente y mientras me trasladaba al lujoso compartimiento le pregunté a la azafata: «¿Por qué me ha asignado a mí este asiento?».

«Porque es usted el único cliente especial de KLM que no me lo ha pedido», contestó ella.

Al reflexionar me di cuenta de que la voz que susurraba detrás de mí no podía ser más que la de «mi amiga especial», la arcángel Jofiel. Con su mensaje me había convencido de que esperara y tuviera paciencia. El premio fue el asiento de primera clase.

Reflexión

En los últimos cinco días has estado trabajando intensamente sobre tu persona y es posible que alguna que otra vez te asombraras de cuántos «rincones de tu interior» quedan todavía por observar, aunque ya hayas estado mucho tiempo examinándote por dentro. Es un proceso muy normal: cuanto más profundizas, más descubres. Con nuestras cuestiones vitales ocurre algo parecido a lo que sucede con la cebolla: apenas hemos sacado una capa, aparece la siguiente. Cuando creemos haber liquidado un asunto nos topamos con otro que se encuentra debajo. Sin embargo, como ya se ha explicado en el capítulo de Lavinia, no es necesario que te libres de todas las sombras –mientras no seas un maestro ascendido en la Tierra tendrás que aprender lecciones del alma–, sino que debes estar en paz contigo mismo. Por eso, hoy se trata de que pases tranquilamente un tiempo contigo a fin de impulsar el proceso suavemente.

Acciones para hoy

✍ Sal a la naturaleza

Sal a la naturaleza, llama a la arcángel Jofiel a tu lado y ábrete a la belleza de cuanto te rodea. Da un paseo o siéntate en un prado o un banco (si el tiempo lo permite) y contempla la hierba, las flores, los arbustos y los árboles. Conéctate con su energía, percibe la fuerza sanadora que hay en su interior y disfruta.

✍ Planta tus semillas

Cuando vuelvas, prepárate un espacio sagrado. Pide a Jofiel que te envuelva en su luz de color rojo púrpura y magenta, y planta las semillas que has comprado antes de iniciar el viaje de trasformación, que simbolizan el calendario divino de tu propio crecimiento. Coloca el tiesto sobre tu altar o en cualquier otro lugar que te parezca importante.

✍ Deja que tu alma se columpie

Permítete no hacer nada o hacer cualquier cosa que se le antoje a tu alma.

✍ Anota todo lo que has conseguido hasta ahora

Prepárate de nuevo un espacio sagrado y pide a Jofiel que te envuelva en su luz de color rojo púrpura y magenta. Respira hondo y piensa en todo lo que ya has logrado; con tanta impaciencia humana ocurre que alguna vez lo olvides. Anota seguidamente tus progresos en el bloc de notas.

Acciones frente al estrés

Respira hondo cuatro veces contando hasta cuatro al aspirar (por la nariz) y acto seguido espira lentamente por la boca mientras emites el sonido «aaaaaah».

Pide a la arcángel Jofiel que te envuelva en su luz púrpura-magenta y di, a ser posible en voz alta, mientras das pequeños golpecitos o masajeas el punto de acupuntura n.º 4 (*véase* la página 72) situado debajo de la nariz:

Me amo y me acepto de todo corazón con mi estrés (si quieres puedes especificar más).

Respira hondo. Después di, mientras das golpecitos en el punto de debajo de la nariz o lo masajeas:

Me amo y me acepto de todo corazón con mi paciencia, mi levedad y mi relax.

Vuelve a respirar hondo.

Afirmación del alma

Pide, en primer lugar, a la arcángel Jofiel que te envuelva en su luz de color púrpura, y aspira y espira hondo antes de pronunciar, preferiblemente en voz alta, las siguientes palabras:

Tengo paciencia conmigo mismo, porque muy dentro de mi corazón tengo la certeza de que todo ocurre en el momento oportuno. Me permito hacer un alto en el camino de mi crecimiento para resplandecer en paz.

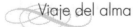

Viaje del alma

Ten preparado algo para escribir antes de empezar. Puede ser que durante el viaje o inmediatamente después desees anotar alguna cosa.

Aspira profundamente con los ojos abiertos y espira lentamente mientras cierras los ojos poco a poco y ordenas a tu cerebro que pase automáticamente al estado zeta. Aspira y espira hondo y relájate. Deja que tus pensamientos pasen como pajarillos volando por el aire. Déjalos pasar y disfruta notando, tu respiración, que te une con la respiración de Dios y te nutre. Con cada respiración que haces te relajas más profundamente.

De pronto descubres que te hallas en un maravilloso jardín paradisiaco. Lleno de devoción contemplas flores exóticas de todos los colores del arcoíris, cuya forma, resplandor y aroma te hechizan por completo, pues nunca has visto algo parecido.

Entonces aparece una ardilla animosa delante de tus pies y te mira con sus ojitos cándidos de manera que notas cómo tanto amor y confianza te dan calor al corazón. Finalmente, da media vuelta y se pone a correr delante de ti, y notas que quiere que la sigas. Así que te pones a correr detrás de ella hasta que ves que se detiene delante de un enorme árbol milenario que irradia una magia increíble. Contemplas el árbol y percibes al instante toda la fuerza y sabiduría que emanan de él. Apoyas la espalda contra su tronco y a través de este contacto te invade al instante una intensa vibración, pues el árbol no sólo te libera de las antiguas cargas, sino que también activa la antigua sabiduría acumulada en tu ADN. Respira hondo mientras notas cómo asciende tu nivel de energía y te sientes cada vez más fuerte.

De pronto ves a tu lado a un ángel de belleza sobrecogedora. Es la arcángel Jofiel. Sin mediar palabra te rodea con sus alas y te envuelve en su luz de color magenta. Tienes la sensación de estar dentro de un capullo de amor incondicional que te cobija. ¡Maravillosa sensación!

Acto seguido suena la voz sugestiva de Jofiel en tu oído:

«Querido ser, deja de martirizar tu bonita cabeza con continuos reproches de no ser suficientemente rápido. Esto es completamente inútil y no te sirve de nada, pues la esencia de la naturaleza va por otro lado. Contempla este árbol mágico que tienes delante. ¿Dirías que se ha desarrollado en unos cuantos meses y años? Desde luego que no. Algo parecido ocurre contigo, alma querida. Requiere su tiempo hasta que te conviertas en el ser resplandeciente que te gustaría ser ahora mismo. Hasta

la mejor semilla necesita cuidados y paciencia para producir una planta maravillosa. ¿Comprendes ahora que no has de tener prisa todo el rato? Ten paciencia contigo mismo y con tu camino, y verás como se producen milagros».

Con calma infinita la miras cuando ella te alcanza un libro de gran tamaño. Es el libro de tu vida, y al hojearlo te das cuenta de cuántas cosas ya has logrado en la vida. Te invade un profundo sentimiento de gratitud, y lleno de gozo abrazas a Jofiel, que está más que feliz, pues has comprendido realmente la importancia que tiene la paciencia para ti y tu vida. Dale las gracias, también a tus dos nuevos amigos, el árbol y la ardilla, que ha contemplado la escena con sus ojitos llenos de amor.

Ahora aspira y espira hondo tres veces para absorber lo que acabas de vivir en lo más profundo de tu ser. Únete de nuevo al suelo bajo tus pies, estira brazos, piernas y tronco para percibir tu cuerpo y abre lentamente los ojos cuando estés preparado para ello.

Día 7

Sana a tu niño interior con el arcángel Gabriel

Deja que los ángeles nos acompañen
para poder reír como los niños,
para poder llorar como los niños,
déjanos ser todo, aparentar nada.

CLEMENS VON BRENTANO

«Te saludo, querido ser. SOY el arcángel Gabriel. Son innumerables las personas que, igual que tú, se han sentido heridas en su infancia por sus padres, educadores, maestros, compañeros de clase y otros. Debido a esto has perdido una parte de la alegría de vivir, ya que tu entusiasmo innato ha cedido ante cierta desconfianza. Ésta no sólo la pones de manifiesto frente a otros, sino también frente a ti mismo, pues deseas proteger a tu niño interior, cueste lo que cueste, de cualquier otro desengaño y cualquier otra lesión.

Sin embargo, solamente si sanas a tu niño interior y la risa divina vuelve a alegrarte la cara podrás convertirte en el ser resplandeciente que eres en realidad.

Así que tómate tiempo y presta atención a las necesidades de tu niño interior. Trata de satisfacerlas de manera que pueda sanar con buen ánimo, soltura y alegría. Con sumo gusto te ayudaré en este menester».

Arcángel Gabriel: ángel mensajero, defensor del niño interior y de todos los niños
Color del aura: blanco, amarillo dorado y rojo cobre
Gema: citrina

Gabriel a mi vera

Florian, un amigo mío que es, entre otras cosas, ANGEL LIFE COACH®, vivió una sanación maravillosa de su niño interior:

Tras una asombrosa sanación que experimenté con la ayuda de Isabelle, empecé a creer en los ángeles, a los que hasta entonces yo siempre había tachado de figuras de cuento. Al cumplir los 23 años estuve trabajando durante unos seis meses con ángeles. Cada mañana me echaba cartas de ángeles para el día que comenzaba. Por tercera vez en tres días, me salió la carta del arcángel Gabriel; por lo visto, los mensajes de los dos días anteriores todavía no estaban completos.

Cuando sintonicé con la frecuencia de Gabriel, le noté mucho más intensamente que antes. También lo veía con más claridad que nunca, así que supe que debía escuchar con más atención.

Mientras me unía todavía más profundamente con la frecuencia de Gabriel, oí su voz por primera vez de una forma muy clara:

«Quiero trabajar contigo todos los días durante tres semanas».

De mí dependía si lo deseaba o no. Puesto que yo sabía en qué quería ayudarme –a saber, resolver los conflictos que yo mantenía desde la infancia con mi niño interior–, acepté su ofrecimiento.

De pequeño yo tenía muchos temores sociales y reprimía muchos de mis sentimientos. La gente decía que era un chico bueno, pero lo cierto es que yo tenía miedo a expresar lo que quería decir y defender mis convicciones y mis deseos. En vez de ser el conductor de mi propia vida, seguía los deseos de otros.

El arcángel Gabriel quería liberarme de estos conflictos del niño que llevo dentro, de manera que yo no sólo estuviera en condiciones de conectarme con mi verdadera fuerza interior, sino también de expresarla verbalmente.

A partir de aquel día empecé a trabajar con Gabriel cada mañana durante varios minutos. Él me condujo hacia mi fuerza interior y me mostró qué era lo que la retenía. Mientras seguimos trabajando me ayudó a equilibrar las fuerzas dentro de mi organismo, de modo que esa fuerza interior pudo hallar el camino hasta mi boca. Gabriel me explicó cómo debía expresar yo mi verdad, fijar mis límites con actitud neutral y formular verbalmente mi fuerza interior.

Todo esto ocurrió mientras yo notaba su energía, que me condujo hacia mis puntos débiles, hacia los dogmas que me limitaban y hacia las emociones reprimidas. A veces me saltaban las lágrimas, pero al final siempre sentía alegría y felicidad en estado puro.

Al cabo de tres semanas, yo estaba en condiciones de expresar muchos más sentimientos que nunca. También era capaz de trasmitir emociones reprimidas de una forma neutral a las personas de mi entorno, pues en su presencia yo ya era yo mismo.

Gracias a la sanación de mi niño interior, ahora estoy preparado para seguir mejor mi camino, sin miedo a lo que pudieran pensar de mí otras personas. Asimismo, ahora sé expresarme mejor, pues he perdido el miedo a que me juzguen. Además, soy mucho más coherente con mis palabras y sentimientos, lo que se pone de manifiesto en el hecho de que soy mucho más sincero con las personas que me rodean.

Estoy muy agradecido por esta experiencia, pues sé que me ha convertido en una persona más feliz y cariñosa.

Acciones para hoy y el futuro

❧ **Percibe los deseos de tu niño interior**

Prepárate un espacio sagrado, llama al arcángel Gabriel a tu lado y pídele que te envuelva en su luz blanca y dorada. Respira hondo antes de entablar un diálogo silencioso con el niño que llevas dentro.

Pregúntale qué necesidades y deseos tiene y anótalos.

❧ **Satisface las necesidades y deseos de tu niño interior**

Haz realidad paso a paso todos los deseos que has percibido de tu niño interior.

Por ejemplo, mi niña interior reaccionó con entusiasmo cuando me compré un «osito energético». Aunque al principio lo escogí durante mi proceso de sanación para que las energías fluyeran mejor dentro de mis órganos, además de este efecto también es bonito observar cómo mi niña interior quiere siempre llevarse el osito de viaje.

❧ **Haz algo lúdico**

Haz algo que le guste a tu niño interior, como columpiarte, jugar al fútbol, pintar, moldear barro, amasar masas pasteleras, etcétera.

❧ **Detecta junto con el arcángel Gabriel qué requiere sanación**

Crea para ello un espacio sagrado, llama al arcángel Gabriel a tu lado y pídele que te envuelva en su luz blanca y dorada. Respira hondo para absorber completamente la luz en tu interior.

Entra en contacto con tu niño interior y pídele que te muestre en qué se siente herido.

Anota todo lo que percibes. A veces, la sanación ya se produce cuando pones las heridas por escrito y de este modo liberas el alma.

De paso puedes pedir al arcángel Gabriel que comience con la sanación o que lo haga con motivo del siguiente paso.

❧ Deja que el arcángel Gabriel sane a tu niño interior

Antes de acostarte, pide al arcángel Gabriel que durante la noche se dedique a trabajar con el niño que llevas dentro y lo sane. Esto resulta especialmente efectivo, pues durante el sueño estás liberado de tu ego y, por tanto, puedes estar seguro de que funcionará.

Si hay muchos aspectos que sanar, es conveniente repetir la operación varias noches seguidas.

Por supuesto, también puedes utilizar para ello el viaje del alma canalizado por mí.

Afirmación del alma

Pide antes que nada al arcángel Gabriel que te envuelva en su luz blanca y dorada, y aspira y espira hondo antes de pronunciar (preferiblemente en voz alta) las siguientes palabras:

Escucho al niño que llevo dentro y reconozco sus necesidades. Al hacerlo me doy cuenta de cómo puedo sanar con buen ánimo, soltura y alegría.

Viaje del alma

Prepara algo para escribir antes de empezar. Es posible que durante el viaje o inmediatamente después desees anotar algo.

Aspira hondo con los ojos abiertos y espira lentamente mientras cierras los ojos a cámara lenta y ordenas al cerebro que pase automáticamente al estado zeta. Aspira hondo y espira todo el aire y relájate. Deja correr los pensamientos como hojas que pasan flotando sobre el río y no los retengas. Olvídalos y relájate cada vez más profundamente. Disfruta sintiendo cómo la respiración fluye por tu cuerpo y te alimenta. Relájate con cada respiración.

Siente, percibe o imagina cómo te invade una luz dorada brillante que te sintoniza al instante con la frecuencia del amor. Nota cómo esta luz maravillosa penetra en cada una de tus células, de manera que pasan a vibrar al ritmo del amor, a zumbar, a cantar y tal vez incluso a bailar y se comunican de nuevo con tu modelo divino.

Ante tus ojos aparece un hermoso paisaje adyacente a una especie de bosque de cuento de hadas. Lo contemplas con asombro y no puedes parar de mirar hasta que de pronto descubres una tierna ardilla a tus pies que te mira con ojitos cariñosos, de una manera que te da calor al corazón. Te agachas para acariciarla y entonces ves, no lejos de allí, un conejo blanco brillante que también te mira con ojitos cariñosos. Se os acerca dando saltos y se sienta al lado de la ardilla. Poco a poco, van reuniéndose cada vez más animales en torno a ti y entonces también percibes a las hadas que levitan con desenvoltura por encima de los animales. Es una imagen mágica que hace que al niño que llevas dentro le brille la cara de gozo.

Entonces aparece un resplandeciente ángel a tu lado. No es otro que el arcángel Gabriel, rodeado de un aura brillante de color amarillo dorado. Te contempla allí, sentado entre tantas hadas y animalillos, y sonríe feliz.

Al cabo de un rato te toca el hombro y te dice con su voz sonora:

«Querido ser, ¿quieres acompañarme a un lugar protegido para sanar al niño que llevas dentro?».

¡Claro que sí! De un brinco te pones de pie y acompañas —seguido de todos los animales y hadas— al arcángel Gabriel al interior del bosquecillo. Despiertan en ti antiguos y bellos recuerdos familiares de la infancia mientras Gabriel te guía entre los árboles hasta un pabellón dorado, delante del cual juguetea alegre una fuente con el agua.

Los animales se reúnen junto al portal del pabellón, como si quisieran protegerte mientras en su interior te sometes al proceso de sanación a manos del arcángel Gabriel. Su fidelidad te emociona y te hace sonreír de gozo.

Finalmente, Gabriel te indica que entres con él en el lugar protegido. Ante tus ojos aparece un espacio maravilloso que hace que tu alma in-

fantil salte de alegría. Lleno de júbilo te adentras danzando en el lugar hasta que Gabriel te ruega que te tumbes en un sofá de oro. Apenas te has acomodado, percibes de nuevo su voz amorosa:

«Querido niño, ahora te liberaré de viejos recuerdos y antiguas heridas de tu niño interior, de manera que tu alma infantil pueda revivir y ser completamente feliz».

Muy suavemente, todos tus chakras y todo tu ser se liberan de todas las cargas, tal como el arcángel te había prometido. Notas cómo asciende por tu interior una risa hasta que finalmente ríes tu mismo lleno de alegría, pues el niño que llevas dentro está liberado.

Entusiasmado, te incorporas y te lanzas a los brazos del arcángel Gabriel, que te abraza con cariño.

Finalmente sales corriendo del pabellón para reunirte con tus amigas y amigos, las hadas y los animales que están esperándote con expectación y que al verte se ponen a bailar en corro. ¡Una sensación maravillosa! ¡Qué bello es vivir!

Entonces descubres un columpio gigantesco, te sientas en él y lleno de entusiasmo te impulsas hacia tu nueva vida.

Cuando finalmente vuelves a tocar el suelo con los pies, ha llegado el momento de volver al aquí y ahora. Estira brazos, piernas y tronco para desperezarte y vuelve poco a poco a tu cuerpo, el templo de tu alma, respirando hondo. Abre los ojos cuando estés dispuesto.

Día 8

Reconoce las lecciones del alma en tus relaciones con ayuda del ángel Mihr

El amor es un par de alas
que Dios ha dado al alma
para que ascienda hacia él.

MICHELANGELO BUONAROTTI

«*Te saludo, alma querida. SOY el ángel Mihr. Me resulta imperioso decirte que cualquier relación en tu vida sirve a un fin superior. En el plano del alma has atraído a cada una de ellas, por mucho que te cueste creerlo. Así es, tanto con respecto a las relaciones maravillosas como a las dolorosas, tanto a las agradables como a las desagradables. Cada una de tus relaciones te enseña algo, lo que es imprescindible para tu crecimiento interior.*

Ocurre también que has elegido todo esto en los planos superiores antes de llegar a este mundo terrenal, pues tu mayor deseo es crecer más allá de ti mismo, aprendiendo las lecciones del mundo. Sólo así estarás en condiciones de elevarte, tal como establece tu destino superior.

Si estás familiarizado con esto en lo más profundo del corazón, aprendes a liberarte de la existencia de víctima y a reconocer los regalos que están ocultos en toda relación, por penosa que sea, o en el final trágico de una relación celestial. Es más, incluso en las relaciones más amorosas hay algo que debes reconocer y aprender.

Por tanto, te ruego que a partir de ahora contemples con otros ojos tus contactos con otras personas, pues cada una de esas personas es un maestro para ti y para tu vida, sean "buenas" o "malas".

Es mi máxima aspiración poder ayudarte en este sentido en todo momento y en toda situación, de modo que puedas reconocer y aprender tus lecciones del alma con buen ánimo y soltura. Sin embargo, sólo podré hacerlo si me lo pides, querido ser».

Ángel Mihr: ángel de las relaciones
Color del aura: verde oscuro
Gema: aventurina

Con Mihr a una nueva vida

Susanne, una antigua cliente mía, recibió de una sola vez todas las lecciones del alma con respecto a sus difíciles relaciones:

Después de algunas experiencias positivas con la valiosa ayuda de los ángeles, acepté con entusiasmo organizar en Alemania un seminario para el representante estadounidense de un producto que vendo en Europa.

«No hay problema», me dije, «hay suficientes clientes y personas interesadas, será un éxito apoteósico».

La única pega era la exigencia por parte del fabricante alemán de que cooperara con la competencia, una empresa austriaca que intentaba controlar el mercado con estrategias agresivas y me consideraba una amenaza. Estaba previsto organizar también un seminario en Austria. Para que reinara la paz acepté, ofrecí amablemente mi cooperación y encargué a Raguel que no sólo se ocupara de mi relación privada, sumamente difícil, con un compañero presuntuoso, sino que también tratara de armonizar la colaboración con los austriacos, que rechazaban más o menos abiertamente una cooperación conmigo por hacerles la competencia. Pues bien, me mantuve optimista y llena de confianza.

Entonces vino el primer golpe (primer acto): a pesar de que en una encuesta informal realizada dos meses antes fueron casi 40 las personas que mostraron interés por participar en el seminario, nadie se inscribía. Dos semanas de silencio total, sin peticiones de información, sin pedidos. ¿Acaso me había muerto y no me había enterado?

Por fortuna para mí, en la radio volvió a emitirse el programa de Isabelle «Angel Messages», concretamente en Cultus Animi® Radio, esta vez sobre el tema «La naturaleza de los milagros». ¡Era justo lo que yo necesitaba!

Envié un correo electrónico y conseguí contactar con ella. Por lo visto, los ángeles no me habían abandonado. Isabelle estuvo trabajando conmigo y me confirmó que una nueva remesa de tarjetas publicitarias a todos los clientes en la semana siguiente a la luna llena era una buena idea. Me aconsejó que me relajara y procurara conformarme con cualquier resultado, para liberar la cuestión de todo estrés y toda presión. Inmediatamente envié a la imprenta el archivo para una tarjeta publicitaria a todo color con toda la información sobre los seminarios, incluido el de Austria, para que el envío se llevara a cabo exactamente el día después de la luna llena. Totalmente relajada me puse a esperar la pronta llegada de numerosas inscripciones.

Pasaron los días y no llegó ninguna inscripción, ninguna petición de información. Noté cómo subía mi nivel de estrés.

«¡Hola, ángeles! ¿Dónde estáis? ¿Estáis de vacaciones? ¿Qué está ocurriendo?».

Entonces comprendí: tenía que estar relajada, *cualquiera* que fuera el resultado.

Al final cancelé el seminario. El envío de tarjetas fue un fracaso, pero también un éxito: por primera vez en la vida no me sentí culpable. Yo había hecho todo lo posible vistas las circunstancias. En vez de recluirme en un caparazón llamé por teléfono a los americanos y les expuse todo lo que me había llamado la atención en el curso de los preparativos del seminario y me había parecido inadecuado o frustrante. Sin reproches, pero también sin sentimientos de culpa o de vergüenza, planteé todo sin pelos en la lengua.

Resultado: me prometieron más colaboración y más apoyo desde Estados Unidos. ¡Todo un éxito! Pero los ángeles se habían propuesto ir más lejos...

Entonces vino el segundo golpe (segundo acto): los austriacos habían detectado un error en la publicidad para el seminario que había enviado yo. Sin darme cuenta, prometí un 5 % de descuento más de lo acordado para la venta de los productos durante el seminario. En vez de llamarme por teléfono y acordar una corrección, enviaron un largo correo electrónico al fabricante con un montón de reclamaciones económicas, insultos y acusaciones que culminaron en la dramática amenaza de tomar medidas legales. Al fabricante esto no le hizo ninguna gracia y me informó de inmediato. Tras un ataque de indignación me calmé rápidamente y pedí que me dejaran resolver amistosamente el conflicto con los austriacos por vía telefónica. Había adquirido ya tanta confianza en los ángeles que estaba dispuesta a todo.

La conversación con la competencia se pareció a una mala función teatral. Contestaron a mis disculpas y al ofrecimiento de una rápida corrección del error con cargo a mi cuenta no solamente con una negativa total, sino también con toda la impertinente retahíla de ataques y acusaciones ajenas a toda realidad y a todo sentido común. Por supuesto que previamente había advertido a todos mis ángeles amigos, de manera que apenas perdí la calma y, por momentos, pudo producirse una conversación como es debido.

Entonces vino el tercer golpe (tercer acto): cuando después de la conversación telefónica fui dándome cuenta de lo que acababa de suceder, vino el «colapso» físico. Sacudida por escalofríos tomé un baño de sales caliente para deshacerme del estrés agudo, además de otras medidas. Estaba suficientemente familiarizada con los procesos fisiológicos de los traumas y golpes emocionales para poder absolver conscientemente el consabido programa de tres días. El segundo día estaba tomando el sol en el balcón, mirando fijamente los abetos de color verde oscuro (el color del aura de Mihr) en el otro lado de la calle y preguntándome todo el rato: «¿Qué pasa? ¿Hay alguna otra lección aparte de no tener que dejarme arrastrar por el estrés, sino atravesar esta fase observándolo?».

De pronto fue como si me atravesara un rayo: mi padre, mi pareja, la competencia austriaca. Exactamente el mismo tipo de relación, durante toda mi vida. Los hombres agresores que hacen de un mosquito un elefante para beneficiarse y aumentar su poder, y yo, la «pobre» víctima que provoca a los agresores y acaba siendo machacada con una vehemencia inusitada. Sentimiento de culpa, depresión, complejo de inferioridad. Claro, en estas condiciones una no puede salir fortalecida, adquirir confianza en sus propias fuerzas y tener éxito… Dicho de otro modo: la masoquista ha dado con los sádicos que faltaban. Jaque mate. *Rien ne va plus.* ¡Estupendo!

Sin dejar de contemplar los abetos, súbitamente me di cuenta: Mihr había hecho su trabajo. Había estado tan obsesionada con los problemas con mi pareja y con la ayuda de Ragüel que con tantos árboles no había sabido ver el bosque. Por suerte había pedido ayuda de una forma muy general, y ahora había tomado el relevo Mihr, el ángel de las relaciones. Entre lágrimas de gratitud entendí todo el drama de los últimos decenios con un nivel mucho más profundo que nunca. Por fin podían cicatrizar mis profundas heridas causadas por unas relaciones dolorosas. Ya no necesito provocar a nadie ni volverme agresiva para poder seguir siendo víctima. Ahora soy libre para llevar una vida autónoma y mantener relaciones armoniosas.

Epílogo: el cuarto día me sentía despejada como nunca. Aclaré la situación jurídica con respecto al error de imprenta, informé al fabricante y ofrecí una solución muy simple. Las demandas y amenazas de la competencia no se sostenían, y era el fabricante quien tenía que decidir después de hablar con los austriacos.

Impregnada de una fortaleza que me resultaba totalmente nueva, estaba preparada para conservar mi integridad y, si fuera preciso, dispuesta a anular todas las relaciones de negocios en el caso de que tuviera que hacer la más mínima concesión. En las últimas semanas había comprendido lo suficiente para expresar mi decisión con toda firmeza.

Unas horas después se disiparon las tinieblas. Como por arte de magia, el fabricante se había aclarado y había reunido la fuerza para rechazar todas las pretensiones y aplicar la solución sencilla que había propuesto yo. Nuestra relación comercial y de amistad ha alcanzado ahora un nivel de armonía hasta entonces desconocido.

Reflexión

Cada una de nuestras relaciones sirve para hacernos crecer. Siempre y en todas partes somos alumno y maestro al mismo tiempo.

Justamente por esta razón es tan importante que contemplemos nuestras relaciones desde este punto de vista. De este modo podemos reconocer antes nuestras lecciones, y para aceptarlas y aprender de ellas con mayor facilidad hemos de comprender que no hemos elegido estas lecciones del alma únicamente para favorecer nuestro crecimiento, sino que también quienes supuestamente nos «desafían» se han puesto a nuestra disposición en el plano superior –y lo han hecho por amor (!)– para que descubramos qué nos hemos propuesto en esta vida.

En el libro *El viaje a casa* de Kryon/Lee Carroll se explica precisamente esto de forma muy gráfica mediante una parábola con siete seres angelicales.

Acciones para hoy

☙ Reconoce las lecciones del alma en tus relaciones

Recuerda que primero has de crearte un espacio sagrado antes de contestar por escrito a las siguientes preguntas.

Pide al ángel Mihr que acuda a tu lado y ruégale que te acompañe durante todo el día y te envuelva en su luz de color verde oscuro, de manera que sintonices con la frecuencia de la sanación. Respira hondo para absorber la luz en tu interior y relájate.

Reflexiona ahora sobre las relaciones en tu vida:

* ¿Existe alguna pauta que se repite en varias de tus relaciones?
* ¿Existen pautas diferentes en tus relaciones personales y profesionales, amorosas y familiares? ¿O se ajustan todas tus relaciones a la misma pauta?

Si has reconocido las pautas trata de averiguar, junto con el ángel Mihr, las lecciones del alma que se ocultan detrás. Anótalas.

☙ Aprende a confiar

Piensa en si te resulta fácil confiar en otras personas. Si no es así, indaga en qué ámbitos de la vida no confías en ti mismo. Mientras no confíes en ti mismo, desconfiarás también del proceso de la vida y de otras personas. Pero como sabes, con tus pensamientos y dogmas te creas gran parte de tu realidad. Por eso es tan importante aprender a confiar.

Si eres consciente de que tu verdadera esencia es luz y amor (¡ésa es la verdad!), tienes todos los motivos para confiar en ti. Lo mismo ocurre con todas las demás personas, pues también su esencia consiste en luz y amor. Esto no supone, desde luego, que debas confiar ciegamente en otros, sino que debes seguir tu intuición. Yo, personalmente, prefiero confiar alguna vez en demasía que dejar de conocer por miedo a una persona maravillosa.

Puesto que ahora seguro que eres consciente de que has metido en tu vida a todas las personas, al menos en el plano del alma, puedes volver a confiar, pues todo era y es tu elección para crecer.

Sólo confiando creas la resonancia necesaria para atraer a personas maravillosas y dignas de confianza y vivir relaciones celestiales en todas sus formas.

Volveremos sobre el tema de la confianza en el capítulo 13.

Afirmación del alma

Pide primero al ángel Mihr que te envuelva en su luz de color verde oscuro y aspira y espira hondo antes de pronunciar (preferiblemente en voz alta) las siguientes palabras:

Reconozco las lecciones del alma en mis relaciones con buen ánimo, soltura y compasión. Las aprendo del mismo modo y creo relaciones armoniosas en todos los planos.

Viaje del alma

Antes de empezar, ten preparado papel y lápiz para escribir; es posible que durante el viaje o inmediatamente después de terminar desees anotar algo.

Aspira hondo con los ojos abiertos y espira lentamente mientras cierras los ojos a cámara lenta y ordenas al cerebro que pase automáticamente al estado zeta. Aspira hondo y espira todo el aire y relájate. Deja correr los pensamientos como pajarillos que pasan volando delante de ti. Suéltalos y disfruta notando tu respiración que te une continuamente con la respiración de Dios y la energía de los ángeles. Relájate más y más con cada respiración.

Te encuentras en medio de un bosque mágico ancestral y estás rodeado de gigantescos abetos que se mecen suavemente al viento. Escucha el murmullo de las copas y siente en tu rostro los cálidos rayos de sol que irrumpen entre las ramas. No lejos de ti descubres ahora un hermoso ciervo que te contempla con una profunda mirada amorosa, de modo que notas un intenso calor en el corazón.

Caminas lentamente hacia el ciervo, que da media vuelta y te da a entender que quiere que le sigas. Expectante avanzas pisándole los talones a través del bosque encantado, hasta que llegáis a un claro en que se halla un maravilloso castillo dorado que brilla con los colores del atardecer. Cuando te acercas al castillo, en la escalinata de entrada aparece un ángel hermosísimo que está inmerso en un profundo verde oscuro. Es el ángel Mihr. Te da la bienvenida con los brazos abiertos y amor incondicional, de manera que al instante te sientes maravillosamente acogido. Notas cómo el corazón se te abre cada vez más cuando su luz verde oscura comienza a penetrar tu aura.

Entonces te abre el portal del castillo y entráis en una sala sagrada de una belleza arrebatadora, en cuyo centro se halla una enorme mesa redonda. Mihr te acompaña hasta una silla junto a la mesa y te ruega que tomes asiento. Se coloca detrás de ti y sana tu corazón con su luz verde oscura llena de gallardía y levedad, de manera que tu chakra del corazón reluce cada vez más. Mientras se encuentra a tu espalda te dice:

«Alma querida, ha llegado la hora de contemplar las relaciones de tu vida en un plano más profundo».

Entonces las más diversas personas de tu vida van ocupando una tras otra las sillas alrededor de la mesa. Reconoces a miembros de la familia, parejas, socios, amigos, conocidos y otras personas con que has estado relacionado.

Y de nuevo oyes la voz cálida y cariñosa de Mihr detrás de ti:

«Contempla ahora una tras otra a todas las personas que están sentadas alrededor de la mesa, y reconoce sucesivamente las lecciones del alma con que estas personas te han obsequiado».

No olvides respirar hondo mientras lo haces.

De nuevo se oye la voz de Mihr:

«Cuanto te hayan desvelado todas las lecciones del alma, da las gracias de todo corazón a todas estas personas sentadas a la mesa, pues se han puesto a tu disposición en un plano superior para que puedas crecer de la manera que te has propuesto en esta vida».

Aprovecha la ocasión para dar las gracias tranquilamente a cada uno.

Una vez expresada tu gratitud, ha llegado el momento de salir de nuevo de la sala.

Junto con el ángel Mihr abandonas el castillo dorado y sales al crepúsculo, que te parece infinitamente hermoso, tan ligero te sientes en el corazón. Disfruta y vuelve a respirar hondo para afianzar en tu interior lo que has vivido.

Únete de nuevo a la madre Tierra, percibe bajo tus pies las raíces que penetran hasta el centro del planeta. Estira brazos, piernas y tronco, y abre poco a poco los ojos.

Anota ahora las lecciones del alma que has reconocido y, tal vez, también has aprendido.

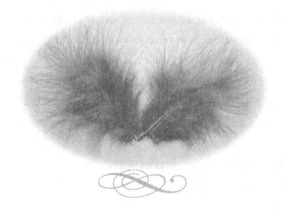

Día 9

Recupera tus partes del alma
con el arcángel Miguel

El dolor es un ángel sagrado;
sólo con él han crecido más personas
que con todos los placeres del mundo.

ADALBERT STIFTER

«*Te saludo, querido ser. SOY el arcángel Miguel. Cada vez que en tu vida has sufrido profundas heridas emocionales y el dolor ha sido grande, partes de tu alma se han separado de ti. Ésta es justamente la razón por la que probablemente te hayas preguntado una y otra vez: "¿Por qué no me siento completo?".*

Sin embargo, esto no tiene por qué quedar así, ni mucho menos, ya que el poder del amor y de los ángeles es capaz de trasformar todo. Lo único que has de hacer es afrontar tus heridas y comprender que precisamente ellas fueron tus grandes maestros en el camino que te ha llevado a ser la persona que eres hoy. Créeme, querido ser, en los planos superiores te admiramos profundamente por eso.

Sin embargo, ahora me toca a mí ayudarte a recuperar las partes de tu alma que has perdido. Sólo hace falta que me pidas que te las traiga y será para mí un gran placer hacerlo de inmediato.

Recuerda siempre que las cosas realmente grandes ocurren con sagrada sencillez, y ésta también. En este sentido, te envuelvo ahora en mi abrigo azul de la protección celestial en espera de tus ruegos».

Arcángel Miguel: máximo ángel protector
Colores del aura: azul royal, violeta, dorado
Gema: sugilita

Sanación del alma

Roy Martina me ha trasmitido esta historia muy personal, que muestra maravillosamente cómo el arcángel Miguel consigue que vuelvan las partes del alma perdidas:

El arcángel Miguel es mi guardaespaldas y amigo personal. Nací un 29 de septiembre, el día de san Miguel, y por eso mi segundo nombre es Michael. Mi madre siempre me decía que confiara en el arcángel Miguel y que yo era un niño especial, pues tenía al mejor ángel protector de todos. Lo repitió tantas veces que me acostumbré a rezar a Miguel cuando me sentía mal o tenía que enfrentarme a grandes retos o sucesos traumáticos.

El mayor desafío de mi vida fue el divorcio de mi esposa hace 13 años. Una mujer a la que todavía amo, pero con quien la convivencia para mí no funcionaba. Ella se ocupaba de nuestros dos hijos, mientras que yo viajaba y daba clases por todo el mundo. Cuando volvía a casa después de dirigir mis talleres teníamos continuas disputas: ella quería que yo estuviera más en casa y trataba de convencerme de que abriera una consulta, trabajara durante cinco días a la semana y dedicara los fines de semana a la familia. Sus planteamientos eran magníficos y se basaban en la idea que tenía ella de lo que habría de ser una vida familiar. Mi problema era que cuando trabajé en una consulta padecí en dos ocasiones el «síndrome del trabajador quemado» debido al estrés. Por eso no quería saber nada de retomar ese tipo de actividad profesional. Así, en los diez días que pasaba en casa cada mes no dejábamos de discutir, y llegó un momento en que yo ya no podía soportarlo. Además, ya no me quedaba ningún lugar seguro en que pudiera compartir con alguien mis logros y mis retos.

La situación se agravó tanto que aunque yo regresaba de mis viajes agotado por el trabajo y el desfase horario, al cabo de dos semanas de permanecer en casa me sentía más fatigado todavía. Para evitar un tercer episodio del «síndrome del trabajador quemado», pedí el divorcio. Fue el momento más doloroso de mi vida, me sentí un completo inútil. La familia de la que me consideraba responsable y a la que amaba estaba destruyendo mi salud.

Erica y yo acordamos que yo interrumpiría mi actividad durante un año y viviría en un piso. A lo largo de este período caí en una depresión cada vez más profunda y me sentía cada vez peor. Estaba completamente desgarrado entre el amor por mi familia y mi intento de salvarme de un nuevo colapso psíquico. No veía ninguna salida, pues ambas vías me parecían conducir a una frustración total. Además, Erica y yo discutíamos con vehemencia sobre el reparto de bienes en caso de divorcio. Esto provocó muchos enfados, acritud y frustración en ambos en lo que parecía una lucha interminable.

Una noche se me apareció de pronto el arcángel Miguel cuando estaba a punto de dormirme. Parecía un sueño, pero yo todavía estaba despierto. Me dijo que en aquel momento el divorcio era lo más indicado y que ya formaba parte del plan desde el principio, pues contribuiría a nuestro viaje del alma y nuestra sanación.

«No temas, que todo irá bien. Erica encontrará con el tiempo a alguien que la quiera y comparta con ella su vida, y también tú hallarás a quien te ame y esté contigo. Pero ahora es el momento de cortar los lazos kármicos que os unen y que son el motivo de que no puedas soltarte y sufras tanto».

Al instante blandió una espada flamígera azul en la mano y vi una imagen de Erica de pie delante de mí y nuestros cuerpos unidos por miles de alambres. Uno de ellos, que estaba oxidado y tenía el grosor de la trompa de un elefante, enlazaba nuestros corazones. Por él no fluía energía alguna. Miguel explicó que nuestro lazo cordial se había secado debido a la acritud y los conflictos, y que ya sólo intercambiábamos energía negativa. Con un movimiento rápido y ágil cortó ese alambre y todos los demás lazos energéticos entre nosotros. Acto seguido, pronunció estas palabras:

«Has de perdonar a Erica y pedirle que te perdone. De lo contrario, se manifestarán nuevos lazos energéticos. Mañana volveré y acabaré con mi trabajo».

Entonces se hizo de pronto el silencio y desperté de mi ensoñación. Me puse a llorar y me sentí al mismo tiempo aliviado y triste. Llevé a cabo una larga ceremonia del perdón con Erica, hasta que pude sentir de nuevo amor por ella y respeto por lo que deseaba como madre. También reconocí su sabiduría y comprendí su dolor: había perdido a su madre muy pronto y ahora quería dar a nuestros hijos más de lo que había recibido ella. En la ceremonia, que celebré a solas, también pedí perdón a Erica por mi decisión de dejarla.

Seguidamente me dormí profundamente y soñé que empezaban a volver hacia mí partes de mi alma: vi que mi corazón había perdido partes debido al dolor que sentía por mi madre, por Erica y por mis hijos. En ese momento comprendí que eran partes de mi alma y al instante mi cuerpo se vio invadido por un nuevo flujo de energía.

Más tarde, casi por la mañana, soñé que el arcángel Miguel había vuelto y cortó de nuevo el lazo cordial que había reaparecido entre Erica y yo. Después, se abrió paso una nueva unión pulsátil de energía dorada entre nosotros.

Tras esta experiencia cambió la energía entre Erica y yo y el proceso de divorcio se desarrolló sin sobresaltos. Resolvimos nuestros conflictos amistosamente y hallamos las mejores soluciones para nuestros dos hijos, procurando que no tuvieran que sufrir a causa de nuestra separación. Hemos creado una base sólida para poder seguir siendo amigos hasta el final de nuestros días. Doce años después puedo decir que somos realmente buenos amigos, confiamos plenamente uno en otro y nos ayudamos mutuamente.

Reflexión

Cada vez que has sufrido alguna herida profunda en el plano anímico has perdido parte de tu alma. Ante las lesiones o en situaciones que te recuerdan a ellas, tu ego se manifiesta con fuerza, no porque sea malo, sino porque desea protegerte; es el llamado mecanismo de autoprotección. Sólo si eres consciente de ello dejarás de condenar a tu ego y de luchar contra él; en cambio, estarás en condiciones de aceptarlo tal como es y sanar cada vez más tu dualidad.

Acciones para hoy y el futuro

❧ **Contempla el «espectáculo definitivo del ego» (inspirado en Colette Baron-Reid)**
Este ejercicio es excelente para simbolizar tu ego hasta que lo aceptes plenamente. Como sabes, ésta es la mejor oportunidad para aminorar la influencia de tu ego, ya que si luchas contra él, lo refuerzas.

Ponte en camino para visitar un maravilloso teatro antiguo. Desde lejos ya lo ves relucir majestuosamente a la luz del sol poniente. Al final llegas al teatro y ves un enorme cartel con la siguiente inscripción en letras doradas: «El espectáculo definitivo de mi ego».

Picado por la curiosidad, abres el portal y entras en el vestíbulo, decorado con lirios blancos que desprenden un aroma intenso. Puesto que no ves a nadie más, pasas al patio de butacas, que también está desierto. Te sientas en el mejor sitio y te pones cómodo, y en ese instante se levanta el telón de terciopelo y aparece en el escenario una figura muy especial: tu ego.

Mientras lo contemplas, recuerda que no se trata más que de un espectáculo y que tú eres un espectador neutral. Comoquiera que se muestra tu ego, es perfecto. No le des más vueltas a la cabeza, limítate a observar. Esto es muy importante.

Ahora, tu ego comienza a ejecutar intrépidos movimientos, puesto que desea desprenderse de todo lo que has estado reprimiendo. Deja que salte, baile, cante, grite, etcétera, y recuerda siempre que no eres más que un espectador neutral que se divierte con un espectáculo interesante.

Una vez tu ego se ha librado de todo, te acercas al escenario, asciendes por la escalera y tomas a tu ego en tus brazos, del mismo modo que harías con un niño. Mientras lo tienes en brazos, dile: «Te acepto exactamente tal como eres». Y si puedes, añade: «También te quiero tal como eres».

De este modo haces saber a tu ego que no es un aguafiestas en tu vida, de manera que te dejará cada vez más en paz si así lo deseas.

Ha llegado el momento de mecer a tu ego como a un bebé para que se duerma. Una vez se ha dormido en tus brazos, puedes llevarlo al camerino detrás del escenario, como corresponde a un gran artista, y acostarlo allí, o salir del teatro con él en brazos y depositarlo suavemente sobre la hierba al pie de un árbol. Haz lo que te parezca más adecuado.

Realiza este ejercicio cada vez que tu ego tenga algo de lo cual desprenderse. Acto seguido te sentirás de inmediato más libre.

༼ Envía a tu ego a «jugar»

Cuando Doreen Virtue nos preguntó a quienes participábamos en la clase de «médiums» qué hacíamos para librarnos de nuestro ego, mi marido, de talante más bien práctico, contestó: «Envío a mi ego con el arcángel Miguel a la playa».

Doreen se puso tan contenta que al día siguiente utilizó la imagen para ayudarnos a librarnos de nuestros egos.

Claro, que también puedes enviar a tu ego con el arcángel Miguel a cualquier otra parte; lo que interesa es que el lugar le guste, pues de este modo te resultará mucho más fácil unirte a tu sí-mismo superior.

᪥ **Deja que el arcángel Miguel recupere tus partes del alma**
Antes de acostarte por la noche, pide al arcángel Miguel que mientras duermes te traiga las partes del alma que has perdido. Esto resulta especialmente efectivo, ya que mientras duermes estás liberado de tu ego y, por tanto, no puedes dudar de que funcione.

Si hay mucho que sanar, conviene repetir la operación varias noches. Por supuesto, también puedes aprovechar para ello el viaje del alma canalizado por mí.

Afirmación del alma

Pide primero al arcángel Miguel que te envuelva en su luz violeta, azul royal y dorada y aspira y espira hondo antes de pronunciar (preferiblemente en voz alta) las siguientes palabras:

Al afrontar mis heridas, puedo curarlas y recuperar todas las partes de mi alma.

Viaje del alma

Antes de empezar, ten preparado papel y lápiz para escribir; es posible que durante el viaje o inmediatamente después de terminar desees anotar algo.

Aspira hondo con los ojos abiertos y espira lentamente mientras cierras los ojos a cámara lenta y ordenas al cerebro que pase automáticamente al estado zeta. Aspira hondo y espira todo el aire y relájate. Deja correr los pensamientos como pajarillos que pasan volando delante de ti. Suéltalos y disfruta notando tu respiración que te une continuamente con la respiración de Dios y la energía de los ángeles. Relájate más y más con cada respiración.

Nota, ve o imagina cómo te ves envuelto en un capullo de brillante luz plateada y dorada que te protege en todos los planos.

Te sientes completamente seguro y amparado, cuando te das cuenta de que te hallas bajo un cielo nocturno estrellado en medio del claro de un bosque primigenio encantado. No lejos de ti te contempla un hermoso lobo blanco con brillantes ojos azules. Te mira a los ojos y percibes la profunda compasión que irradia. De alguna manera te resulta sumamente familiar.

Entonces se pone en movimiento y te indica telepáticamente que le sigas.

Juntos recorréis el bosque sagrado hasta llegar a otro claro en el que se halla una torre blanca iridiscente que parece relucir desde su interior.

Apenas subís por la escalera que sube hacia el portal de la torre, tu fiel acompañante se trasforma en una fracción de segundo en la bella figura brillante del arcángel Miguel, rodeada de una aureola dorada. Ahora sabes por qué el lobo blanco te resultaba tan familiar. El arcángel Miguel te sonríe cariñosamente y te acompaña al interior de la torre.

Ante ti se abre un espacio enorme alumbrado por la luz dorada más brillante que has visto jamás. En el centro de la sala hay un lecho de cristal, y Miguel te ruega que te acomodes en él. Al acostarte percibes que el lecho se adapta al instante a la temperatura de tu cuerpo. Es muy agradable.

Ahora comienza el arcángel Miguel con la sanación. Con su reluciente espada del amor, de la luz y de la verdad corta todos los lazos energéticos que todavía penden de ti y no están formados por luz y amor. Notas cómo te desprendes de antiquísimas ataduras del pasado y te sientes cada vez más lúcido y ligero, porque te liberas del antiguo dolor y de la pena que se han acumulado a través de tus diversas relaciones a lo largo de tu vida.

Entonces te habla el arcángel Miguel con su potente voz:

«Querido ser, ahora me pondré en camino para recuperar todas las partes del alma que has ido perdiendo. Espérame aquí, no tardaré demasiado».

Acto seguido despliega las alas y desaparece de tu vista. Vuela a la velocidad de la luz a través de las dimensiones a todos los lugares en que han quedado partes de tu alma.

Apenas empiezas a impacientarte cuando aparece junto a ti y coloca la mano amorosamente sobre tu centro del corazón, y en ese instante notas cómo vuelven a ti las partes perdidas. Con cada respiración percibes como te vuelves cada vez más entero. Es una sensación realmente maravillosa.

Finalmente, ha terminado el proceso y Miguel te ruega que te levantes. Te envuelve en su abrigo con capucha de color azul oscuro, de manera que estás completamente protegido. Lleno de gratitud le miras a los ojos y sabes que no hace falta que digas nada, pues él sabe leer en tu mirada.

Juntos salís de nuevo a la noche y aspiras repetidamente el aire fresco para consolidar en tu interior lo que acabas de vivir.

Percibe ahora de nuevo a la madre Tierra bajo tus pies, estira brazos, piernas y tronco para volver por completo a tu cuerpo, el templo de tu alma, y abre los ojos.

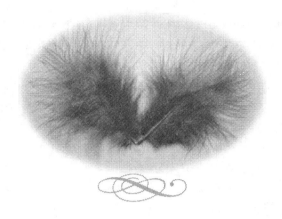

Día 10

Deja atrás tus traumas y tus vidas anteriores con ayuda del arcángel Raziel

A lo largo de tus vidas, cerca y lejos de la Tierra,
siempre encima de tu testa,
sostiene el ángel tu estrella.

MANFRED KYBER

«Te saludo, alma querida. SOY el arcángel Raziel. Ha llegado la hora de que te prepares para la vida de tus sueños. Esto no lo lograrás si no dejas atrás cualquier trauma de esta y otras vidas. Comprende que por mucho que pronuncies maravillosas afirmaciones y compongas collages de tus deseos y muchas cosas más, tus deseos profundos sólo se cumplirán hasta cierto punto, porque mientras sigas bajo los efectos de lesiones kármicas, siempre enviarás mensajes ambiguos al universo.

Por eso te pido que me permitas ayudarte a borrar estos recuerdos dolorosos de tu campo energético, de tu memoria celular y de tu ADN. Esto puede sonar a intervención aparatosa, pero te aseguro, querido ser, que las fuerzas que residen entre el Cielo y la Tierra son capaces de hacer cosas que para el espíritu humano no parecen comprensibles, pero que se producen con tanta rapidez que resultan aparentemente muy sencillas.

Como sabes, todo lo realmente grande es de una profunda sencillez. Exactamente este secreto tan conocido, que hace que tantas personas viajen a los lugares más recónditos del mundo y, a pesar de ello, no encuentren lo que buscan, pues no creen que la verdad pueda ser tan sencilla. Pero eso es precisamente lo que es. La trasformación puede producirse en cuestión de segundos si realmente lo deseas, lo crees y lo permites. Tú decides. Elige bien».

Arcángel Raziel: el ángel de los secretos espirituales y de la crónica de Akasha; el mago entre los ángeles
Color del aura: colores del arcoíris
Gema: cristal de roca

Desaparece una herida

En mi época de estudiante apareció de pronto una herida abierta en la parte delantera de mi cuello, sin que yo me hubiera lesionado. No había manera de curarla ni de que desapareciera. Continuamente me preguntaba la gente sobre las causas, hasta que cada vez que salía de casa me ponía un pañuelo de seda al cuello. Ni el médico ni el homeópata supieron dar con una solución.

En algún momento dado perdí toda esperanza, pues estaba bastante segura de que la causa tenía que ser algún trauma sufrido en una vida anterior. Sin embargo, en aquel entonces no conocía a nadie que pudiera ayudarme a superarlo.

Años después entré en contacto profundamente con el arcángel Raziel y llevé a cabo con él una regresión. Las imágenes que salieron a la superficie eran todo menos agradables: en tiempos de la Inquisición yo había sido un monje en España que se mostraba crítico con la Iglesia. Había llevado una vida retirada en plena naturaleza, donde me mantenía en profundo contacto con todos los animales y seres naturales y había enseñado a los lugareños a leer y escribir. En resumidas cuentas, yo era una espina clavada en el ojo de la Iglesia como institución.

Ésta acabó enviando a un grupo de hombres a caballo que me persiguieron por el bosque y me capturaron con una especie de lazo, y con la cuerda atada al cuello me arrastraron tras los caballos hasta que morí entre los dolores más horribles.

La cuerda me había lacerado la piel del cuello exactamente en el lugar en que ahora había aparecido la herida. Cuando me di cuenta de ello, inmediatamente pedí al arcángel Raziel que eliminara el trauma totalmente de mi sistema, incluido el nivel celular. Y efectivamente, pocas horas después desapareció por completo la herida del cuello.

Del océano de la tristeza al océano del amor

Otra historia de trasformación de Peggy:

Demasiado a menudo yo había perdido la fe en los ángeles y en mí misma. Los ángeles, sin embargo, nunca me dieron por perdida. Una vez más me han conducido, en el momento justo, al lugar adecuado, de manera que he podido vivir en propia carne su apoyo infinito.

Me sentía escindida en mi interior. Por un lado notaba que siempre había estado muy cerca de los ángeles y los seres celestiales, pero por otro simplemente ya no podía considerarlo un don o un regalo de Dios, sino que me lo tomaba como una especie de maldición. ¿Por qué tenía que ser yo tan sensible?

Tantas veces me había ocurrido que mi relación con el mundo espiritual se intensificaba en el preciso instante en que en mi entorno había sucedido algo grave. Cuando mi padre murió inesperadamente, las palabras me venían a la mente sin que yo supiera cómo:

«Tu alma se ha ido a descansar,/¿mas por qué? ¿Por qué? ¿Por qué ahora?/No todo es así como parece,/en el corazón estamos todos unidos».

¿Cómo iba yo a poder aceptar todo esto de nuevo si para ello tenía que perder a todas las personas a las que amo? ¿Podría o acaso debería volver a amar alguna vez a alguien sin estar por siempre triste?

Con los años me había acostumbrado a que una nube negra de tristeza me acompañara prácticamente a todas partes. Casi siempre se mantenía bien escondida, pero a pesar de ello yo parecía atraer y absorber el océano de la tristeza incluso de otros.

Pero de pronto apareció Isabelle, que me aseguró llena de confianza: «¡Todo irá bien!». En una sesión con ella que me cambió la vida percibí entonces, en efecto, aquella certeza con la que ella trataba de animarme: «Con la ayuda de los ángeles todo es posible».

Yo me sentí realmente abrazada por todos los lados, pues ella no estaba sola sentada frente a mí. Un océano de amor divino que fluía de sus ojos me devolvió toda la confianza. Ella y sus ayudantes celestiales sabían exactamente qué había que hacer. Esto lo noté de todo corazón.

Era ese profundo encuentro que yo estuve temiendo realmente durante un tiempo. Ahora, de pronto, el miedo se trasformó totalmente en confianza y familiaridad. Isabelle me aseguró que los viejos traumas que me habían tenido paralizada durante tanto tiempo los superaría ahora con ayuda del arcángel Raziel. «Todo esto puede desaparecer ahora, con toda suavidad y de manera que te haga bien. El arcángel Raziel está detrás de ti, y también los arcángeles Miguel y Rafael están contigo».

Con ayuda de los ángeles y su gracia divina y su levedad, Isabelle me acompañó en una sesión llena de una fuerza increíble. Paso a paso me condujo con cariño y compasión por las profundidades más remotas, que yo sólo había conocido como la oscuridad más sombría. Mi rostro se inundó de lágrimas y noté hasta qué punto y durante cuánto tiempo yo había retenido y ocultado todo eso.

«Deja que pase, no te resistas», oía yo la voz llena de cariño y compasión de Isabelle, a quien parecía acompañar un coro de ángeles de amor divino. «Veo las imágenes enteras. Ahora salen de tu cuerpo. Está bien. Todo puede salir».

Como si se rebobinara una vieja película hasta el momento en que todavía no había ningún trauma, todas las vivencias dolorosas y traumáticas me abandonaban por detrás, a mi espalda, sin ningún dolor, sin esfuerzo y con la rapidez de un rayo. Notaba el cuerpo cada vez más ligero y lúcido. El arcángel Raziel había hecho realmente un buen trabajo.

Me sentí emocionada ante tanta gracia divina. Hacía poco que había conseguido enderezar la columna vertebral en una meditación en vivo con Isabelle y el arcángel Jeremiel. Ahora los ángeles habían impulsado la continuación de mi «desarrollo», cuya realización me llenó de entusiasmo. Así, el profundo sollozo con que estaba tan familiarizada se convirtió de un día para otro en una risa liberada que ahora emergía feliz a borbotones desde mi plexo solar.

«Sí, así también funciona», oí decir a Isabelle entre risas.

Se expandió una gratitud feliz, seguida de una profunda paz interior. De una vez lo veía todo de otra manera. Yo ya había experimentado una que otra trasformación interior, pero ahora sabía que ésta era mucho más profunda que cualquier otra que había vivido.

La sesión con Isabelle y los ángeles, en particular con Raziel y su manera de proceder sin esfuerzo a disolver simplemente los viejos traumas, me ha proporcionado un sentido de la vida completamente distinto. En vez de nadar todo el rato en el océano de la tristeza, me fue regalada una nueva vida en el océano del amor, y ello con gracia amorosa, facilidad y rapidez divina. Gracias, gracias, gracias… a todos los ayudantes terrenales y celestiales.

El milagro de Raziel

Ruth, una de las participantes en uno de mis talleres, experimentó por así decirlo de la noche a la mañana una sanación milagrosa:

En mi infancia yo tenía el deseo de volar. La casa paterna era lo más parecido a un campo de batalla. Mi madre y mi padre, caracteres fuertes de signo de cáncer y escorpión, no paraban de discutir hasta que él murió en el año 2005. También me enteré por mi madre de que ella había intentado abortar estando embarazada de mí.

Así que probaba a «volar» cuando patinaba, sobre hielo o sobre patines, pero por desgracia siempre se me doblaba el pie derecho, así que tuve que dejarlo.

En el último curso de la escuela primaria se me llenaron de pronto las rodillas de líquido y no podía andar. Mi padre me llevaba cada día en coche a la escuela y me subía a lomos toda la escalera hasta el aula. Sin embargo, esto no fue ni mucho menos todo, y sólo cuando logré distanciarme de mi casa paterna mejoró mi salud.

No obstante, nada más divorciarme volví a tener problemas con los pies: sufría un esguince tras otro, hasta que tuve una rotura de ligamentos que me puso en contacto por primera vez con el Reiki y otras terapias. De este modo empecé a cursar estudios en las áreas más diversas; me encantaba esta forma de trabajar y al final me independicé para dedicarme a ayudar a otras personas.

Sin embargo, no por ello desaparecieron mis problemas con los pies. Continuamente me lesionaba, hasta que al final me rompí el pie izquierdo, incluso la tibia, de manera que durante semanas no pude moverme más que con silla de ruedas. Después sufría dolores casi a diario.

En un taller de Isabelle («Comunicación con los ángeles») que tuvo lugar en Berna, ella me confirmó que el arcángel Raziel ya me acompaña desde hace tiempo. No obstante, me costó mucho atreverme a pedirle ayuda. Además, curiosamente, cada vez que Raziel aparecía en una «Angel Trance Meditation» de Isabelle, yo me escabullía.

Sólo después de visitar a mi madre en la residencia de ancianos, en un Día de la Madre, me armé de valor y le pedí a Raziel, antes de acostarme, que eliminara suavemente y de forma agradable todos los bloqueos y traumas que arrastraba yo de esta vida y otras anteriores y guardaran relación con mis pies, pues desde hacía dos o tres semanas volvía a sentir dolores intensos en el pie que me operaron.

A la mañana siguiente –yo todavía estaba en la cama–, empecé como siempre a hacer estiramientos y me quedé estupefacta al notar la movilidad de los pies…

Me cuesta creer, todavía hoy, que sea capaz de mover las articulaciones de los pies sin rigidez. Como entre el sótano y la cuarta planta tenemos escaleras, tengo que caminar mucho, y subir escaleras era siempre para mí inseparable de sentir dolor, pero el día siguiente de liberarme de los bloqueos gracias al arcángel Raziel pude comprobar, de pronto, que bajaba las escaleras saltando cuando oía sonar el teléfono. ¡Yo no era capaz de hacer eso desde hacía una eternidad!

Todavía me emociono cuando pienso en todo ello y doy las gracias a Raziel por sus milagros, por lo que me siento muy feliz.

Reflexión

En efecto, el arcángel Raziel sabe disolver traumas y bloqueos de tiempos pretéritos en muy poco tiempo, a veces en cuestión de minutos o incluso segundos. Su poder es ilimitado, y no en vano le llaman el mago entre los ángeles. He visto con mis propios ojos cómo innumerables personas han sanado en unos minutos con ayuda del arcángel Raziel.

Acciones para hoy y el futuro

෨ Reconoce tus problemas

Créate un espacio sagrado y llama al arcángel Raziel a que acuda a tu lado. Pídele que te envuelva en su luz de los colores del arcoíris, aspira y espira hondo y relájate.

Siempre que tengas un problema en la vida que no puedas resolver con todos los métodos posibles, debe de tratarse de un trauma que todavía está asociado a vivencias de otras vidas. Esto no sólo lo he observado en mí misma, sino también en numerosos clientes. Con ayuda del arcángel Raziel, sin embargo, esto se puede subsanar milagrosamente, como hemos podido ver en la historia de Ruth.

Si deseas profundizar aún más, busca a alguien que lleve a cabo regresiones con ángeles o borre los traumas suavemente junto con el arcángel Raziel.

A partir de la segunda mitad de febrero de 2012, los primeros instructores ANGEL LIFE COACH® formados y diplomados en mi centro trabajan sobre esta cuestión con un método que me ha dado a conocer el arcángel Raziel.

⤳ Deja que el arcángel Raziel disuelva tus traumas

Pide al arcángel Raziel, antes de acostarte, que durante la noche disuelva determinados traumas tuyos de una forma suave y agradable. Esto resulta especialmente eficaz, pues mientras duermes estás liberado de tu ego y, por tanto, no puedes albergar dudas de que funcione realmente.

El añadido «*de la forma más suave y agradable*» es indispensable, ya que el arcángel Raziel es tan poderoso que, de lo contrario, puede liberar a una velocidad increíble unas fuerzas que tal vez no sepas cómo manejar. Te ruego que me creas, para que no caigas en el mismo error que yo misma y en el olvido de Dani, a quien durante tres semanas le estuvo rondando por la cabeza porque no me había creído.

Cuando hay mucho que curar, tiene sentido repetir esto durante varias noches. Claro, que también puedes aprovechar para ello el viaje del alma canalizado por mí.

Afirmación del alma

Pide antes que nada al arcángel Raziel que te envuelva en su luz de los colores del arcoíris, aspira y espira hondo y declara, a ser posible en voz alta:

Con ayuda del arcángel Raziel, mis traumas y bloqueos kármicos se disuelven en muy poco tiempo de la forma más suave y agradable.

Viaje del alma

Antes de empezar, ten preparado papel y lápiz para escribir, pues es posible que durante el viaje o inmediatamente después de terminar desees anotar algo.

Aspira hondo con los ojos abiertos y espira lentamente mientras cierras los ojos a cámara lenta y ordenas al cerebro que pase automáticamente al estado zeta. Aspira hondo y espira todo el aire y relájate. Deja correr los pensamientos como hojas que pasan flotando sobre un río y no los retengas. Suéltalos y disfruta notando tu respiración que te alimenta y te pone en contacto con los niveles más elevados.

Nota, ve o imagina cómo te quedas envuelto en la luz del arcoíris más brillante que jamás hayas visto. Consiste en alta energía cósmica y te llena de todos los colores que faltan en tus cuerpos más sutiles debido a tus experiencias dolorosas. Nota cómo la suave luz acaricia y mima tu aura, mientras al mismo tiempo te sana hasta las capas más profundas y te une a tu modelo divino.

Te hallas en un jardín mágico en que pululan hadas y animales de todas las especies y en el que florece una rica vegetación exótica, ofreciendo a innumerables seres un hogar celestial.

Cuando miras al cielo reconoces encima de ti dos maravillosos arcoíris, cuyos extremos llegan hasta el suelo. Se asemejan a dos portales sagrados y te sientes impelido a cruzarlos. Cuando llegas al otro lado de los arcoíris ves de inmediato a un cuervo negro cuyas plumas brillan a la luz del sol. Te mira con ojos llenos de sabiduría y sabes que te mostrará el camino de la profunda sanación.

Después de mirarte de nuevo a los ojos te da a entender que debes acompañarle. Levanta el vuelo y tú le sigues a través de la selva mágica que se ha abierto ante vosotros. Las energías que parten de los más di-

versos matices del verde vibran llenas de alegría y vitalidad. Es como si te nutrieras en muchos planos mientras transitas por ese paisaje mágico siguiendo al cuervo.

Cuando finalmente tienes la impresión de que la maleza verde ya no puede ser más impenetrable, de pronto aparece delante de vosotros un claro del bosque alumbrado por una luz cósmica. En el centro del mismo se halla una pirámide cristalina que reluce y brilla en todos los colores del arcoíris. Sabes que es la meta de tu viaje, y en ese momento se abre el portal de la pirámide y aparece un imponente ángel con alas como un águila y la energía de un sabio en lo alto de la escalinata. Es el arcángel Raziel, el mago entre los ángeles que conoce todos los secretos de Dios.

El cuervo vuela hacia él y se aposenta sobre uno de sus hombros. Raziel le da las gracias y va hacia ti. Te da la bienvenida y te rodea con sus alas aguileñas. Sabes que estás completamente seguro y amparado. Entonces Raziel te coge de la mano y te conduce al interior de la pirámide, que brilla con belleza sobrenatural y está decorada con innumerables cristales de roca. En el centro, exactamente debajo de la punta de la pirámide, se halla un lecho cristalino adornado con cristales de todos los colores del arcoíris. Raziel te pide que te tumbes en él y apenas estás acostado notas cómo aumenta tu vibración.

El arcángel Raziel se coloca junto a la cabecera del lecho y te habla con su voz potente y profunda:

«Querido ser, ha llegado la hora de librarte de antiguos traumas dolorosos de esta y otras encarnaciones. Créeme, esto puede ocurrir de una manera muy suave en cuestión de unos pocos minutos sin que tengas que experimentar otra vez aquel dolor. ¿Estás dispuesto?».

Confías plenamente en este imponente ángel que te trata tan cariñosamente y asientes con un gesto en señal de aceptación.

Acto seguido, el arcángel Raziel se pone a ejecutar a la velocidad de la luz una ceremonia muy profunda, pero suave, para liberarte de los traumas y bloqueos kármicos que en parte llevas arrastrando a través de muchas encarnaciones. Los elimina de todo tu sistema, de manera que tampoco queda rastro de ellos en el plano celular y del ADN. Mientras él actúa, tú debes aspirar y espirar hondo varias veces para ser partícipe del proceso. Entonces percibes la voz de Raziel en tu oído:

«Lo haces estupendamente. Todo va bien».

Notas cómo vas perdiendo lastres infinitos y te sientes cada vez más lúcido y ligero. Tus células comienzan a vibrar en la frecuencia de la alegría y te sientes como si hubieras vuelto a nacer. Con cada segundo que pasa aumenta tu vibración más y más y tu aura brilla en los más maravillosos colores del arcoíris, pues Raziel se ha ocupado de que todos los colores de tu alma vuelvan a estar completos y puedan brillar en todo su esplendor.

Disfruta de la sensación de felicidad de ser un ente infinito de luz y amor que no conoce límites...

No sólo tú brillas de felicidad, sino que también los ojos de Raziel relucen de alegría por tu milagrosa sanación.

Te levanta del lecho cristalino y te abraza con profundo amor. Sabes que eres amado incondicionalmente, siempre y eternamente, y que en todo momento puedes pedir ayuda a Raziel.

Te despides dándole las gracias y emprendes el camino de vuelta junto con el cuervo, tu fiel acompañante, a través de la selva mágica. Mientras te abres paso entre la floreciente vegetación, tu nivel de energía sigue aumentando, de manera que vuelves al aquí y ahora lleno de fuerza.

Nota bajo los pies a la madre Tierra y las raíces que te unen con el centro del planeta. Estira brazos, piernas y tronco y abre los ojos cuando estés dispuesto.

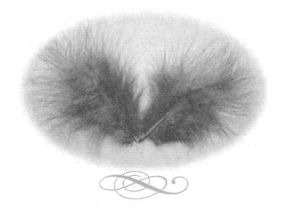

Día 11

Perdona a otros y a ti mismo con ayuda del arcángel Zadkiel

Los ángeles se presentan en momentos
de grave crisis,
de sufrimiento insoportable y de propósitos
que denotan compasión.

RALPH WALDO EMERSON

«Te saludo, alma querida. SOY el arcángel Zadkiel. La verdad es que sin la capacidad de perdonar no alcanzarás jamás la libertad que deseas tan ardientemente. Así que te ruego que admitas que eres aquel que acude a una cárcel elegida inconscientemente si te aferras a las penas y dolores que te han infligido otros. Incluso ocurre que eres tú mismo quien refuerza tu sufrimiento, pues toda repetición mental o verbal de tu tortura te hiere de nuevo y acumula lo vivido todavía más profundamente en tu ADN.

Alma querida, sé muy bien que éste no es tu deseo, así que te ruego que entiendas que las cosas no son ni mucho menos como te parecen. El plan maestro de tu vida que has elegido tú mismo junto con nosotros prevé que quieres aprender determinadas lecciones del alma en esta vida. Puesto que esta encarnación es especialmente importante para todo el desarrollo de la historia de la humanidad, en esta vida has de vértelas con las disciplinas reina. Una de ellas es aprender a perdonar.

También se trata de marcar límites reales que te protejan de nuevas heridas. Por ello te ruego que en el futuro ya no digas "ya está bien así" cuando alguien te pida disculpas por algo que te haya hecho, pues de lo contrario atraerás nuevas experiencias de este tipo, porque en tu campo de resonancia quedará escrito que ya está bien así cuando alguien te hace daño. De este modo no haces más que persistir en el papel de víctima.

Es mejor que des las gracias, pues así declaras que perdonas. Al mismo tiempo, la gratitud te permite acceder al apoderamiento de ti mismo, de manera que en el futuro te resultará cada vez más fácil perdonar, incluso en los casos más graves, puesto que reconoces que determinadas personas se cruzan en tu camino por tu deseo propio a fin de convertirte en un verdadero maestro del perdón. Éste era tu plan antes de que vieras la luz en esta Tierra. Estaré a tu lado en cualquier tesitura, si así lo deseas, y reconocerás los obsequios en ellas y alcanzarás la paz».

Arcángel Zadkiel: el ángel de la compasión y del perdón
Color del aura: azul oscuro, violeta
Gema: lapislázuli

Reflexión

Continuamente tropiezo con una cita cuya fuente parece ser desconocida: «No perdonar es como si nosotros mismos hubiéramos tragado veneno, pero esperamos que sea el otro quien se muera». Hay mucha verdad en esta frase. En todas las sesiones que he mantenido en esta vida, casi siempre la situación se bloqueaba cuando el cliente tenía todavía algo que perdonar en su vida.

El hecho de no perdonar absorbe mucha energía de la persona, tanto en el plano emocional como físico, y puede llegar a «envenenarle» y enfermarle realmente. En cambio, si somos conscientes de que las personas que nos lo ponen difícil en la vida y que más daño nos hacen son amigos nuestros en un plano superior, el perdón resulta de súbito mucho más sencillo: esas personas se ponen a nuestra disposición para que podamos aprender determinadas lecciones del alma que nos hemos propuesto para esta vida.

En este punto quiero remitirme de nuevo al libro *El viaje a casa* de Kryon/Lee Carroll, donde se explica esto de manera muy gráfica en forma de parábola con siete seres angelicales.

Además, perdonar no significa dar por buenos actos que son terribles. Significa, por el contrario, liberarte por fin de la cárcel (creada por ti mismo) en que estás encerrado debido a tu incapacidad de perdonar. El perdón es fundamental para incrementar tu vibración y poder manifestar la vida de tus sueños.

No olvides que si caminaras durante dos semanas con los mocasines del otro lo entenderías todo y sabrías perdonar con facilidad.

Perdón y paz

He aquí una maravillosa historia sobre el perdón que le ocurrió hace poco a mi ayudante Dani:

La relación entre mi madre y yo siempre ha sido muy ambivalente. Hasta los 25 años yo trataba de complacerla en todas sus aspiraciones, pero hiciera lo que hiciera para contentarle y notar su cariño, ella me trasmitía la sensación de que no me reconocía como el ser único que yo era.

Así que tiré la toalla y decidí separarme de ella y seguir mi propio camino. Rompí todo contacto, me quedé amargada y cerré mi corazón a cualquier persona. Di la espalda a Dios porque no quería saber ya nada de un Dios que me había dado una madre así. También desconecté mis canales de comunicación porque dejé de creer en todo.

Siguieron años de bullicio continuo, con fiestas y mucho alcohol, a veces incluso drogas, tratando de huir de mí misma. Mi rabia hacia mi madre se tornó inconmensurable. En mi autocompasión entendía que ella tenía la culpa de mi vida inestable y mis fracasos profesionales. El desengaño y la tristeza ante esta situación se apoderaron de mí hasta el punto de que estaba continuamente enferma. Claro que no dejé que se me notara externamente: para los demás yo era fuerte, siempre alegre y dicharachera.

Cuando conocí a Ralf, hallé en él a la primera persona a la que podía mostrarle todas mis facetas y que me quería tal como yo era. De este modo empecé a ocuparme de nuevo intensamente del mundo espiritual y, de pronto, me encontraba continuamente con personas que siempre pasaban a recogerme exactamente en el lugar en que me hallaba en ese momento. Me di cuenta de que mi madre me lo había dado todo. El hecho de que a mí no me hubiera satisfecho no era su problema, sino el mío.

Al lograr sacar ese tapón de la botella, mi vida cambió rápidamente. Puse orden en mis asuntos y escondí el abrigo de la autocompasión en el armario. En aquella época pude gozar de la compañía y la amistad del arcángel Zadkiel, quien me ayudó suavemente a perdonar a mi madre y a mí misma. Después me dijo, sin embargo, que eso todavía no era todo.

«Aunque la has perdonado, aún tienes que encontrar la paz interior con ella».

En esto no había pensado nunca. Creía que al haber perdonado todo había quedado arreglado. ¡Ni mucho menos! En alguna parte muy profunda de mi corazón todavía quedaba una chispa de rabia por haber sido tratada tan injustamente. Me puse manos a la obra y esta vez tardé un poco más, porque mi ego se interponía continuamente en mi camino. Llegado el momento, pude pensar en mi madre sin alterarme emocionalmente. Por fin reinaba la paz, la rabia en mi interior se había esfumado. Cada mañana pedí entonces a los ángeles que le dijeran a mi madre que estaba en paz con ella y le había perdonado.

Al cabo de seis semanas recibí un correo electrónico de mi madre en el que me pedía hacer las paces y que le perdonara por todo lo que me había causado inconscientemente. Apenas me lo podía creer y noté cómo me invadía una alegría indescriptible. Desde entonces intercambiamos mensajes y volvemos a conocernos poco a poco después de 18 años de separación. Es posible que algún día también volvamos a vernos. Los ángeles ya se ocuparán de ello.

Acciones para hoy

✍ Lista del perdón
Créate un espacio sagrado y pide al arcángel Zadkiel que acuda a tu lado y te envuelva en su luz de color violeta para conectarte con la energía de la compasión. Respira hondo para absorber la luz en tu interior y relájate.

Anota en una lista los nombres de las personas que te han hecho daño y te han perjudicado y a las que todavía no has podido perdonar (del todo), por orden de importancia.

✍ Ritual del perdón
Advertencia: en lugar del ritual puedes llevar a cabo el viaje del alma de hoy, y por supuesto también ambos.

Acude a tu lugar de paz y silencio, a tu espacio sagrado, y relájate. Puede ser un lugar que conoces o uno que creas en la fantasía. El arcángel Miguel se halla a tu lado y crea un ambiente de seguridad alrededor de tu persona. Disfruta de tu entorno con todos los sentidos y aspira y espira hondo.

Llama ahora al arcángel Zadkiel y pídele que te ayude a abrir tu corazón a la compasión y al perdón. Nota cómo trasmite su cariñosa energía de la compasión a tu chakra del corazón. Absorbe totalmente esta energía respirando hondo.

Ahora imagina que una de las personas de la lista se encuentra delante de ti. Comunícate con ella en el plano del corazón y pide al arcángel Miguel que corte los lazos tóxicos que os unen con su espada del amor, de la verdad y de la luz. Respira hondo tres veces y exclama:

Te perdono, … (nombre de la persona), *y te dejo ir en paz. Te bendigo. ¡Soy libre!*

Ahora pide al arcángel Rafael que os envuelva a ti y a la otra persona con su energía sanadora de color verde esmeralda para que podáis seguir sanando y aspira y espira hondo.

Repite el ritual hasta que hayas perdonado a todas las personas de la lista.

Si sigues notando el peso de la culpabilidad, ha llegado el momento de perdonarte también a ti.

Pide al arcángel Zadkiel de nuevo que envíe su amor y su compasión a tu corazón y absórbelos en tu interior respirando hondo. Acto seguido, pide al arcángel Miguel que corte también los lazos energéticos que penden de ti a causa de los malos pensamientos y que no se componen de luz y de amor. Respira hondo tres veces durante el proceso y, a continuación, proclama:

Me perdono a mí mismo. Soy bendito. ¡Soy libre!

Para terminar, pide finalmente al arcángel Rafael que te envuelva en su maravillosa luz sanadora de color verde esmeralda y vuelve a respirar hondo.

Ahora da las gracias a los arcángeles Zadkiel, Miguel y Rafael.

A veces el perdón no se consigue al primer intento, pero esto no es motivo para preocuparse o «autoinculparse»; basta con repetir el ritual una vez (o varias veces) más.

Afirmación del alma

Pide primero al arcángel Zadkiel que te envuelva en su luz de color azul y violeta y aspira y espira hondo antes de pronunciar (preferiblemente en voz alta) las siguientes palabras:

Me gusta perdonar porque me hace libre.

Viaje del alma

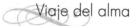

Antes de empezar, ten preparado papel y lápiz para escribir; es posible que durante el viaje o inmediatamente después de terminar desees anotar algo.

Aspira hondo con los ojos abiertos y espira lentamente mientras cierras los ojos a cámara lenta y ordenas al cerebro que pase automáticamente al estado zeta. Aspira hondo y espira todo el aire y relájate. Deja correr los pensamientos como pájaros que pasan volando. Suéltalos y disfruta notando tu respiración que te une continuamente con la respiración de Dios y te nutre. Relájate más y más con cada respiración.

Nota, ve o imagina cómo te envuelve una luz intensa de color violeta que penetra suavemente todas las capas de tu aura y las limpia. Te sientes cada vez más lúcido y ligero mientras la luz penetra hasta la última de tus células y también las limpia desde la profundidad, de manera que estás cada vez más en consonancia con tu modelo divino, el plano de construcción perfecto de tu organismo, de tus células y de tu ADN. Disfruta de la sensación de limpieza en todos los planos.

Ahora descubres que te hallas en medio de un jardín mágico. Flores de todas las clases y formas te envuelven en sus magníficos perfumes e innumerables mariposas revolotean alrededor de ti. Las contemplas a sabiendas de que son un símbolo de tu trasformación cuando aparece ante ti un ángel imponente. Es el arcángel Zadkiel. Al instante percibes el amor incondicional y la infinita compasión que irradia y te sientes maravillosamente guarecido.

Entonces el arcángel Zadkiel mira hacia arriba, hace una señal y en cuestión de segundos aparece delante de vosotros una hermosísima carroza decorada con cristales de todos los colores del arcoíris, tirada por siete brillantes unicornios blancos. Zadkiel te tiende la mano y te ayuda a subir a la carroza, luego se sienta a tu lado y dice algo a los unicornios en una lengua que desconoces. Acto seguido, la carroza levanta el vuelo, atraviesa los siete planos de las ilusiones y llega a la planicie cristalina en que se halla un templo etéreo, cuya única misión consiste en ayudar a las personas a perdonar de buen ánimo, con soltura y alegría.

Zadkiel te alcanza de nuevo la mano y te ayuda a bajar de la carroza. Juntos acudís al templo alumbrado por la luz más clara que jamás hayas visto, y Zadkiel te ruega que te sientes en un trono cristalino mientras toca tu corazón en el plano más profundo y lo envuelve en compasión.

En este instante aparecen ante ti el ángel Mihr, el arcángel Miguel y varias personas a las que todavía tienes algo que perdonar.

El ángel Mihr te envuelve con su luz verde oscura de la sanación y del conocimiento y la primera persona comparece delante de ti. Mientras le miras a los ojos hasta contemplar el fondo de su alma, surge en tu interior una profunda comprensión por esa persona y eres capaz de asimilar con ayuda del ángel Mihr las lecciones del alma que puedes aprender gracias a ella.

Así que de pronto te resulta muy fácil perdonar. Pides al arcángel Miguel que corte el lazo tóxico que os une con su espada del amor, de la verdad y de la luz, y respiras hondo tres veces. Declara a continuación de todo corazón:

«Te perdono, … (nombre de la persona), y te agradezco la lección que puedo aprender gracias a ti. Te dejo ir en paz y te bendigo. ¡Soy libre!».

Respira hondo para liberarte del todo.

Si lo deseas, puedes perdonar también a otras personas de la misma manera. Tal vez quieras desprenderte asimismo de algunos sentimientos de culpa o de vergüenza.

Zadkiel vuelve a tocarte el corazón, de manera que pareces desbordar de compasión. Contempla ahora con ojos de compasión qué es lo *que deseas perdonarte a ti mismo. Sabes que lo conseguirás ahora en este lugar sagrado, así que pides al arcángel Miguel que corte los lazos tóxicos que penden de ti y de otros debido a malos pensamientos en relación con el problema. Mientras respiras hondo tres veces para liberarte, el ángel Mihr te revela la lección del alma que te has creado tú mismo para crecer todavía más.*

De pronto te resulta sumamente fácil perdonarte a ti mismo, así que declara:

«Me perdono a mí mismo. Soy bendito. ¡Soy libre!».

Respira de nuevo profundamente para liberarte también en el plano físico.

En tu interior se expanden una profunda paz y un sentimiento de felicidad infinita cuando los tres ángeles —Zadkiel, Mihr y Miguel— te toman de las manos y salen contigo del templo al aire más limpio que jamás hayas visto. Te invade una profunda gratitud porque sabes que en la primera parte de este viaje has dejado atrás innumerables lastres.

De pronto entiendes la lengua de los unicornios y notas que deseas rogarles que vuelvan contigo a la Tierra. Das las gracias a los ángeles, subes a la carroza y ésta se eleva rápidamente por los aires. Esta vez no subís volando, sino que descendéis a la Tierra con gracia y soltura. Aterrizáis muy suavemente y desciendes de la carroza y te sientes infinitamente ligero. Ponte de nuevo en contacto con el suelo bajo tus pies, con la madre Tierra, estira brazos, piernas y tronco y vuelve al aquí y ahora. Abre los ojos cuando estés dispuesto.

Parte II

Aumento de la frecuencia

Día 12

Fija y vive tus prioridades con ayuda del arcángel Metatrón

Todo objeto visible de este mundo
se halla bajo la custodia de un ángel.

SAN AGUSTÍN

«*Te saludo, alma querida. SOY el arcángel Metatrón. Puede que haya períodos en que tu vida va pasando como si nada y tú te preguntas si ése es el buen camino, pues aparentemente no tienes ningún poder sobre el devenir de las cosas. Sin embargo, esto es una ilusión: en todo momento y lugar puedes ser dueño o dueña de tu tiempo. Lo único que hace falta es que decidas tomar conciencia todos los días de tus verdaderas prioridades.*

No es la vida la que te elige, sino que tú eliges la vida. Esto puede sonar duro cuando sufres un trágico golpe del destino, pero es así y no tiene vuelta de hoja. Porque incluso en esas circunstancias tienes la opción de decidir en qué quieres centrarte y qué prioridades deseas fijar, querido ser.

Reconócelo y actúa a partir de ahora con sabiduría. Yo estaré a tu lado para aconsejarte y ayudarte en todo momento, si así lo deseas. Percibe ahora cómo te rodeo con mis alas y te envuelvo en claridad cristalina, de modo que puedas reconocer lo que hay que reconocer».

Arcángel Metatrón: ángel de los niños de la Nueva Era, de las prioridades y de la concentración
Color del aura: verde y rosa
Gema: turmalina sandía

Lección inesperada

Mi amiga Johanna experimentó un gran alivio gracias al arcángel Metatrón:

De abril a junio de cada año me espera un período de mucho trabajo. Además de mi habitual jornada completa como profesora de piano, asisto a los exámenes de ballet de la Royal Academy of Dancing. Esto significa, por decirlo en pocas palabras, que tengo que ensayar 300 breves piezas y realizar varias pruebas con las alumnas de ballet y que en los exámenes tengo que tocar durante unas 7 u 8 horas al día.

Esto lo hago desde hace 12 años, de manera que ya tengo cierta experiencia, pero hasta ahora siempre me ocurría que al final el estrés podía conmigo: el cuerpo me imponía entonces una fase de reposo, bien en forma de dolores de espalda insoportables, que me impedían tocar el piano, de manera que al final había algunas piezas que no tenía suficientemente preparadas, bien mediante súbitas dificultades de concentración durante los exámenes, que hicieron pasar malos momentos tanto a las bailarinas como a mí misma.

Puesto que este año me comprometí a tocar también para los exámenes de otras dos escuelas de ballet, me propuse abordar la tarea con ayuda de los ángeles, ya que no me veía con fuerzas suficientes. Así que pedí a Metatrón que me ayudara a organizar mis jornadas y a observar la disciplina necesaria para llevar a cabo este trabajo.

Entré en meditación y me puse en contacto con la energía de Metatrón, le trasmití mi ruego y volví a mis cosas. Puesto que estoy acostumbrada a comunicarme con ángeles, no pasó mucho tiempo hasta que me vi casi inundada de informaciones. De lo que me enteré entonces tenía tan poco que ver con lo que yo esperaba y con la manera en que yo había intentado tantas veces dominar las situaciones estresantes, que me entró la risa.

Metatrón me dijo que mi visión de las cosas no resolvería el problema. Lo que yo necesitaba no era más disciplina, sino en cierto modo menos. Precisaba más diversión y más relajación, pero ¿cómo iba a hacerlo en una jornada de 16 horas de trabajo? En mi casa paterna y también como pianista he aprendido que sólo trabajando duramente se obtienen buenos resultados, y por eso tiendo a organizarme el día a día sobre todo pensando en las tareas, hasta el punto de que a menudo no hay apenas un momento para dedicarme a mirar pasar el tiempo sin ton ni son, o para gozar de la vida, divertirme y esas cosas.

¿Resultado? La buena disciplina se convierte en un corsé, de modo que se produce un desequilibrio anímico. El alma, a su vez, se busca la necesaria compensación, por lo general en los momentos más inoportunos, poniéndome simplemente fuera de combate, por decirlo de alguna manera. Entonces suelo aplazar innecesariamente tareas urgentes, o cuando me siento presionada no logro concentrarme al cien por cien, o aparecen síntomas físicos que me impiden trabajar, hasta que se restablece el equilibrio.

Metatrón me dijo que yo podía controlar ese proceso de compensación redefiniendo de arriba abajo todas mis prioridades. Concretamente me propuso lo siguiente:

En primer lugar hay que situar la meditación, la necesidad de mantener abiertos mis canales espirituales y mi trabajo de ANGEL LIFE COACH®.

Al margen de todo mi trabajo musical que se me acumulaba, me pidió que hiciera de inmediato una lista de todos los proyectos que me pululaban por la cabeza y llevara a cabo un ritual para ponerlos de manifiesto, y después los soltara de manera que se me quedara despejada la cabeza. Seguí el consejo y noté enseguida lo bien que me sentaba haber revelado por fin todas esas ideas a los ángeles. Me puso realmente de buen humor. Como para confirmar esa prioridad, al poco rato me llamaron dos clientes para encargarme una lectura.

El siguiente paso tuvo que ver con el trabajo propiamente dicho, a saber, los ensayos de piano y el tiempo que absorbían. La consigna era: ensayo necesario, sí, ensayo mecánico, no, ni por un minuto. Me dijo que perdía mucho tiempo con repeticiones, en parte por costumbre, en parte por la preocupación de no estar perfectamente preparada.

De este modo, durante todo ese período estuve ensayando menos en términos de tiempo y más en términos de eficacia; traté de limitarme al mínimo necesario, y muy pronto me di cuenta de que gracias a ello en las pruebas tenía libres muchas más capacidades para entregarme plenamente a la música. Estaba más en onda, de manera que ya no me cansaba tan pronto.

Resultó que acababa antes con mis preparativos y, por tanto, tenía más tiempo libre. Entonces Metatrón me indicó que dedicara ese tiempo a algo que no tuviera nada que ver con el trabajo. Eso no era nada fácil, pues todo pianista considera que nunca ha ensayado lo suficiente y, además, me gusta tocar música. Sin embargo, Metatrón me recordó que en las pruebas y exámenes sólo podía fiarme plenamente de mi capacidad de concentración si pasaba el tiempo haciendo también cosas distintas a la música o simplemente no haciendo nada. Seguí su consejo.

Metatrón también me insistió en que hiciera regularmente, por la mañana y por la noche, algunos ejercicios de yoga debido a que estaba sentada todo el día y que antes de cada prueba y cada examen auscultara mis puntos de equilibrio emocional (junto con los ángeles correspondientes) para dar impulso a la energía.

Por lo demás me marcaron todo tipo de reglas sobre el sueño, la comida y la bebida, siempre atendiendo a la máxima de que hay que sentirse bien y disfrutar haciendo las cosas.

Mientras tanto ya estoy metida de lleno en esta fase intensiva, pero a pesar de los exámenes y de las clases de piano todavía me queda tiempo libre, por ejemplo para escribir esta historia, y disfruto cada día en que puedo volver a tocar el piano durante ocho horas sin tener problemas de concentración ni dolores de espalda.

Reflexión

Observa hoy a qué actividades exactamente dedicas tu tiempo, y anota todo indicando exactamente los intervalos.

Acciones para hoy

✎ Reflexiona sobre tu reparto del tiempo

Recuerda crear primero un espacio sagrado antes de contestar por escrito a las siguientes preguntas.

Llama al arcángel Metatrón para que acuda a tu lado y pídele que te acompañe durante todo el día y te envuelva en su luz de color verde y rosa, de manera que estés en sintonía con la frecuencia de la sanación. Respira hondo para absorber la luz en tu interior y relájate.

- ¿Cómo pasas el tiempo?
- ¿Dedicas tiempo a tus prioridades? ¿O nunca encuentras tiempo para ellas?
- ¿Navegas todo el rato por Internet (Facebook, etcétera) en vez de dedicarte a tus prioridades?
- ¿Cuáles son tus prioridades?

- ¿Cuánto tiempo dedicas a la meditación, la oración, las afirmaciones, el yoga, el ejercicio físico y cosas por el estilo?
- ¿Y cuánto tiempo te reservas cada día para obrar en pos de tus objetivos?
- ¿Qué dices del «tiempo aloha» (es decir, los tiempos en que te relajas y disfrutas de la vida; véase el 16.º día).

Acciones para hoy y el futuro

Aprovecha el cubo de Metatrón
Si todavía no tienes una imagen del cubo de Metatrón, ha llegado la hora de que te agencies una (puedes buscarla en Internet e imprimirla), pues ese cubo ayuda mucho a reforzar tu capacidad de concentrarte en lo esencial.

Toma conciencia de tus prioridades
Comunícate cada mañana, antes de emprender las tareas cotidianas, con el arcángel Metatrón. Pídele que te envuelva en su luz de color verde y rosa, aspira y espira hondo y reconoce con su ayuda las tres prioridades de la jornada. Lo mejor es que las anotes en tu diario (incluso una vez concluido este programa de 28 días) y las expongas además en algún lugar estratégico, actuando en consecuencia.

Afirmación del alma

Antes que nada, pide al arcángel Metatrón que te envuelva en su luz de color verde y rosa, aspira y espira hondo y luego declara (a ser posible en voz alta):

Soy consciente en todo momento de mis prioridades y actúo en consecuencia.

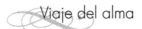

Antes de empezar, ten preparado papel y lápiz para escribir; es posible que durante el viaje o inmediatamente después de terminar desees anotar algo.

Aspira hondo con los ojos abiertos y espira lentamente mientras cierras los ojos a cámara lenta y ordenas al cerebro que pase automáticamente al estado zeta. Aspira hondo y espira todo el aire y relájate. Deja correr los pensamientos como pájaros que pasan volando. Suéltalos y disfruta notando tu respiración que te une continuamente con la respiración de Dios y te alimenta. Relájate más y más con cada respiración.

Te percatas de que te encuentras en un lugar de brillante hermosura, donde flores de todas las especies y formas esparcen sus deliciosos aromas que te trasportan al instante a un estado de paz y despreocupación.

Rodeado de un aura de brillante color verde y rosa, aparece ahora ante tus ojos un ángel de enorme figura. Es el arcángel Metatrón. Su presencia irradia poderío y claridad cristalina, y notas cómo tu frecuencia se altera y aumenta cuando estás cerca de él.

Entonces te acompaña a un templo cercano que reluce bajo la radiante luz del sol. Juntos penetráis en el espacio sagrado y descubres en el centro un enorme mosaico en el suelo, en que está representado el cubo de Metatrón. El mosaico te atrae como un potente imán y te colocas en el centro del mismo. Lo que sucede allí es difícil de describir con palabras. Es como si del mosaico del suelo emanara una fuerza que fluye en espiral a través de todos tus cuerpos sutiles y de tu organismo. Se produce de una manera tan poderosa y a la velocidad de la luz que no tienes tiempo de retener ningún pensamiento. En todo tu ser comienza a expandirse una claridad cristalina. Todas tus células vibran a un ritmo sagrado que te une de nuevo con tu plan maestro divino.

Entonces oyes la voz del arcángel Metatrón que te dice: «Querido ser, ha llegado el momento de reflexionar a fondo y tomar conciencia de tus auténticas prioridades. ¡Escucha y reconoce! Puede ser que tomes conciencia de tus prioridades para las próximas dos semanas de este proceso o para toda tu vida. También es posible que de momento sólo percibas las prioridades para el día de hoy. En cualquier caso, todo ocurre en consonancia con tu sabiduría interior. ¡Percibe con todos los sentidos!».

Tal vez surjan ahora en tu interior imágenes, sonidos, pensamientos o sentimientos que te muestran el camino hacia tus verdaderas prioridades.

Al cabo de un rato se disuelve la onda espiraliforme que ha atravesado todo tu ser y, de nuevo, te das cuenta de dónde estás.

Entonces, Metatrón te entrega uno de sus maravillosos cubos, que brilla en todos los colores del arcoíris y te dice: «Llévatelo, pues no sólo te ayudará a reconocer tus prioridades, sino también a reforzar tu capacidad de concentración, de manera que puedas cumplirlas».

Lleno de gratitud tomas el cubo mágico en tus manos y percibes las infinitas vibraciones que emanan de él.

Finalmente abandonas el lugar sagrado con el cubo en la mano y acompañado de Metatrón y vuelves a notar a la madre Tierra bajo los pies. Percibe su ritmo a través de las raíces que te unen con el centro del planeta. Respira hondo tres veces y vuelve plenamente al aquí y ahora. Abre los ojos.

Anota ahora por escrito lo que has reconocido.

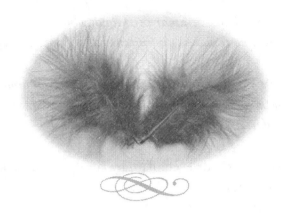

Día 13

Refuerza tu confianza y tu valentía con la arcángel Ariel

Los ángeles son para el mundo
lo que son las columnas para edificios grandes:
sostienen y embellecen.

FILÓN DE ALEJANDRÍA

«Te saludo, ser querido. SOY la arcángel Ariel. Recuerda siempre que sólo el amor es real. Si eres consciente de ello, y no sólo en el plano de la razón, sino también en lo más profundo del corazón, tus temores caen como sombras a tu espalda. ¿Qué es lo que tanto te preocupa? ¿Que fracases y no merezcas ser amado? Créeme, querido ser, eso no son más que ilusiones, porque en el plano verdadero de la vida se trata de cumplir las lecciones del alma. En esto no puedes fracasar, porque siempre las cumples. El tiempo es una cosa variable, de modo que deshazte de tus temores y atrévete a vivir tu vida en toda su grandeza. Esto es de lo que se trata.

Sé consciente de que te amamos incondicionalmente para toda la eternidad y de que te mereces infinitamente ser amado, hagas lo que hagas.

Únete a mí y a mi luz y reconoce que en lo más profundo de tu ser estas lleno de valentía y confianza. Para empezar a volar sólo tienes que extender las alas. Así que, ¿a qué estás esperando?».

Arcángel Ariel: ángel de la confianza y la valentía, de la manifestación y de la plenitud
Color del aura: rosa
Gema: cuarzo rosa

Un momento mágico de la manifestación

Mi amiga Patricia, quien también forma parte de mi equipo y es una potente chamán, vivió la siguiente historia maravillosa con la arcángel Ariel.

Fui por tercera vez a Roma para dirigir un taller junto con mi coinstructor y amigo Chris. Dado que yo prefiero trabajar en la lengua del país en que me encuentro, preparé mi parte palabra por palabra en italiano. Me leí varias veces el texto que había elaborado para poder hablar luego en público sin necesidad de tener una hoja de papel en la mano.

La sesión estaba llegando a su fin cuando mi coinstructor se inclinó hacia mí y me preguntó: «¿Qué te parece si en vez de dirigir yo solo la meditación, lo hacemos juntos? La llamaremos "M3" ("momento mágico de la manifestación"). Empiezo yo, luego hablas tú, luego vuelvo a hacerlo yo, y así sucesivamente. Será mágico y algo muy especial».

Le miré como si se hubiera vuelto completamente loco y le pregunté cómo se imaginaba que sería, pues a fin de cuentas yo no había preparado nada y mi vocabulario italiano todavía no era muy amplio. Me devolvió la mirada como si la loca fuera yo, y me contestó: «Tú eres la que me habla de los ángeles. ¿Acaso no conoces a ninguno que pueda ayudarte?».

Miré el anillo con el cuarzo rosa que llevo en la mano y le dije: «Dame unos minutos».

Sentada en el estrado cerré los ojos y llamé a la arcángel Ariel. Le pedí que me infundiera valor y se manifestara en mí, pues esa meditación iba a girar en torno a la manifestación, conduciéndome a través de ella.

No percibí ninguna respuesta directa, pero dado que yo confiaba en Ariel, miré a Chris y le dije: «De acuerdo, hagámoslo».

Las ventanas y las puertas del local estaban cerradas, pues fuera hacía frío. Chris comenzó a conducir el grupo a la meditación. Llegado a un punto se detuvo para que siguiera yo. En este momento noté una suave brisa alrededor de mí, y susurré: «La arcángel Ariel está aquí. Nos guiará en esta meditación y en este momento mágico».

Hablé en italiano como nunca lo había hecho, mientras me rodeaban las alas y la valentía de Ariel. El público e incluso el propio Chris se quedaron completamente absortos en una de las meditaciones más bellas e intensas que jamás he conducido. También para mí la meditación resultó ser totalmente M3, un momento mágico de la manifestación.

Desde que ocurrió aquello siempre llamo a los ángeles antes de cada taller, seminario, meditación o danza de trance, y les pido que me echen una mano cuando haga falta.

Reflexión

Continuamente me encuentro con personas que por falta de confianza y valentía no se atreven a hacer algo para manifestar la vida de sus sueños. Lo que les retiene es el miedo.

Pero ¿qué es el miedo? Al parecer existen mil formas del miedo. Un hombre sabio y maravilloso profesor mío, el maestro Sergiu Celibidache (uno de los directores de orquesta más emotivos del siglo pasado) habló una vez en clase sobre el miedo de una manera que me abrió totalmente los ojos. Nos dijo a los estudiantes que, en realidad, sólo existen dos miedos, en los que se basan todos los demás: el miedo a no ser amado y el miedo a morir.

Tal vez pienses: ¡imposible! Sin embargo, si lo piensas bien, verás que es posible reducir cualquier temor a uno de los dos. Tomemos por ejemplo el miedo a fracasar. ¿Qué hay detrás? El miedo a defraudar a alguien o a ser vilipendiado y, por tanto, a no ser amado. Ahora bien, si lo miras más de cerca, comprobarás que las personas que te aman de todo corazón te querrán igualmente por mucho que fracases. Todos los demás no te aman de verdad. Además, sabes igual que yo que siempre estás rodeado de ángeles que te aman incondicionalmente. Esto significa que el miedo al fracaso está tan injustificado como el miedo a no ser querido.

¿Qué decir del miedo a morir? Tampoco este temor es real, pues en lo más profundo de tu ser sabes a ciencia cierta que la muerte no es más que el paso a una dimensión superior, que no es más que un nuevo nacimiento. (Encontrarás más comentarios sobre este tema en el día 19).

Sé muy bien que esto puede sonar demasiado simple, pero es que es así de sencillo. Durante mi proceso de sanación tuve que enfrentarme a miles de temores, y entonces me di cuenta de que el maestro Celibidache tenía toda la razón con su lección sobre los dos miedos originarios.

Esto no significa, por supuesto, que yo ya no sienta ningún miedo, pero soy consciente de que no son reales, de manera que me las arreglo mucho mejor con ellos. Aquí es donde intervienen la confianza y la valentía.

Acciones para hoy

✍ **Haz frente a tus miedos**

Recuerda que primero has de crearte un espacio sagrado antes de contestar por escrito a las siguientes preguntas.

Llama a la arcángel Ariel para que acuda a tu lado y pídele que te acompañe a lo largo de todo el día y te envuelva en su luz de color rosa, de manera que sintonices con la frecuencia del amor, de la confianza y de la valentía. Respira hondo para absorber la luz en tu interior y relájate.

- ¿Cuáles son tus peores temores? Analízalos y relaciónalos con uno de los dos miedos primarios arriba mencionados.
- ¿Qué es lo peor que te puede ocurrir en relación con esos temores? ¿Realmente es tan malo como te sugiere tu miedo? ¿O es mucho más inofensivo de lo que pensabas?

No olvides que durante todo el proceso tienes a la arcángel Ariel a tu lado. Puedes volver a aspirar en todo momento su luz y tomarte tiempo para relajarte antes de seguir.

- ¿Qué temores te impiden poner en práctica tus sueños? ¿Cómo de reales son en realidad?

Piensa que ser valiente no significa no tener miedo, sino atreverse a pesar de los temores.

- ¿Hay alguien con quien te gustaría hablar porque crees que te puede ayudar a avanzar en tu camino hacia la realización de los sueños de tu vida? Si es así, ¿por qué todavía no lo has hecho? ¿Tienes miedo a ser rechazado?

Ahora ya sabes que en este temor subyace el miedo a no ser querido, es decir, un miedo que no es real. Por tanto, ¿qué puedes perder? Si no preguntas, la respuesta es de todos modos «no», pero si preguntas, puede que sea «sí». Créeme: ¿es mejor atreverse o no? La respuesta está clara. Así que ¡atrévete (y gana)!

Sólo si sales de tu espacio de comodidad crearás la resonancia que te permitirá lograr lo que deseas. ¡Hazlo ahora!

Afirmación del alma

Pide primero a la arcángel Ariel que te envuelva en su luz de color rosa y aspira y espira hondo antes de declarar (a ser posible en voz alta):

Hago frente a mis temores porque sé que en realidad no tengo nada que temer. Con cada minuto que pasa confío más y más y me atrevo a adentrarme en terreno desconocido.

Viaje del alma

Antes de empezar, ten preparado papel y lápiz para escribir, pues es posible que durante el viaje o inmediatamente después de terminar desees anotar algo.

Aspira hondo con los ojos abiertos y espira lentamente mientras cierras los ojos a cámara lenta y ordenas al cerebro que pase automáticamente al estado zeta. Aspira hondo y espira todo el aire y relájate.

Deja correr los pensamientos como pájaros que pasan volando. Suéltalos y disfruta notando tu respiración que te nutre continuamente. Sé consciente de lo grande que es tu confianza en la fuerza infinita de tu respiración que te mantiene en vida. Disfrútala y relájate con cada respiración más y más, mientras la arcángel Ariel te sumerge en una brillante luz de color rosa que te une con los planos más profundos de la confianza. Nota cómo esta luz suave, pero potente, atraviesa cada una de las fibras de tu ser y te hace sentirte seguro y amparado.

Ves que te hallas junto con la arcángel Ariel al pie de una montaña sagrada muy escarpada. Entonces Ariel te coge de la mano y se eleva contigo por los aires, en dirección a la cumbre.

Una vez llegados a lo más alto, Ariel te prepara un lecho entre las rocas, de manera que puedes tumbarte cómodamente. Se sienta a tu lado y te pregunta con una voz cálida y profunda:

«Niño querido, ¿cuáles son los miedos que te impiden vivir tus sueños? Te ruego que reflexiones seriamente y me digas de qué se trata».

En respuesta a tus palabras te dice con cariño: «Ha llegado la hora de librarte de tus temores, pues no son otra cosa que una ilusión infinita».

Entonces Ariel se pone a extraer los miedos muy suavemente de todo tu ser. ¡Es una sensación maravillosa!

Entonces oyes de nuevo su voz junto a tu oído:

«¿Y cuáles son los sueños de tu vida? Cuéntame».

Después de exponerle tus sueños, Ariel te tiende la mano para ayudarte a levantarte.

«Querido ser, ha llegado el momento de que vueles con tus propias alas».

Y te acompaña hasta el borde del precipicio.

«Extiende las alas. ¿Estás preparado?».

¡Qué sensación divina te invade cuando notas que se extienden tus alas! Ariel te da entonces un suave empujón y comienzas efectivamente a volar. Es como un milagro, pero te resulta familiar.

Mientras flotas por los aires, visualiza tus sueños con todos los sentidos, suéltalos y mira como también están volando.

Ha llegado el momento de volver al aquí y ahora y de realizar tus sueño con valentía y confianza. Respira hondo tres veces para fijar lo que has vivido en lo más profundo de tu ser, estira brazos, piernas y tronco y vuelve plenamente a tu cuerpo. Cuando estés dispuesto, abre los ojos.

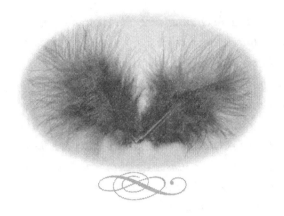

Día 14

Refuerza tu autoestima y tu confianza en ti con el arcángel Chamuel

Aunque hablara las lenguas de los ángeles,
[...] si no tengo amor, nada soy.

CORINTIOS 13,1-2

«Te saludo, ser querido. SOY el arcángel Chamuel. En tu búsqueda del amor olvidas a menudo lo realmente esencial, a saber, el amor a ti mismo.

¿Cómo quieres que otra persona se inflame de amor por ti y te lleve como oro en paño si tú mismo te propinas ante el espejo, y no sólo allí, duras palabras carentes de todo aprecio a ti mismo? Imagino que eres consciente de que esto no es posible.

En cambio, si te tomas el tiempo necesario para aprender a amarte a ti mismo cada vez más, entonces cambiará la frecuencia de tu vibración y tu resonancia. De este modo atraerás a personas cuya frecuencia es similar, capaces de darte el amor que tanto anhelas. No sólo estoy hablando del amor de pareja.

Llámame a tu lado cuantas veces lo desees, de manera que te pueda envolver en la luz de color verde claro y rosa del amor. Inhala amor y expele toda autocrítica. Repite esta operación varias veces y emite la intención de respirar a partir de ahora de esta manera. Acto seguido, ponte delante del espejo y mira profundamente en tus propios ojos. En algún momento verás tu alma y reconocerás quién eres en realidad: un ser de luz y amor. Desde ese instante te resultará cada vez más fácil amarte a ti mismo. Hazlo todos los días y las trasformaciones en tu vida no se harán esperar. Deja que el "amor" sea tu mantra, y el amor será tuyo».

Arcángel Chamuel: ángel de la autoestima y de la confianza en uno mismo, de la apertura del corazón, de la paz personal y global, del hallazgo
Colores del aura: verde claro y rosa
Gema: fluorita verde

Dura escuela

La autoestima es algo que se las trae. Si nos encontramos a gusto en nuestra propia piel y todo marcha sobre ruedas, estamos convencidos de que realmente nos amamos a nosotros mismos. Sin embargo, ahora sé que esto no es verdad. Yo misma tuve que darme cuenta a base de darme golpes con la realidad.

Cuando recibí el diagnóstico de que me quedaban de tres días a tres semanas de vida, de mi autoestima ya no quedaba más que una tenue sombra, toda vez que en esa misma semana había perdido a mi pareja, mi casa y mi estancia de estudio en California. Cuando además vi a todas esas tristes figuras de tez macilenta y cabeza calva en el pasillo de la unidad de oncología y me percaté de que pronto yo también iba a tener el mismo aspecto, tuve la sensación de estar viviendo una pesadilla sin fin.

Gracias al libro de Louise L. Hay *Usted puede sanar su vida* y otros descubrimientos, logré resarcirme de mi victimismo a base de afirmaciones y oraciones. Incluso cuando perdí todo el cabello, las cejas y las pestañas, logré ponerme delante del espejo y decirme a mí misma: «Me amo tal como soy». Tal como lo propone Louise L. Hay en su libro. Sin embargo, cuando poco a poco también empecé a hincharme porque tuve que tomar hormonas, toda mi autoestima se volatilizó sin dejar rastro. Me sentía como un simple montoncito de miseria, como el patito más feo del mundo. Me quedé totalmente descolocada, cosa que no es habitual en mí.

Tuvo que pasar bastante tiempo hasta que pude comparecer de nuevo ante el espejo y seguir con las afirmaciones. Lo conseguí cuando me quedó claro que mi autoestima no tenía que depender para nada de mi aspecto y de lo que pensaran los demás. De ahí me vino la comprensión de que tenía que aprender a sentirme completa por mí misma y tal como era. Me puse a trabajar este aspecto con el mismo ahínco que mi salud.

Y hete aquí que unos meses más tarde volvía a sentirme perfectamente en mi propia piel, por mucho que no tuviera cabello, cejas ni pestañas. Estaba agradecida por haber conservado la vida y por sentirme completa incluso sin ningún hombre a mi lado, pues me amaba realmente tal como era.

Reflexión

¿Cuántas veces pensamos o decimos cosas negativas sobre nosotros mismos, y no sólo cuando estamos delante del espejo? Esto es precisamente lo que refuerza las creencias negativas que nos sugieren que no merecemos ser amados. Como dice Chamuel y todos los demás ángeles, esto no tiene nada que ver con la realidad. O sea que ya va siendo hora, de una vez por todas, de que te ames a ti mismo.

Atribuye a las siguientes preguntas espontáneamente, es decir, sin pensarlo mucho, un número dentro de una escala del 1 al 10, siendo el 10 el peor estado que quepa imaginar y el 0, el más maravilloso que consideras posible.

- ¿Cuánto confías en ti mismo?
- ¿Cuánto te amas a ti mismo?
- ¿Hasta qué punto eres capaz de amar a otras personas?

Acciones para hoy y el futuro

✑ Entra en contacto con tu autoestima

Ve a un lugar donde haya paz y silencio, tu santuario. Puede ser un lugar que ya conoces o bien un sitio que te creas con la imaginación. Llama al arcángel Miguel a tu lado y sé consciente de que estás completamente seguro y protegido.

Percibe tu lugar paradisiaco con todos los sentidos. Nota el suelo bajo los pies, escucha los ruidos que te rodean, disfruta de los aromas y el entorno maravilloso.

Llama ahora al arcángel Chamuel a tu lado y pídele que envíe su luz de color verde claro y rosa a tu chakra del corazón y que disuelva muy suavemente y poco a poco todo lo que te impide estimarte realmente a ti mismo. Respira hondo tres veces concentrándote en la respiración para desprenderte de todo.

Al cabo de un rato, Chamuel envía nada más que amor puro y angelical a tu chakra del corazón. Absórbelo totalmente en tu interior y a continuación exclama (si es posible en voz alta): «Me amo», repitiéndolo por lo menos tres veces.

Respira hondo otras tres veces, estira brazos, piernas y tronco y vuelve a abrir los ojos.

Acto seguido —o si lo prefieres, más tarde—, ponte delante del espejo y mírate fijamente a los ojos hasta que veas tu alma. Éste es el instante en que ya no hay motivo alguno para no amarte, pues ves tu verdadera esencia, que no es otra cosa que luz y amor.

Di entonces en voz alta, mientras sigues mirándote a los ojos:

Te quiero. Te quiero de verdad.

Disfruta de la sensación.

Cada vez que a partir de ahora (hoy y para el resto de tu vida) te mires en un espejo o veas tu imagen reflejada en un escaparate o cualquier otra superficie, di:

Te quiero. Te quiero de verdad.

A partir de ahora, evita todo pensamiento o enunciado negativo sobre ti. Si a pesar de todo te viene alguno a la mente en cualquier momento, llama de inmediato al arcángel Chamuel y pídele que envíe su luz a tu chakra del corazón (*véase* más arriba).

❧ Recita el mantra del «amor»
Repite el mantra «amor» hasta que vibres lleno de amor. ¡Funciona!

❧ Elabora una «lista de autoestima»
Ahora anota todo lo que en ti merece ser amado, por ejemplo: «Merezco ser amado porque sé escuchar a los demás».

Añade otros motivos tan pronto como se te ocurran. Lleva esta lista siempre encima y léela (a ser posible en voz alta y articulando bien las palabras) cada vez que pienses que no mereces ser amado.

❧ Actualiza tu ropero
Haz limpieza en tu armario ropero con ayuda de los arcángeles Chamuel, Jofiel y Aniel y viste a partir de ahora exclusivamente ropa con la que te halles cómodo. Todo lo demás socava tu autoestima.

Después de haber trabajado también con la afirmación del alma y el viaje del alma, vuelve a las preguntas formuladas en el apartado «Reflexión» y contéstalas de nuevo. Chamuel y yo estamos seguros de que el resultado habrá cambiado en sentido positivo.

Afirmación del alma

Pide primero al arcángel Chamuel que te envuelva en su luz de color verde claro y rosa, aspira y espira hondo y declara (a ser posible en voz alta):

Me amo tal como soy. Merezco totalmente ser amado.

Viaje del alma

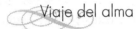

Antes de empezar, ten preparado papel y lápiz para escribir; es posible que durante el viaje o inmediatamente después de terminar desees anotar algo.

Aspira hondo con los ojos abiertos y espira lentamente mientras cierras los ojos a cámara lenta y ordenas al cerebro que pase automáticamente al estado zeta. Aspira hondo y espira todo el aire y relájate. Deja correr los pensamientos como pájaros que pasan volando. Suéltalos y disfruta notando tu respiración que te une a la respiración de Dios y te nutre. Con cada respiración que haces te relajas más y más.

Siente, ve o imagina que estás envuelto en una luz de color rosa claro que acaricia suavemente tu aura y todo tu ser. Disfruta notando la frecuencia del amor que te rodea y relájate todavía más.

Te encuentras en un jardín paradisiaco bajo un cerezo cuyas flores de color rosa emiten un aroma embriagador y te hacen sentir bien. Aparece delante de ti un ángel reluciente: es el arcángel Chamuel, que te mira con amor a los ojos. Al instante te sientes seguro y amparado, amado y aceptado tal como eres. Chamuel te ruega que te acuestes al pie del cerezo, cuyas ramas se mueven suavemente por efecto de la brisa, como protegiéndote.

Notas la madre Tierra bajo tu cuerpo y percibes su pulso cardiaco, que se une al tuyo y te nutre.

Entonces el arcángel Chamuel se arrodilla a tu lado y se pone a trabajar con ternura sobre tu chakra del corazón, para liberarlo de sus sombras. Tú procura respirar hondo para soltar lastre.

Luego Chamuel elimina suavemente, con ayuda de su energía sanadora de color verde claro, todas las emociones negativas de tu ser que se han formado debido a tu creencia de no merecer ser amado. Percibes cómo el chakra del corazón se abre cada vez más, como una hermosa flor de loto. Asimismo notas cómo toda tu aura se torna cada vez más ligera. ¡Una sensación divina! Te sientes amado incondicionalmente y sabes que estás en sintonía con la frecuencia del amor. Todo tu ser se agita de gozo, mientras Chamuel te alcanza un espejo mágico en el que reconoces todos los rasgos de tu ser que merecen ser amados. ¡No tengas prisa, disfruta!

Cuando has visto todo y devuelves el espejo a Chamuel, te percatas de que a tu alrededor se ha formado un corro de animales, atraídos por la irradiación de la frecuencia del amor que emana de ti y que te miran con cariño. Te invade una profunda sensación de felicidad, pues sabes que has cambiado efectivamente tu resonancia y te has vinculado a tu autoestima. Es posible que uno o varios de los animales tengan algún mensaje para ti. Escucha con el corazón y sé consciente de que a partir de ahora atraerás cada vez más amor.

Pon las manos sobre el chakra del corazón y exclama lleno de entusiasmo: «Me amo a mí y amo a mi vida, y mi vida me ama». Extiende los brazos como si fueras a abrazar a todo el mundo. Disfruta de la sensación y da las gracias a Chamuel por la sanación. Éste todavía te rodea con las alas antes de que llegue la hora de volver al aquí y ahora. Respira hondo tres veces para fijar lo que acabas de vivir en lo más profundo de tu ser. Únete a la madre Tierra y siente bajo los pies las raíces que te comunican con el cristal del centro del planeta. Estira brazos, piernas y tronco para volver de nuevo plenamente a tu cuerpo, el templo de tu alma, y abre los ojos.

Anota ahora los rasgos dignos de ser amados que has visto en el espejo mágico y compáralos con las notas que habías tomado antes. ¿Has descubierto algunos más?

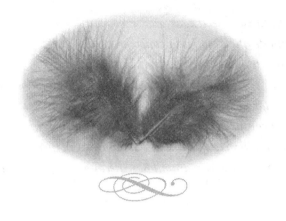

Día 15

Experimenta la fuerza de los sonidos con ayuda del arcángel Sandalfón

La música es la lengua de los ángeles
THOMAS CARLYLE

«Te saludo, alma querida. SOY el arcángel Sandalfón. Tengo mucho interés en ponerte aún más en contacto con la verdadera fuerza de los sonidos, pues en ella reside un poder oculto que sólo puede compararse con la fuerza del amor que supera todos los límites. Los humanos de las antiguas civilizaciones sabían de este poder, de modo que con ayuda de los tonos, y sin necesidad de ninguna máquina, podían erigir los edificios y círculos de piedras más excelsos sin tener que emplear para ello su fuerza física.

En estos días de intensificación de la luz, este conocimiento sale cada vez más a la superficie, de manera que hoy existen de nuevo personas que hacen verdaderos milagros utilizando aquel poder.

No se trata de que tengas que trasportar piedras con ayuda de la música, sino de que amplíes la conciencia y aproveches ese poder divino para ti, para tu vida y para la sanación del mundo.

La música es realmente un remedio milagroso en todos los planos. Es capaz de sanar el alma como por lo demás sólo lo consigue el amor. También da consuelo, alivia dolores, genera sentimientos de felicidad e incrementa la vibración de cada persona de tal manera que con su ayuda pueden crearse obras maravillosas. Reconoce su poder y utilízalo sabiamente».

Arcángel Sandalfón: ángel de la música, de la voz, de la calma
Color del aura: turquesa
Gema: turquesa

El templo de Sandalfón

El poder de los sonidos tiene para mi marido Hubert un significado muy especial. Ésta es su historia:

La luz del atardecer de un magnífico día de verano alumbra la escalinata que conduce al portal de acceso. Llegan personas vestidas de gala, que ascienden entre turistas y visitantes, los que han quedado se encuentran, hay parejas esperando.

Con mi «café para llevar» en la mano estoy sentado sobre un escalón de piedra que está calentito y me siento contento y expectante. En Múnich están celebrando el festival de la ópera y estoy a punto de asistir a una función, por primera vez en mucho tiempo. En el programa está la maravillosa obra «Fallstaff» de Verdi, la musicalización de una comedia de Shakespeare, una obra alegre con un argumento más bien insólito, pues la ópera vive del amor, el dolor y el drama.

Esa noche marcó el comienzo de un proceso que cambió mi vida. Me he criado con música clásica y amor a la ópera desde que era niño. A pesar de ello, en mi vida hubo una fase que duró años y en la que me aislé y casi no asistía a ninguna función. Con «Fallstaff» comenzó para mí el redescubrimiento de la fuerza de la música.

Una noche en la ópera tiene para mí un efecto clarificador, depurativo y estimulante. Incluso si después de una larga jornada de trabajo tengo que estar de pie durante algunas horas en el «gallinero» del teatro, nunca me siento cansado, sino animado, excitado y lleno de fuerza y energía. Soy optimista y confiado; me ocurre a menudo que después de asistir una noche a la ópera todavía puedo trabajar con creatividad y concentrado, con un montón de ideas nuevas, en mis proyectos de libros.

¿En qué consiste esta fascinante energía de la música, que me inspira y me proporciona toda la fuerza que necesito? La música es la lengua del corazón. Cuando estoy en la ópera, mi conciencia cotidiana se desconecta y mi ego no tiene posibilidad alguna de oprimirme con preocupaciones, dudas y temores. Al mismo tiempo, el corazón tiene la oportunidad de abrirse a la belleza de la música. Por mucho que a menudo los contenidos sean dramáticos, la hermosura y el amor de la música me apuntan directamente al corazón.

Desde que vuelvo a ir con regularidad a la ópera, mi vida ha cambiado drásticamente –en el sentido literal del término–. Pude acabar proyectos que habían quedado estancados desde hacía tiempo, resultó posible introducir cambios y avanzar en el ámbito profesional, y disponía por fin de la suficiente creatividad, inspiración y disciplina para trabajar en mis libros.

Compro mi entrada con mucha antelación, de modo que no hay excusa que valga para no ir una de esas noches. Las noches de ópera son sagradas para mí. Cuando llego cruzando la zona peatonal a la plaza de Max Joseph y asciendo por la escalinata hacia la entrada principal, detrás de mí cae el telón de la vida cotidiana y me sumerjo en el mundo de la música y la belleza. No es una huida, al contrario, es un tiempo de desconexión, casi como unas minivacaciones. La ópera es para mí el «templo de Sandalfón», donde puedo conectarme directamente con la energía, la fuerza y la belleza. Como corresponde a un templo, cuando salgo he cambiado positivamente.

Las visitas regulares a la ópera constituyen un elemento fundamental de mi «proyecto calidad de vida». Yo había decidido emprender de nuevo cosas en mi vida que para mí contribuyen a la calidad de vida, independientemente de cuánto he de hacer o creo que debo hacer además. Lo sorprendente fue que con el «proyecto calidad de vida» entraron en mi vida muchas cosas nuevas que durante mucho tiempo no habían funcionado. A fin de cuentas, esto «sólo» cambió porque comencé a sentir e irradiar más alegría de vivir. La música en el «templo de Sandalfón» significa para mí alegría, reposo y al mismo tiempo es parte de mi proceso de manifestación efectivo. Pocas cosas han cambiado mi vida con tanto éxito en los últimos años como la alegría que siento gracias a la música en la ópera.

«Fallstaff» es la última ópera de Verdi y una de las pocas que tienen un final feliz. En el último acto, Fallstaff descubre que le han engañado y se lo toma con humor.

La gran fuga final comienza con «*Tutto nel mondo è burla...*» y termina con el aplauso a una magnífica función. Bajo las escaleras y antes de volver a cambiar de mundo, me detengo un momento entre las columnas, miro al cielo crepuscular con su brillo sedoso, y las luces de las casas me saludan, otras personas pasan a mi lado.

Tutto nel mondo è burla, todo en el mundo es burla. Agradecido me voy a casa.

El tono adecuado con el arcángel Sandalfón

Mi amigo Guido, que es un magnífico cantante, actor y bailarín y un instructor fenomenal, vivió no hace mucho la siguiente historia:

El arcángel Sandalfón me confirmó de nuevo hace unos días la facilidad y el buen humor con que trabajan realmente los ángeles. Unas semanas atrás yo había firmado un nuevo contrato para protagonizar un espectáculo musical muy conocido. Se trata de un papel que ya interpreté hace años y que me gusta mucho, pero sabía que me llevaría un gran esfuerzo tanto físico como mental, además de vocal. El espectáculo del que estoy hablando es «Cats», seguramente uno de los mayores retos para cualquier actor, pues uno se ve llevado hasta el límite de su capacidad en todos los aspectos. Las canciones abarcan todos los registros de la voz, mientras que cada uno de los números está totalmente coreografiado y hay que danzar sobre el estrado con movimientos que recuerdan a los de los gatos.

Yo me había apartado de los escenarios en los últimos dos años para dedicarme exclusivamente a mis clientes y mis talleres, por lo que estaba muy desentrenado. Sólo de pensar que con no más de ocho días de ensayo tenía que llegar a dominar el papel se me hacía un nudo en el estómago, pero por suerte podía contar con la ayuda de los ángeles. Les pedí apoyo para que me recordaran todo lo necesario y velaran por mi salud. Apelé en particular al arcángel Sandalfón para que me ayudara a que mi voz estuviera perfecta y no sólo acertara con los tonos, sino que llegara al corazón de los espectadores con las canciones, eligiendo además con facilidad el timbre adecuado.

Así que comencé a interpretar este papel nada menos que en un fin de semana en que había cuatro funciones en dos días. El domingo por la noche yo ya casi no sabía cómo debía ponerme o sentarme. Sin embargo, cuando me desperté el lunes por la mañana, me sentía tan bien como siempre y pensé: «Bueno, parece que estoy más en forma de lo que creía…».

Durante las primeras funciones noté desde luego el esfuerzo hasta el extremo, sobre todo de la voz, pero al cabo de unos días me sentía como si ya llevara interpretando el papel desde hacía meses.

Fue probablemente durante la octava función cuando me invadió una sensación hasta entonces desconocida para mí: estaba completamente distendido, y eso que en esos instantes interpretaba uno de los números más difíciles del espectáculo. Espontáneamente me vino el temor de no dar más que la mitad de mi fuerza, de figurar, como se suele decir. ¿Estaba yo dando todo, cantando a pleno pulmón, y a pesar de todo lo hacía con suprema facilidad? Mientras terminaba mi último número del primer acto pregunté a los ángeles qué estaba ocurriendo: ¿estoy figurando, no lo estoy dando todo?

De pronto oí decir al arcángel Sandalfón a mi lado, entre risas: *«Eso es lo que ocurre cuando uno trabaja con nosotros los ángeles. En realidad, deberías saber cuánto más fácil podría ser vuestra vida con nuestra ayuda, cualquiera que sea la situación. Has pedido ayuda y te la hemos dado. Así que ahora disfruta de tu espectáculo con soltura y alegría».*

Casi me puse a reír a carcajadas, lo que no habría quedado muy bien en medio de la representación. Desde entonces no he actuado en ningún espectáculo ni en ningún ensayo sin pedir a Sandalfón que prestara atención a mi tono y me guiara de manera que interpretara debidamente mi papel conservando la voz sana.

Mis compañeros están un poco confusos cuando ven que todo me sale a pedir de boca y que no se me nota el esfuerzo, pero entonces yo me limito a sonreír y doy las gracias a los ángeles por el apoyo que me prestan.

Reflexión

El poder de la música ya es algo que nadie discute. Aparte de los aromas, son los sonidos lo que llegan de la forma más rápida y sin filtrar al sistema límbico (centro emocional del cerebro) y son capaces en muy poco tiempo de provocar grandes cambios en el estado de ánimo de las personas.

«La música amansa a las fieras», dice el refrán popular. También es sabido que la música que escucha una madre gestante durante el embarazo repercute en el embrión. Algunas amigas y participantes en los cursillos me han contado que durante el parto les pusieron música de fondo de los ángeles («Snowflake» de Lajos Sitas, «Angel Love» de Aeoliah, etcétera), y que de esta manera no sólo el parto resultó más suave de lo normal, sino que además el bebé, al ser arrancado del cálido vientre protector de la madre, se sintió acogido de inmediato por sonidos que le resultaban familiares. Gracias a ello, la llegada al mundo resultó menos dura.

Ya hay médicos y dentistas que ponen música mientras operan para favorecer la relajación y aliviar el dolor, pues el mundo reconoce ahora que el poder de los tonos no tiene límites. En tiempos antiguos, este conocimiento era de dominio público.

Como explico en el apartado sobre el «deseo ardiente» (*véase* el capítulo del primer día), yo mismo he experimentado la fuerza de la música en mi propia carne. Sin ella es probable que yo ya no estuviera en este mundo. El hecho de tocar el piano y oír la música del CD fue mi elixir de mi vida; necesitaba los sonidos como el aire para respirar.

Ahora trata de recordar en qué situaciones te ha ayudado ya la fuerza de la música, y anótalas.

Acciones para hoy y el futuro

Elige música para reforzar tu aura

Como sabes, la música puede adoptar formas muy diversas. Algunos sonidos te trasladan de inmediato a un estado de ánimo en que te sientes alegre y con ganas de emprender algo, otros te relajan o te hacen saltar las lágrimas, y así sucesivamente.

Hoy, sin embargo, se trata de que elijas una música con la que notes claramente cómo refuerza tu aura y, por tanto, también te protege.

Un CD que considero en este sentido que constituye un «disco de afirmación» que toca la fibra sensible y está interpretado con fuerza y que por eso aprecio especialmente, es «The Heart of Healing» (el corazón de la sanación), de Karen Drucker. Cada vez que creo no tenerlas todas conmigo, me basta escuchar una o dos canciones y todo vuelve a su cauce, pues los textos son sumamente beneficiosos. En cuestión de minutos se refuerza mi aura notablemente con sólo escuchar. También mi equipo ha tenido experiencias muy parecidas con este disco.

Escucha ahora alguna música que tenga un efecto similar en tu estado de ánimo. Si no sabes cuál elegir, pide al arcángel Sandalfón que te ayude.

✧ Canta

Para tener una voz sonora es importante cantar regularmente. Con esto no quiero decir que debas matricularte en una escuela de canto (salvo que lo decidas por tu cuenta, claro), sino que cantes cada vez que tengas ganas, tanto si es en la ducha como mientras conduces el coche y en la radio suena tu canción preferida o una magnífica aria de un cantante de ópera. Lo que importa es que lo hagas (empieza hoy mismo), pues de este modo tu voz se hará más flexible y tardará más en envejecer.

Para tu éxito personal y profesional en la vida es importante saber cómo suena tu voz, pues no se puede exagerar el poder de los sonidos. Es el sonido de la voz el que determina si las personas nos escuchan y no el contenido, como suponen la mayoría de las personas. Durante una conversación telefónica, el contenido determina en un 8 % si tu interlocutor te escucha realmente, mientras que el tono de voz lo hace en un 92 %; en una conversación cara a cara, la influencia del contenido vuelve a ser del 8 %, pero la del tono de voz, en cambio, es del 37 % y la del lenguaje corporal, del 55 % (cifras tomadas del libro *Vocal Power*, de Arthur Samuel Joseph).

Esto debería estimularte definitivamente a que te ocupes más intensamente de tu voz. Tal vez quieras realizar un par de sesiones con un instructor de voz.

✧ Escucha tu contestador automático

Ahora escucha tu voz en tu buzón de voz del móvil o en tu contestador automático. ¿Qué sientes al hacerlo? ¿Te complace escucharte o tu voz te resulta insoportable en los oídos?

Si te ocurre esto último o algo parecido, es señal de que todavía hay que trabajar sobre tu autoestima y tu confianza en ti mismo, ya que tu voz es una expresión de lo que eres (repite por favor en los días siguientes acciones del capítulo precedente).

Antes de seguir cavilando, llama al arcángel Sandalfón a tu lado y pídele que te envuelva en su luz de color turquesa y respira hondo. Relájate.

Cuando te sientas tranquilo y relajado, pon la mano sobre el vientre, aspira por la nariz y deja que el vientre se expanda. Mientras espiras notarás que el vientre vuelve a quedar plano como antes. Ejercita este modo de respirar varias veces hasta que te resulta completamente natural.

Acto seguido, vuelve a aspirar del mismo modo y di mientras espiras (sin retener el aire en el vientre): «Soy… (di tu nombre)». Repítelo hasta que te guste el sonido de tu voz.

Después, o una vez concluido el viaje del alma, vuelve a grabar tu mensaje en el contestador automático y pide a Sandalfón que te ayude.

∽ Recita mantras

Hay quien dice que la música es el «yoga del sonido». Así, la recitación de mantras ocupa un lugar importante en diversas modalidades de yoga. El arcángel Sandalfón también te recomienda que te familiarices con esta importante práctica espiritual, pues al cantar mantras en sánscrito puedes dejar de lado el intelecto y, de este modo, te acercas cada vez más al espacio del corazón. Los tonos repetitivos te trasladan a una especie de estado superior y te ayudan a purificarte y aclararte. ¡Es una sensación maravillosa!

Existen varias posibilidades de recitar mantras:

- Encuentra a un grupo que se reúna regularmente para recitar mantras.

- Apúntate a una clase de yoga que integre la recitación de mantras en los ejercicios.
- Compra un bonito CD de mantras y acompáñalo cantando.

◈ Crea tus propios mantras de sonidos

El arcángel Sandalfón te pide que crees con él los llamados «mantras de sonidos», es decir, composiciones sonoras que tratan de emanar de ti para expresar tus sentimientos y tu ser. Al mismo tiempo te permiten conocer un nuevo espectro de tu voz y ser cada vez más libre.

Antes de empezar, créate un espacio sagrado para poder experimentar en un entorno seguro.

◈ Toca un instrumento

Si eres aficionado a la música, hoy es un día señalado para dedicar tiempo a esta pasión; de lo contrario, Sandalfón te ruega que pienses qué instrumento te habría gustado tocar. Pregúntate si todavía lo deseas y responde sinceramente. Si es así, da hoy mismo los primeros pasos para que este deseo se haga por fin realidad.

◈ Acude a un concierto o una ópera

Para notar mejor la energía de la música resulta muy útil acudir a algún sitio en que puedas escucharla en vivo. Elige algo que corresponda a tu gusto musical o déjate inspirar por algo nuevo a fin de ampliar horizontes.

Afirmación del alma

Pide primero al arcángel Sandalfón que te envuelva en su luz de color turquesa y aspira y espira hondo antes de pronunciar (preferiblemente en voz alta) las siguientes palabras:

La energía de la música me trasporta, me inspira y me envuelve en su manto protector.

Antes de empezar, ten preparado papel y lápiz para escribir; es posible que durante el viaje o inmediatamente después de terminar desees anotar algo.

Aspira hondo con los ojos abiertos y espira lentamente mientras cierras los ojos a cámara lenta y ordenas al cerebro que pase automáticamente al estado zeta. Aspira hondo y espira todo el aire y relájate.

Deja correr los pensamientos como hojas que pasan flotando sobre el agua de un río y no los retengas. Suéltalos y relájate cada vez más. Disfruta notando cómo tu respiración te nutre y te conecta con la esfera de los ángeles. ¡Es una sensación maravillosa!

Mientras que al concentrarte en tu respiración te quedas cada vez más relajado, aparece de pronto a tu lado un ángel de aspecto juvenil y cuya belleza no parece de este mundo, envuelto en una brillante luz de color turquesa. Es el arcángel Sandalfón, quien te rodea suavemente con las alas, y notas cómo te trasmite su calma y su despreocupación.

Entonces te toma de la mano y asciende contigo por los aires. Voláis describiendo espirales a cada vez mayor altura hasta que llegáis a la orilla de un océano celestial que brilla a la luz del sol en los tonos turquesa más claros que hayas visto jamás. Sandalfón te pide que te sientes en la arena blanca y escuches el sonido de las olas. Haces lo que te dice y percibes cómo el murmullo del mar te tranquiliza y te sumerge en un profundísimo estado de calma. ¡Disfrútalo!

Finalmente, el arcángel Sandalfón vuelve a darte la mano y te ayuda a levantarte. Juntos camináis a lo largo de la orilla hasta que veis cómo delante de vosotros se yergue un edificio de una belleza arrebatadora que está coronado por una enorme cúpula dorada. Lleno de devoción asciendes junto con Sandalfón por la escalinata de mármol y accedes al interior de una especie de templo, en cuyo centro se halla un lecho cristalino, exactamente debajo de la cúpula, creada con arreglo a las leyes de la geometría sagrada.

Sandalfón te da a entender que debes tumbarte sobre el lecho, y apenas lo has hecho, suena una música que aparentemente desconoces, pero que en otros planos te resulta muy familiar. Tienes la impresión de hallarte en un lugar sagrado de sonoterapia mientras la música comienza a depurar, sanar e incrementar por oleadas todo tu campo. Activadas por las vibraciones sagradas de la música, todas y cada una de tus células se ponen a vibrar. La sensación es maravillosa. Intuitivamente sabes que en este instante todavía se despiden de ti antiguas sombras, pues notas cómo te vuelves por momentos más lúcido y ligero.

Entonces oyes la voz sonora de Sandalfón junto a tu oído:

«Querido ser, esta música no sólo contribuye a purificar tu aura y a sanarte en el plano energético, sino que también activa ramales de tu ADN caídos en desuso que quieren volver a la vida. De este modo puedes ver en la Tierra a través del velo y percibir los mensajes que se encuentran en un momento dado dentro de tu campo. Así te resultará mucho más fácil reconocer los nexos existentes entre todas las cosas».

Estas palabras y los tonos sagrados te llenan de una gratitud infinita y te invade una sensación de ser uno con todo lo que existe.

Cuando finalmente te levantas de nuevo del lecho notas la maravillosa trasformación de tu resonancia y sabes que ya no eres el mismo de antes de tu visita a este templo supraterrenal de la sonoterapia. Agradecido, miras hacia la cúpula en lo alto y observas lleno de asombro que una brillante paloma blanca vuela por encima de tu cabeza. Oleadas de felicidad atraviesan todo tu ser.

Finalmente ha llegado el momento de volver al aquí y ahora. Junto con el arcángel Sandalfón abandonas el lugar sagrado y ambos descendéis de nuevo a la Tierra. Aterrizas suavemente sobre tus pies y te estiras antes de abrir lentamente los ojos.

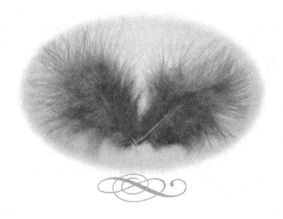

Día 16

Disfruta de la vida con ayuda del ángel Ramaela

Aprende a bailar,
si no en el cielo los ángeles
no sabrán qué hacer contigo.

SAN AGUSTÍN

«Te saludo, ser querido. SOY Ramaela, el ángel de la alegría. Déjate envolver en mi brillante luz de color naranja que se sumerge en olas de la más pura alegría y aspira y espira hondo.

¿Qué es lo que te impide disfrutar plenamente de la vida y que hace que a menudo estés tan serio? Créeme, la vida te resultará mucho más fácil si te conectas con tu verdadera alegría de vivir.

Aunque no te lo parezca, a cada instante tienes la posibilidad de elegir entre dejar que te depriman las preocupaciones y los lastres del pasado y optar por la viveza y la alegría. En la energía del gozo encontrarás soluciones con las que en la energía de la duda no puedes ni soñar.

Así que sumérgete en mi energía y la de mis acompañantes, los delfines, a los que tanto amas. Son auténticos maestros del amor, la desenvoltura, la viveza y la alegría y por eso se te abre el corazón nada más verlos en una fotografía o en la realidad.

Trasmite a partir de hoy al universo tu propósito de conectarte hasta tal punto con su energía que puedas dejar atrás toda comparación y toda competencia, igual que hacen ellos. Porque estas dos cosas son las que te privan de la alegría de vivir y debilitan la frecuencia de tu vibración. Alégrate del éxito de cada persona, pues así podrás ser partícipe de él, pues todo es uno.

Sumérgete una vez más en las olas de la alegría más pura que emana de los delfines y de mí, y comienza a pasar bailando por la vida y a ponerte contento con los detalles cotidianos, y verás que los milagros formarán parte de tu vida».

Arcángel Ramaela: ángel de la alegría
Color del aura: naranja
Gema: cuarzo aura

Lucy y Ramaela, o el color naranja

Britta, una de mis ANGEL LIFE COACH®, vivió la siguiente historia divertida y refrescante:

«Hola, hola, soy Lucy; ¿tú quién eres?».

Una desenfadada marioneta de medio metro con el cabello revuelto de color naranja, pantalón de peto verde y naranja y simpáticas pecas en la cara me saluda en una fiesta popular. En cuestión de segundos se abre mi corazón y me pongo a charlar durante una buena media hora con ella. Imposible comprarla, me dice, pero sí se puede adoptarla. Una adopción hay que pensársela dos veces, de modo que me despido de Lucy sintiéndolo mucho. Pero ella todavía me dice mientras me alejo: «¡Oye, estaré esperándote!».

¿Y yo? Pues yo me he enamorado de Lucy.

Un par de semanas después, mi marido y yo nos hemos puesto de acuerdo con respecto a la «adopción», y Lucy se instala en casa, en nuestra vida. Cada vez que discutimos, nos enfadamos o maldecimos, Lucy nos dice cómo podemos actuar de otra manera. Con asombrosa rapidez la muñeca ha desarrollado su propio carácter y nos dice una y otra vez: «Soy Lucy Alegría y he venido para alegraros el corazón».

No me explico cómo le ha venido la idea. Claro, que tiene razón, enriquece nuestra vida con comentarios inteligentes y su fresca sonrisa que te enternece. Dondequiera que vayamos con Lucy, de inmediato se gana el cariño de las personas y les saca una sonrisa como por ensalmo. Y siempre insiste en que el naranja es su color preferido.

Durante un seminario en septiembre de 2009, Isabelle nos explica todo sobre los arcángeles y los colores en que brilla su luz. Alguien del público pregunta: «¿Qué hay del color naranja? ¿Acaso no hay ningún ángel que lo tenga?».

«¿Naranja? Claro que sí, es el color del ángel Ramaela, el ángel de la alegría».

Entonces comprendemos finalmente por qué nuestra Lucy Alegría ama tanto el color naranja.

¡Gracias, querida Ramaela, por habernos enviado a Lucy Alegría con su predilección por el color naranja!

P.D.: Contestando a una pregunta nuestra, Lucy nos dice, por cierto: «¡Claro que ha sido Ramaela quien me ha enviado! Así puedo traer alegría a vuestra vida».

Los caminos de los ángeles son asombrosos y maravillosos.

Reflexión

Una cita del libro *Libertad total,* del conocido filósofo y maestro de la sabiduría Jiddu Krishnamurti, siempre me ha emocionado mucho: «Cuando se compara a un niño con otro, se lastima. Toda forma de comparación lastima».

Esto es tan cierto y coincide absolutamente con lo que me contaron los delfines cuando nadé con ellos en mar abierto. Puesto que todos somos uno, al comparar ocurre lo siguiente: o bien nos sentimos fatal porque al compararnos con otra persona salimos mal parados, o bien no estamos a gusto en nuestra piel porque denigramos a la otra persona, cosa que repercute de inmediato en la frecuencia de nuestra vibración. Esto sucede incluso si en un primer momento nos sentimos mejor porque nos hemos llevado la palma en la comparación con la otra persona.

Lo mismo ocurre con cualquier forma de mentalidad competitiva, que en última instancia no fomenta más que la envidia.

Sin embargo, para incrementar nuestra frecuencia de un modo continuado es necesario que nos libremos cada vez más de estas rivalidades y adoptemos la manera de ser de los delfines.

Créate ahora un espacio sagrado antes de anotar por escrito los resultados de la reflexión que se te propone a continuación.

Llama al ángel Ramaela a tu lado y pídele que te acompañe durante todo el día y te envuelva en su luz de color naranja, de manera que estés plenamente en sintonía con la frecuencia de la alegría. Aspira y espira hondo para absorber la luz en tu interior y relájate.

Piensa ahora con qué personas sueles compararte o competir, o a qué personas envidias. Sé sincero contigo mismo. Aunque tengas esos sentimientos, no hay razón alguna para que te condenes, porque como ya sabes, todos nosotros estamos hechos de luz y sombra.

Acciones para hoy

⊲⊳ **Bendice a tus antiguos «competidores» y alégrate de sus éxitos**

Después de contestar a la pregunta por los «competidores», bendice a todos los que te han venido a la memoria.

Acto seguido, escribe cuánto te alegras de los éxitos de todas las personas que consideras afortunadas. Por ejemplo: «Me alegro mucho del éxito de Margarita; me parece magnífico cómo se ha expandido su escuela en los últimos años».

De este modo generas una resonancia muy distinta, que te ayudará a ser más libre y atraer tú también cada vez más el éxito.

✑ Queda con amigos

Para disfrutar de la vida necesitas encontrarte regularmente con amigos, pues esas reuniones te hacen bien. Hoy es un día de ésos. Ve a comer a un restaurante con tu mejor amiga o tu mejor amigo. Disfrutad en grupo de una película divertida o lo que más os guste.

✑ Baila

Es sabido que bailar estimula la alegría de vivir. Yo lo compruebo cada vez en mis talleres y sesiones de instrucción: algunos participantes, que al principio muestran extrañeza cuando después de la pausa de mediodía suenan ritmos ligeros por todo el local del seminario y les invito a bailar, al cabo de unos minutos, la mayoría de ellos disfrutan y muchos ojos empiezan a brillar cada vez más.

Cuando bailamos no podemos retener nada, como dicen los ángeles; de este modo, la tristeza, la frustración, el letargo, etcétera, se desprenden y disuelven por sí mismos.

Pon tus canciones preferidas y baila por todo el piso o la casa. O queda con amigos para bailar; de este modo matarás dos pájaros de un tiro, como dice el refrán.

Acciones para el futuro

✑ Tiempo de aloha

Aloha[3] es un término hawaiano maravilloso que denota cariño, respeto, estima, compasión, comprensión, etcétera, y representa tanto

---

3. «Aloha» significa literalmente 'comparto la sagrada respiración o vibración contigo'.

una fórmula de saludo como muchas cosas más. Es sentido de la vida y filosofía de vida al mismo tiempo.

Aloha también supone honrar y disfrutar la vida. Sin embargo, las palabras no bastan para describir qué es aloha. Sólo una cosa es segura: ¡con aloha se vive mejor!

Durante unas vacaciones en Maui, en Hawái (que por cierto también llaman «Estado Aloha»), mi marido y yo nos percatamos de nuevo de que allí los relojes funcionan de modo distinto que en casa: la vida discurre con más lentitud, es más distendida y al mismo tiempo más animosa. Así que acuñamos el término «tiempo de aloha» tratando de emular a los hawaianos.

El resultado fue sorprendente: cuanto más nos permitíamos disfrutar de la vida y abordar las cosas lentamente, sin estrés, tanto más creativos y productivos éramos. En los días anteriores yo todavía había notado bastante presión: mi calendario de «Acompañantes celestiales 2012» tenía que estar prácticamente acabado justo después del viaje a Hawái y todavía tenía por delante la mayor parte del trabajo. Sin embargo, con el «tiempo de aloha» (por supuesto, en plena consonancia con los ángeles) la cuestión se volvió de pronto sumamente fácil.

Haz que el tiempo de aloha pase a formar parte de tu vida. Hemos de ser conscientes de que nuestro tiempo pasa tan rápidamente que no es extraño que no percibamos muchas señales de los ángeles.

No permitas que tu vida cotidiana esté demasiado dominada por la agenda, las citas, las obligaciones, los correos electrónicos y las llamadas al móvil; vive lentamente y goza de la vida. De este modo creas tiempos en que se abren camino a tu mente ideas creativas y otros mensajes que te ayudarán a recorrer tu propio camino y a realizar los sueños de tu vida.

Afirmación del alma

Pide primero a Ramaela que te envuelva en su brillante luz de color naranja y aspira y espira hondo antes de pronunciar (a ser posible en voz alta) estas palabras:

Me permito disfrutar de la vida plenamente. Amo la vida y la vida me ama.

Viaje del alma

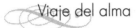

Antes de empezar, ten preparado papel y lápiz para escribir, pues es posible que durante el viaje o inmediatamente después de terminar desees anotar algo.

Aspira hondo con los ojos abiertos y espira lentamente mientras cierras los ojos a cámara lenta y ordenas al cerebro que pase automáticamente al estado zeta. Aspira hondo y espira todo el aire y relájate. Deja correr los pensamientos como hojas que pasan flotando sobre el agua de un río y no los retengas. Suéltalos y relájate cada vez más.

Te encuentras en una playa tropical de arena blanca inmaculada. Tu alma se regocija en medio de la maravillosa naturaleza. Nota la arena cálida bajo tus pies y los tiernos rayos del sol matutino en el rostro. Disfruta escuchando el murmullo de las olas y los graznidos de las gaviotas que vuelan en círculo sobre tu cabeza.

Ahora aparece a tu lado un ángel de aspecto magnífico. Es Ramaela, el ángel de la alegría. Está envuelta en la luz naranja más hermosa que has visto jamás, y cuyo efecto percibes de inmediato cuando Ramaela te rodea con sus alas. Notas cómo de pronto te invade una alegría de vivir sin parangón y tu frecuencia aumenta al instante.

Lleno de gozo miras al océano, que reluce en los tonos turquesa más brillantes y descubres innumerables delfines en el horizonte que ejecutan saltos acrobáticos. Tu corazón baila y salta de alegría cuando repentina-

mente un delfín azul plateado, un llamado delfín ángel, se acerca nadando hacia ti.

Te sientes tan seguro y protegido en compañía del ángel Ramaela que sin pensarlo dos veces entras en el mar para ir al encuentro de este curioso delfín.

Apenas te acercas a él, comienza a palpar tu aura con su sonar. Te resulta divertido y al mismo tiempo sumamente sanador. Te da a entender claramente que debes dejarte llevar simplemente por el agua a la deriva, mientras él nada en círculos alrededor y por debajo de ti, siempre acompañado de los «clics» que emite y con los que ya te has familiarizado. De este modo te libera suavemente de cualquier comparación y de todo sentimiento de competencia y envidia. Sientes que te resulta maravilloso.

Finalmente aparece su cabeza exactamente delante de ti y el delfín ángel te mira a los ojos a su manera inimitable, con una mirada llena del más puro amor, de modo que tu corazón se desborda de alegría. De pronto también aparecen los demás delfines cerca de ti y se ponen a jugar contigo. Bucean y saltan en vistosas formaciones y notas cómo el chakra del corazón se te abre cada vez más, mientras que plenamente encantado empiezas a nadar con ellos.

Todo lo que te ha impedido hasta ahora gozar plenamente de la vida se autodisuelve en placer, pues te has fundido por completo con la energía de los delfines, de la que no emana más que amor infinito, profunda alegría, soltura y agilidad. De pronto descubres que entre ellos te sientes como en casa, porque encarnan tu propia esencia ancestral.

Entonces les pides por vía telepática que activen los ramales de tu ADN que te ayudarán a mantenerte siempre en contacto con esta profunda alegría de vivir. Vuelves a percibir los «clics» que emiten y notas cómo te vuelves todavía más lúcido y ligero, como si ya estuvieras en el cielo.

En ese instante aparece el ángel Ramaela por encima de vuestras cabezas, envuelta en su resplandeciente luz de color naranja, y te indica con una señal que ha llegado la hora de que vuelvas nadando a la orilla. Lleno de gratitud te despides de los maravillosos animales y sabes que ya no eres el mismo. Con los ojos brillando y el corazón palpitando de alegría sales del agua y Ramaela te envuelve en una suave toalla. Agradecido te secas bien y decides vivir a partir de ahora la vida con buen ánimo, alegría y buen humor, igual que los delfines.

Ahora aspira y espira hondo tres veces para fijar en tu interior la experiencia que acabas de vivir, estira brazos, piernas y tronco y abre poco a poco los ojos.

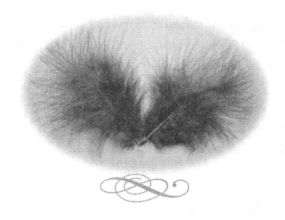

Día 17

Crea una maravillosa relación de pareja con ayuda del ángel Soquedhazi

Somos ángeles de una sola ala
—para volar necesitamos abrazarnos.

LUCANO DE CRESCENZO

«Te saludo, alma querida. SOY el ángel Soquedhazi. Si empiezas a verte a ti mismo y a todos los demás con los ojos del amor, no hay nada que se oponga a una maravillosa relación de pareja, porque en ese instante has reconocido que se trata de vuestra respectiva esencia. En este momento percibes las cosas que os unen y dejas atrás todo lo que os separa. De esta manera permites que salga a la superficie el verdadero unísono de vuestras almas, de modo que vuestros seres se juntan y se unen en profundo amor. Éste es el único amor que merece realmente este nombre. Todo lo demás no son más que deseos o comodidades. Cuídate de éstos, porque te alejan de tu verdadera fuerza. Así que únete ahora a

mí y a la fuerza infinita del amor, de modo que cada vez te conviertas más en una pareja cuya resonancia no atrae otra cosa que una relación maravillosa; porque esto es lo que de verdad te mereces».

Ángel Soquedhazi: ángel de la relación de pareja
Color del aura: rosa y dorado
Gema: topacio rosado

Un sueño se hace realidad

Stephanie, una conocida a quien quiero mucho y que también es ANGEL LIFE COACH®, vivió una historia maravillosa:

Soy tranquila, interiormente expandida, estoy profundamente agradecida, feliz y llena de confianza. La lluvia cae con suave murmullo y calidez entre las hojas de los olivos aquí en Mallorca, y oigo a lo lejos el vaivén regular de las olas del mar.

Isabelle me ha pedido que escribiera «nuestra» historia, pues es una anécdota en la que los ángeles, y en particular el ángel Soquedhazi, tuvieron sin duda mucho que ver. Para comprender el milagro de esta historia, convendría que volviera al principio, que me pregunto si ya fue obra de los ángeles.

El 6 de diciembre de 2008 conocí a un hombre, Holger, y mi corazón se abrió al instante. ¿Fue un flechazo o había encontrado a mi media naranja, mi pareja del alma? ¿Fue la providencia o «tan sólo» el deseo de tener una relación y llevar una vida en pareja?

Fue como reconocernos, familiarizarnos, fundirnos en el plano anímico, como si ya nos conociéramos de otra vida. Por primera vez en mi vida tuve la sensación de ser plenamente aceptada y amada tal como soy. Una sensación maravillosa...

Nubes rosadas me trasportaron, especialmente a mí, al cielo fabuloso del amor, y conscientemente dejé de lado todos los recelos que suscitaba lo que veían mis ojos externos y el interno.

Siete meses después llegó el final abrupto, como una caída de la luz al abismo de la oscuridad.

¿Fueron excesivos los retos externos, demasiado pesadas las viejas y nuevas responsabilidades de la vida, la propia historia todavía irresuelta, con los niños que necesitan al padre, grandes desafíos profesionales, una grave enfermedad en la familia, el camino a las propias raíces de la perseverancia en la vida o la distancia entre Karlsruhe y Múnich? ¿No fue suficientemente profundo y fuerte el amor o fue todo una mera apariencia? ¿No éramos libres o no estábamos maduros para un nuevo amor?

Cualquiera que fuera el motivo, el lazo se cortó de repente, y yo lo acepté. No hubo ninguna conversación aclaratoria y yo estaba perdida en la separación. Además del dolor y la profunda tristeza, surgían continuamente estas preguntas: ¿cómo es posible que algo tan maravilloso aparezca y entre en mi vida, como un regalo de los ángeles, del destino o del azar, y de pronto se disuelva en la nada? Mis preguntas y mis dudas me llevaron incluso a discutir a ratos amargamente con los ángeles.

Pero siempre está la ayuda cuando la pedimos. Eso mismo me ocurrió a mí y me vi acogida, conducida y apoyada por ayudantes interiores y exteriores. Pude sanar y pude perdonar desde la profundidad del corazón.

A mis preguntas reiteradas de «¿qué me queda por aprender? ¿Cómo seguir desarrollándome? ¿Cuándo se cumplirá mi íntimo deseo de establecer una relación amorosa y equilibrada?», me llegaba siempre la misma respuesta a través de las lecturas, de los ángeles y cada vez más también desde mis adentros:

«Nada, no hace falta que hagas nada, todo ocurre en su momento. Eres maravillosa y única y mereces ser amada tal como eres».

Desde hace casi dos años escucho regularmente, a la hora de ir a dormir, las «Angel Trance Meditationen» de Isabelle. Las elijo intuitivamente y permanezco durante un tiempo en el tema en cuestión. Ahora bien, casi siempre me quedo dormida ya durante el prana o a más tardar en la fase del fortalecimiento de los chakras y, por tanto, nunca estoy «presente» conscientemente cuando aparece en el viaje el ángel de turno para acompañarme y ayudarme cariñosamente a sanar. Sé muy bien que en el subconsciente profundo quedan grabados los mensajes.

Noto desde hace por lo menos un año que me siento muy libre, ágil y feliz; no sólo creo, sino que percibo realmente que todo ocurre en el momento oportuno.

A partir de noviembre de 2010, más o menos, escucho finalmente al ángel Soquedhazi («Angel Trance Meditation» n.º 14) cuando me acuesto por la noche, simplemente con ánimo de abrirme de nuevo para una nueva relación de pareja realmente profunda y un nuevo amor, y para cargar otra vez esta energía en mi vida.

En febrero de 2011, mientras estaba de viaje para acudir a un acto interesante sobre salud y sanación, quise informar todavía desde el coche a un cliente sobre dicho acto, pero «por descuido» (¿mano de ángel?) marqué el número de teléfono de Holger…

Una charla amable suscitó de pronto esta pregunta: «¿quieres que quedemos un día? Tenemos pendiente una conversación».

En realidad yo no quería volver a lavar ropa vieja, no en vano entonces me encontraba ágil, libre y simplemente feliz en mi vida. ¿Acaso quería aclarar las cosas para liberarse con vistas a una nueva relación o para pedirme perdón por lo que había ocurrido tiempo atrás?

Me picó la curiosidad y estuve rogando cada día a los ángeles que me guiaran, que en caso de un posible encuentro se ocuparan de que ambos saliéramos lo mejor parados posible.

Dos meses después entró efectivamente por la puerta de mi casa y todo fue como si nos hubiéramos despedido amorosamente tan sólo dos semanas antes en vez de dos años.

Fue un momento mágico: el lazo se recuperó e intimamos como si no hubiera pasado nada. ¿Se había detenido el tiempo? ¿Es esto un milagro o es simplemente la vida?

Eso sí, cada uno ha puesto su granito de arena. Estoy segura de que el ángel Soqedhazi y todos los demás nos guían. Y nosotros dos nos lanzamos a abrazar esta lúcida oportunidad del amor vivido que se nos ofrece. ¡Ha llegado el momento!

Y justo en este instante en que escribo estas líneas estoy tranquila, infinitamente contenta y agradecida, unida a mí misma, a la luz, al amor y a mi hombre del alma, y confío simplemente en que ocurra lo mejor.

Y todos los ángeles están ahí. ¡Gracias!

El asno y mi pareja del alma

También mi oyente Gabriele se manifestó a su pareja de ensueño a través del ángel Soqedhazi:

Desde hacía un tiempo yo notaba cómo perdía energía. Especialmente por la mañana, al levantarme, me sentía exánime y no sabía por qué. Puesto que cada día, por la mañana y casi siempre también al anochecer, medito con las «Angel Trance Meditationen» de Isabelle, conseguía mantener a pesar de todo mi energía vital en condiciones relativamente buenas.

En marzo, sin embargo, sufrí de la noche a la mañana un síndrome del «trabajador quemado», con los síntomas concomitantes de acúfenos, ataques de pánico y dolores lumbares. Así que por fin empecé a reflexionar sobre mi vida y decidí (con ayuda de mi terapeuta conversacional) poner fin lo antes posible a mi matrimonio. Además, me propuse recorrer durante un mes el Camino de Santiago.

Antes de emprender el viaje estuve escribiendo, después de una meditación, una serie de afirmaciones que debían acompañarme el día entero a lo largo del Camino de Santiago.

Asimismo me creé mi pareja del alma, describiéndolo lo más exactamente posible y empezando cada frase con un «gracias» (como si ese hombre ya estuviera presente en mi vida). Por ejemplo, expresé el deseo de que fuera espiritualmente abierto, estuviera dispuesto a crear conmigo un centro de sanación, que supiera cocinar y bailar, que fuera alto y de ojos azules, etcétera. Así, escribí cosas como estas: «GRACIAS por mi maravillosa pareja del alma. GRACIAS por que mi pareja del alma sea alto y tenga los ojos azules. GRACIAS por...».

Dos días antes de partir de viaje, los ángeles retrasaron todavía mi vuelo de retorno un par de días, y yo noté que todo tenía su razón de ser.

Cuando finalmente estaba recorriendo el Camino, me comunicaba muy a menudo con los ángeles y recitaba con fruición mis afirmaciones. Las sensaciones eran magníficas.

No pasaron ni dos semanas cuando la deseada pareja del alma apareció en pleno Camino de Santiago: ¡ahí estaba de pronto, delante de un asno! La segunda vez que nos encontramos ya notamos una familiaridad ancestral tan fuerte a un nivel que ninguno de los dos habíamos experimentado nunca.

¡Es un maravilloso «volver a estar unidos»! Comprendemos en el plano mental lo que dice el otro sin necesidad de pronunciar ni una palabra. Y lo increíble es que él satisface a rajatabla todos mis deseos. ¡Un sueño absoluto!

Desde ese día doy las gracias muy a menudo al ángel Soqedhazi, responsable de la búsqueda de parejas.

Reflexión

Con respecto a este tema hay tantas cosas que decir como en el 5.º día, de manera que probablemente llenaría todo un libro si quisiera comentarlas. Junto con el ángel Soqedhazi me he limitado a lo esencial, y ambos estamos convencidos de que de esta manera serás capaz de crear una relación maravillosa.

Acciones de hoy para parejas

◈ **Dedica tiempo a tu pareja**

Reflexiona sobre lo que os complace mucho a ti y a tu pareja juntos y acordad entonces qué es lo que él o ella desea hacer junto contigo en el día de hoy. Hacedlo, ¡hoy mismo!

◈ **Escribe una «lista de amor»**

Créate un espacio sagrado, llama al ángel Soqedhazi para que acuda a tu lado y pídele que te acompañe durante todo el día y te envuelva en su luz de color rosa y dorado, de manera que estés completamente en sintonía con la frecuencia del amor. Respira hondo para absorber la luz en tu interior y relájate.

Ahora apunta todo lo que te gusta de tu pareja y comunícaselo a tu manera (por ejemplo, en una carta primorosamente escrita a mano, durante la cita que tenéis hoy, a pequeños «bocados» regulares, etcétera).

◈ **Contrae un compromiso**

Si hasta ahora te has tomado la relación más bien a la ligera, hoy es un buen día para comunicar a tu pareja que quieres establecer con él o con ella una relación más profunda y comprometerte seriamente, pues ésta es la única manera de que tu pareja se sienta segura y pueda confiar en ti y en que es posible crear una relación maravillosamente plena.

Esto puede implicar que le propongas ir a vivir juntos, prometeros, casaros o incluso tener hijos, etcétera.

Si ya has contraído un compromiso claro, tal vez puedas ampliarlo un poco. Conviene que una relación proporcione raíces y alas a ambos miembros de la pareja. Esto significa, por un lado, que cada uno pueda confiar profundamente en el otro y apoyarse en él en caso de necesidad y, por otro, que cada uno necesita libertad para realizar sus propios sueños. ¿Ya has contraído ese compromiso? Si no lo has hecho todavía, hoy es una buena ocasión para hacerlo.

Abandona cualquier relación que te sabotee

Si tienes desde hace un tiempo la sensación de mantener una relación que no te apoya, sino todo lo contrario, ha llegado el momento de tomar una decisión: o bien reintentarlo todo de nuevo para que la relación de pareja se torne plena y satisfactoria, o bien llevar a cabo por fin la separación inevitable.

Acciones futuras para parejas

Alaba a tu pareja

Es importante que reconozcas los logros y éxitos de tu pareja y que expreses este reconocimiento.

Tras miles de años de historia en que los hombres, por ejemplo, han sido valorados casi exclusivamente en función de sus logros, no es extraño que sigan teniendo muy interiorizada esta cuestión, así que dale esa alegría a tu compañero y alábale por todo lo que consideres positivo, incluso al margen de los «logros».

Las mujeres siguen considerándose desde tiempos inmemoriales las custodias y cuidadoras del hogar, capaces de crear una atmósfera acogedora y hermosa. Aunque esto se dé por supuesto, tu compañera estará feliz si reconoces con palabras elogiosas que ha puesto la mesa de forma que es una delicia para la vista y que ha preparado una comida muy rica. Acoge sus ideas creativas que convierten el hogar en un lugar maravilloso. Alábala por todo lo que te gusta de ella.

Da las gracias

Aunque opines que lo normal es que tu compañero participe en las tareas del hogar, conviene que le des las gracias regularmente por su apoyo. No hace aún mucho tiempo que estas tareas se consideraban exclusivamente cosa de mujeres, y esto está más profundamente arraigado en los genes que lo que tal vez creas. Además, tu compañero te ayudará con muchas más ganas si no le criticas, por mucho que haya hecho alguna cosa que según tu criterio no está del todo bien.

Sin duda, existen muchas más razones por las que puedes estarle agradecida. Por tanto, hazlo.

Muchísimas relaciones sufren por el hecho de que el otro o la otra dan por supuesto todo lo que uno hace. Expresar gratitud, y hacerlo de todo corazón, genera una frecuencia vibracional maravillosa que ayuda a superar alguna que otra dificultad menor dentro de una relación con buen ánimo, soltura y compasión.

En este sentido sobra decir que un hombre hará bien en dar las gracias a su compañera no sólo por cosas extraordinarias, sino también por los favores y tareas que lleva a cabo regularmente.

El mensaje del ángel Soquedhazi dice lo siguiente:

«Si las personas aprendieran desde que llegan al mundo a expresar su gratitud de todo corazón, por todo lo maravilloso y todo lo que se sobreentiende por parte de otros, se romperían muchas menos relaciones. Por tanto, te ruego que la manifestación de gratitud pase a formar parte invariable de tu vida».

✎ Escucha con atención

Tu novia o esposa estará muy contenta si regularmente te tomas el tiempo de escucharla atentamente sin darle de inmediato consejos o proponerle soluciones. A las mujeres les gusta contar cosas que han vivido o que les preocupan, pues por el mero hecho de contarlas se aclaran de forma intuitiva. Sin embargo, si siempre respondes de inmediato con un consejo, por muy bienintencionado que sea, quitas a tu pareja la posibilidad de encontrar la solución a su manera.

En las culturas antiguas esto todavía se daba por sabido, por lo que tanto los hombres como las mujeres solían reunirse en grupo para comentar sus cosas exclusivamente con personas del mismo sexo.

No obstante, en una pareja es importante compartir también las propias preocupaciones con el otro miembro.

Claro, que no debes acribillar a tu hombre a preguntas sobre cómo se encuentra; es mejor que le dejes hablar a su aire, si está dispuesto a ello. También en este caso es importante que le escuches atentamente y no introduzcas de inmediato tus propios problemas en la conversación si por fin existe una comunicación más detallada entre vosotros.

✎ Piropea a tu pareja

Es muy importante que veas conscientemente a tu pareja. Ocurre muy a menudo que los hombres ya no perciben, al cabo de un tiempo, qué hace su pareja para gustarles. Mantén todo aquello que al comienzo de la relación resultaba tan natural, como por ejemplo que le digas lo bonito que es su cabello, lo atractiva que está con su nuevo vestido, etcétera.

Los piropos no sólo halagan a las mujeres, al contrario, continuamente me doy cuenta de que los hombres se ponen contentos cuando les alabo. Cuando haya ocasión, dile a tu pareja cuánto le estimas, que es como una roca frente a las olas junto a la que te sientes resguardada cuando ya no quieres ser fuerte tú misma, cuánto confías en él.

Sí, es cierto, también los hombres aprecian que les digan que están muy guapos o que llevan puesto algo que te encanta especialmente.

Creo que uno de los mejores cumplidos que te puede hacer tu pareja es éste: «Me siento completamente seguro (o segura) a tu lado, porque noto que me quieres y me aceptas tal como soy, de manera que contigo puedo ser plenamente yo mismo (o misma)».

✎ Programa citas regulares con tu pareja

Para mantener viva una relación tenéis que dedicar regularmente tiempo a hacer cosas juntos, del mismo modo que hacíais al comienzo de vuestra relación. Quedad al menos una vez por semana (si no vivís demasiado lejos uno de otro) para ir a cenar juntos, o al cine, a un concierto, a bailar, a practicar algún deporte, etcétera.

Si media cierta distancia geográfica entre vosotros, esto a veces no es factible, pero con los años he comprobado que parejas que viven en lugares distintos suelen aprovechar el tiempo que están

juntos mucho mejor que las parejas que comparten la vida cotidiana.

❧ Viajad juntos a lugares especiales

Las citas regulares no bastan. Para pasar realmente un tiempo juntos
conviene que os toméis de vez en cuando unas breves vacaciones
(incluso sin los niños) para viajar o hacer excursiones a lugares que
os atraen a ambos. Emprended cosas que os gusten a los dos, y si
andáis escasos de tiempo, pasad simplemente una noche en un bonito hotel. ¡Dale cancha a la imaginación!

❧ Di o escribe regularmente «te quiero»

Al comienzo de una relación amorosa, cuando ambos miembros de
la pareja se hallan flotando sobre una nube de color rosa, es natural
que se digan mutuamente cuánto se quieren. Con el tiempo se va
perdiendo esta costumbre y esto hace que la vida cotidiana deje de
ser tan placentera como al principio.

Aguza la imaginación y reconoce una y otra vez tu amor de todo
corazón, para que vuestro mutuo cariño se mantenga fresco y vivo.

Por ejemplo, una amiga de mi madre estaba más que feliz porque
durante un viaje con sus amigas encontró escondidas en su maleta,
entre la ropa interior y otras prendas, pequeñas notas de su marido
en las que éste había escrito «te quiero».

Acciones de hoy para solteros

❧ Contempla tu pasado

Crea ahora un espacio sagrado antes de contestar por escrito a las
siguientes preguntas.

Llama al ángel Soquedhazi a tu lado y pídele que te acompañe
durante todo el día y te envuelva en su luz rosa y dorada de manera
que estés plenamente conectado con la frecuencia del amor. Respira
hondo para absorber la luz en tu interior y relájate.

- ¿Hay una o varias exparejas a las que todavía no hayas perdonado? Si es así, vuelve al 11.º día y lleva a cabo el ritual del perdón o escucha el viaje del alma.
- ¿Sigues estando enamorado de alguien aunque sepas que no es tu pareja del alma o que nunca será posible una relación entre vosotros? Si es así, ha llegado la hora de dejar definitivamente a esa persona si deseas manifestarte una maravillosa relación de pareja. Esto no significa que no debas seguir queriendo a esa persona, pero tu resonancia debe emitir que estás dispuesto para la pareja soñada, cosa que, sin embargo, no es posible mientras haya otra persona en condiciones similares dentro de tu aura. Vuelve al día 3.º y lleva cabo los ejercicios «Libérate de tu pasado» y «Reconoce tus lecciones del alma», así como el viaje del alma.

⤫ Ámate a ti mismo

Pregúntate sinceramente si te amas a ti mismo tal como eres.

Si es así, estás de enhorabuena, pues ya eres un imán para el amor verdadero.

En caso contrario, retorna al día 14.º y elige las acciones que te ayuden. Tal vez quieras escuchar de nuevo el viaje del alma.

⤫ Crea tu lista de deseos con respecto a la pareja de tus sueños

Crea de nuevo conscientemente un espacio sagrado antes de escribir la lista. Llama entonces al ángel Soquedhazi a tu lado y pídele que te envuelva de nuevo en su luz rosa y dorada de manera que estés completamente unido a la frecuencia del amor. Respira hondo para absorber la luz en tu interior y relájate.

Reflexiona sobre cómo te imaginas a tu pareja del alma y anota una lista detallada, en la que a ser posible no sólo especifiques su aspecto y sus aptitudes, sino también su comportamiento en las más diversas situaciones de la vida cotidiana, por ejemplo con respecto a su humor, sus hábitos alimenticios, su actitud en el juego del amor, etcétera. Para dotar a esta lista de deseos de fuerza de manifestación es mejor redactar las frases de un modo especial, a saber:

GRACIAS (o bien: estoy tan agradecido) porque mi pareja me ama tal como soy.

GRACIAS porque mi pareja siempre me percibe conscientemente.

Estoy tan agradecido de que mi pareja baile muy bien.

GRACIAS porque pueda crecer espiritualmente junto con mi pareja.

Estoy tan agradecido por nuestra maravillosa y emocionante vida amorosa.

...

La gratitud es uno de los imanes más potentes para la manifestación, como habrás podido ver en la historia de Gabriele (*véase* la página 193).

Yo también manifesté a mi marido con ayuda de una larga lista, del mismo modo que una de mis amigas. Su lista era tan larga que su mejor amiga le dijo en su momento: «A ese hombre tendrás que fabricártelo, pues un ejemplar tan perfecto no existe».

Sin embargo, mi amiga estaba absolutamente convencida, y no pasó mucho tiempo hasta que ese hombre apareció delante de su puerta, tal como lo había deseado. Lo único que no sabe hacer ese hombre soñado es bailar. Pero eso tampoco estaba en la lista, pues mi amiga había olvidado sin querer esta cuestión. Hoy ambos están casados felizmente.

Escribe ahora tu lista maravillosa con ayuda del ángel Soqedhazi y del ángel Chamuel (que entre otras cosas también es el ángel de «encontrar»).

Por cierto que mi amiga decía que es importante dedicar unas dos semanas a la confección de la lista, «porque siempre se te ocurren cosas que para ti son importantes».

Cuando pienses que tu lista está completa, deposítala en tu buzón de los ángeles con la siguiente indicación: «*Quiero manifestar esto o algo mejor para mi máximo bien*» y olvídate totalmente de la cuestión.

Oración trasmitida por el ángel Soqedhazi

Queridos ángeles, gracias por ayudarme a verme a mí mismo y a todas las personas con los ojos del amor, a comprender mejor tantas cosas y a ser capaz de perdonar.

Gracias por ayudarme a dejar atrás mis experiencias con relaciones del pasado que me han lastimado o creado inseguridad y a sanar mi corazón, de manera que pueda empezar de nuevo con todo entusiasmo.

Gracias por haberme hecho saber que mi pareja del alma existe y que ya puedo comunicarme con él o con ella en el plano del sí-mismo superior.

Gracias por permitirme que con vuestra ayuda me atreva a ser auténtico y mostrarme tal como soy.

Gracias por ayudarme a reforzar día a día mi confianza, de manera que cada vez me resulta más fácil soltar amarras y, por tanto, dejarme llevar por la corriente.

Gracias por enviarme señales y mensajes sobre cuándo y dónde puedo encontrar a mi pareja del alma, mensajes a los que me basta con seguir.

Gracias por permitirme irradiar con vuestra ayuda cada vez más amor y convertirme en un imán para mi pareja del alma.

Gracias por recordarme que el amor siempre es la respuesta, de manera que puedo vivir con buen ánimo, soltura y alegría una relación plena en todos los planos con mi pareja.

¡GRACIAS!

Si deseas encontrar a tu pareja del alma, conviene que repitas esta oración a menudo. Cópiala en una hoja de papel o en tu diario y más adelante quizá también en tu librito de gratitud (día 20), de modo que siempre la lleves encima y puedas rezar en cualquier momento oportuno.

Acciones futuras para solteros

⮹ Disponte a entablar una relación de pareja

Créate un espacio sagrado antes de reflexionar sobre las siguientes preguntas.

Llama al ángel Soqedhazi para que acuda a tu lado y pídele que te acompañe durante todo el día y te envuelva en su luz de color rosa y dorado, de manera que estés completamente en sintonía con la frecuencia del amor. Respira hondo para absorber la luz en tu interior y relájate.

Contempla tu vida y anota las respuestas a estas preguntas:

- ¿Hay sitio y tiempo en ella para una relación? En caso negativo, ¿qué puedes cambiar?
- ¿Cómo es tu hogar? ¿Está impregnado de una buena atmósfera, de manera que en cualquier momento puedas invitar a una pareja potencial? ¿Es suficientemente ancha tu cama? ¿O acaso ha llegado el momento de hacer limpieza, ordenar y rediseñar tu vivienda?

Si has vivido con tu expareja en tu vivienda actual, es preciso depurar definitivamente las antiguas energías, bien mediante un ritual a base de humo, bien con un ambientador clarificador y la ayuda del arcángel Miguel, o con alguna otra ceremonia de purga.

Tal vez desees estudiar también feng-shui para descubrir en qué rincón de tu vivienda y de tu dormitorio se halla la llamada zona de relación o matrimonial. Resulta muy beneficioso colgar cuadros o colocar esculturas de parejas en ese rincón. Puede tratarse de una escultura de dos delfines entrelazados o la representación de una pareja amorosa humana.

Para atraer amor va muy bien decorar regularmente la vivienda con flores frescas, sobre todo rosas. No olvides que las rosas de color rosa favorecen la apertura del corazón y la ternura, mientras que las de color rojo simbolizan la pasión.

✎ Comprueba tu apariencia

Si deseas atraer a una pareja hermosa y atractiva, has de ajustarte tú mismo a esa resonancia.

¿Deseas cambiar tal vez algún aspecto, como por ejemplo tu peinado o tu estilo, etcétera? En este caso, no esperes más.

❧ Sé tú mismo una pareja maravillosa

Créate un espacio sagrado antes de reflexionar sobre las siguientes preguntas. Llama al ángel Soqedhazi a que acuda a tu lado y pídele que te acompañe durante todo el día y te envuelva en su luz de color rosado y dorado, de manera que estés completamente en sintonía con la frecuencia del amor. Respira hondo para absorber la luz en tu interior y relájate.

Examina ahora tu lista de deseos relativa a la pareja soñada y piensa qué aspectos encarnas tú mismo que te parecen especialmente importantes para una relación. No quiero decir, por supuesto, que debas tener también el cabello rubio si deseas una pareja rubia, sino que tú también debes ser fiel si deseas tener un compañero o compañera fiel, etcétera.

Descubre qué rasgos ya tienes y cuáles deberías adquirir a fin de crear la resonancia capaz de atraer a la pareja de tus sueños. Tan pronto hayas encontrado ese atributo, piensa cómo puedes adquirirlo efectivamente con ayuda de los ángeles, y ponte a la tarea paso a paso.

❧ Sé tú mismo

A menudo, cuando conocemos a alguien que nos atrae tratamos de mostrar nuestro lado más dulce y de actuar hábilmente para llamar la atención. Ocasionalmente se emplean también técnicas de seducción con el propósito de inducir a la otra persona a hacer algo determinado. Pero tal como me comunicó el ángel Soqedhazi durante un taller en Bolonia, eso no es razonable.

«Si te muestras distinto a como eres realmente no podrás atraer jamás a una persona que cuadre perfectamente contigo. Sólo si eres auténtico y te muestras tal como eres, encontrarás a una persona que no sólo comparta las facetas dulces de la vida, sino que se mantenga a tu lado contra viento y marea. Muestra tus flancos fuertes del mismo modo que

tus puntos débiles, pero deja de lado tus artes de seducción manipulado-ras, lo que no significa que no debas mostrar encanto. La línea de sepa-ración es fina, pero en tu fuero interno sabes perfectamente qué rasgo tuyo es artificial y cuál es auténtico. Sé tú mismo desde el principio y te ahorrarás muchas aventuras innecesarias».

¿Qué puedes cambiar en este sentido? Anótalo.

❧ Ve a lugares desconocidos

Si hasta ahora no se ha cruzado en tu camino la pareja de tus sueños, es hora de que vayas a lugares que hasta ahora no hayas visitado. Por-que en los mismos lugares encontrarás siempre a las mismas personas.

Recuerda algún sitio al que ya querías ir desde hace tiempo (tal vez se tratara de un empujoncito de tus ángeles) y ve allí.

Si no se te ocurre ningún lugar, pregunta al ángel Soqedhazi. Recibirás una respuesta, bien mediante una señal, bien mediante una sensación, una imagen, un símbolo, unas palabras o una noción clara.

Afirmaciones del alma

Pide en primer lugar al ángel Soqedhazi que te envuelva en su luz de color rosa dorado y respira hondo, y luego recita (a ser posible en voz alta) las siguientes frases:

– **Para parejas**
Veo con los ojos del amor y reconozco en cada instante la esencia de mi pareja. De este modo genero la resonancia para una relación plenamen-te realizada.

– **Para solteros**
Veo con los ojos del amor y me convierto yo mismo en un compañero maravilloso. De este modo genero la resonancia adecuada para encon-

trar a la pareja de mis sueños y vivir una relación plenamente reali-
zada.

Viaje del alma

Antes de empezar, ten preparado algo para escribir. Es posible que durante el viaje o inmediatamente después de terminar desees anotar algo.

Aspira hondo con los ojos abiertos y espira lentamente mientras cierras los ojos a cámara lenta y ordenas al cerebro que pase automáticamente al estado zeta. Aspira hondo y espira todo el aire y relájate. Deja correr los pensamientos como pajarillos que pasan volando delante de ti. No los retengas y disfruta al sentir tu respiración que te une a la respiración de Dios y te nutre. Con cada respiración que llevas a cabo te relajas cada vez más.

Siente, ve o imagina cómo te envuelve una hermosa luz de color rosa dorado de apariencia sobrenatural que acaricia muy suavemente tu aura. Parece como si todo tu ser se sumergiera en amor. Percibes el amor con cada fibra de tu ser y sientes cómo todas tus células se ponen a vibrar y a bailar en la frecuencia del amor. Disfruta al convertirte cada vez más en amor. También tu cuerpo luminoso se despliega en los colores del amor y notas cómo tú mismo te vuelves cada vez más lúcido y ligero.

Te hallas junto a la orilla de un lago que brilla a la luz del sol y te conectas con la energía del agua, porque sabes que te ayuda a estar cada vez más «en onda» en la vida y en tus relaciones de pareja. Mientras escuchas el murmullo de las suaves olas que rompen en la orilla, ves cómo dos cisnes blancos y brillantes nadan con brío hacia ti. Los contemplas con curiosidad y percibes claramente la concordia que reina entre ellos. Lleno de entusiasmo te conectas con esa energía cuando de pronto aparece a tu lado un ángel sumamente hermosa. Es el ángel So-qedhazi, sumergida en luz de color rosa dorado, la más alta frecuencia del amor. Te rodea con sus alas y te da la sensación de que te está abra-

zando el amor más puro e incondicional. Tus células saltan de alegría,
de modo que te llenas de felicidad divina.

De pronto aparece como surgido de la nada un bote dorado delante
de vosotros sobre el agua. Soqedhazi te tiende la mano para ayudarte a
subir al bote sin caerte, y con ella a tu lado la embarcación comienza a
deslizarse sobre el lago meciéndose suavemente, conducido por la fuerza
intuitiva del ángel y flanqueado por los dos hermosos cisnes.

En medio del lago se encuentra una isla paradisiaca hacia la que
Soqedhazi dirige el bote. Es tan hermosa que no te cansas de mirarla
cuando pones el pie en ella. Perfumes exóticos emiten aromas tan suge-
rentes que te entregas al ser absoluto y dejas atrás toda voluntad. Junto
con el ángel Soqedhazi recorres ese lugar celestial hasta llegar a una
hamaca dorada colgada entre dos árboles que irradian una sabiduría
infinita. Soqedhazi te pide que te tumbes en ella. Haces lo que te pide y
disfrutas del suave vaivén bajo la cálida brisa. Delante de ti puedes ver
en el horizonte la puesta de sol más extraordinaria que jamás hayas
contemplado. Notas que pasas a unirte completamente con todo lo que
es. En tu interior y en tu entorno no existe nada más que amor.

De pronto aparece tu pareja de ahora o la de tus sueños en una visión
muy real ante tus ojos. En este mismo instante percibes la cariñosa voz
de Soqedhazi en el oído:

«Alma querida, en este estado de amor puro y felicidad, contempla
ahora a quien tienes enfrente con los ojos del amor y reconoce todo lo que
os une. Mira la esencia de su ser, que es tan completa como la tuya. En
este instante no existe nada que os separe. ¿Comprendes ahora que el
verdadero amor no tiene nada que ver con estar separados ni con pose-
sión? El amor verdadero da plena libertad al otro y te deja libre a ti
para convertirte en tu sí-mismo divino. ¿Cómo se siente uno al ser ama-
do de esta manera? ¿Te aman así y amas tú mismo de este modo?».

Soqedhazi te rodea con sus alas de manera que vuelves a percibir esa
forma más pura del amor con todas las fibras de tu ser. Sumérgete total-
mente en esta sensación.

«Sólo si te amas a ti mismo incondicionalmente podrás manifestar
estos sentimientos hacia tu interlocutor. Desde el momento en que tú

mismo eres tu mejor pareja también conocerás en el exterior a la pareja de tus sueños, bien en la persona a quien amas actualmente, bien en otra persona que entre en tu vida sin que tú no hagas nada. Di ahora conmigo mientras aspiras: "SOY..." y mientras espiras: "amor puro".

SOY... amor puro.
SOY... amor puro.
SOY... amor puro.

Ahora respira hondo y visualiza cómo vives la forma más pura del amor. Imagina que miras a los ojos de tu pareja y sabes que siempre podrás mirar a esos ojos. Nota cómo vuestros abrazos y besos celestiales funden completamente vuestras auras y os convierten en un único ser. Sabe que esto es posible y que yo te ayudaré a alcanzar ese estado. Visualízalo y vívelo cada vez más con todos los sentidos y verás cómo se manifestará en cuando haya llegado el momento».

Contemplas las imágenes más celestiales de la relación de tus sueños y sabes con absoluta certeza que en ti está todo lo necesario para crearla para ti en tiempo divino con ayuda de los ángeles. Te invade una gran calma, pues sientes que te hallas en el buen camino.

Finalmente ha llegado la hora de abandonar la isla y emprender el viaje de vuelta. El ángel Soqedhazi te ayuda con desenvoltura a bajar de la hamaca dorada que te ha proporcionado una sensación tan celestial. Juntos volvéis al bote que se mece suavemente en el agua.

Apenas habéis abordado el bote se acercan también los dos cisnes y, flanqueado por ellos, el bote se desliza sobre el lago hasta que alcanzáis la orilla.

Cuando notas tierra firme bajo tus pies, abrazas a Soqedhazi lleno de gratitud. Acto seguido, respira hondo tres veces, estira brazos, piernas y tronco y vuelve lentamente al aquí y ahora. Abre los ojos tan pronto como estés dispuesto.

Tal vez quieras anotar las cosas nuevas que han llegado a tu conocimiento durante este viaje.

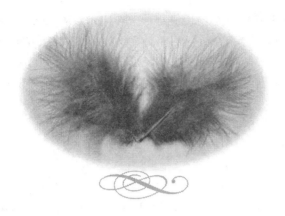

Día 18

Refuerza tu creatividad y tu sagrada sexualidad con ayuda del arcángel Anael

En nosotros no sólo anida la pasión que compartimos
con los animales,
sino también la que tenemos en común
con los ángeles.

TOMÁS DE AQUINO

«Te saludo, alma querida. SOY el ángel Anael. Mira cómo te envuelvo en la luz de color rojo oscuro del amor y de la pasión y disfrútalo.

Ha llegado la hora de que sepas que la sexualidad es una energía maravillosa y sagrada que te puede ayudar mucho a ascender a las esferas más altas de muy diversas maneras si la admites en su forma más natural. A lo largo de innumerables siglos, la Iglesia te ha hecho creer que la sexualidad es un fruto prohibido, una actividad inmoral, pero créeme, es el aspecto más natural de cada persona. Sólo si estás conectado a tu energía sexual podrás desarrollar tu verdadera fuerza. Claro que no se trata de disfrutar de esta poderosa energía indiscriminadamente, sino sobre la base de una sabia elección, de manera que esta valiosa fuerza conduzca, combinada por la energía del corazón, a una unificación cósmica que haga vibrar de alegría tu alma y tu cuerpo y el alma y el cuerpo de la otra persona. De este modo, tu energía kundalini se canaliza por vías que te elevan por encima de ti mismo, de modo que te vuelves uno con el cosmos, con todo lo que existe».

Ángel Anael: ángel de la sexualidad y la creatividad
Color del aura: rojo oscuro (como la rosa «baccara»)

Con el ángel Anael a mi nueva vida

Katarina, una conocida mía, vivió una historia emocionante con el ángel Anael:

Mi relación más intensa duró casi siete años. Los últimos tres llevamos algo así como una convivencia mal organizada, más que una relación de pareja. No exagero si digo que en esos tres años mantuvimos dos veces, en el mejor de los casos, relaciones sexuales (por llamarlo así). No es que no fuéramos «cariñosos» entre nosotros, pero por desgracia la cosa nunca iba más allá de unos abrazos y caricias. Tampoco es que yo no lo quisiera, sino todo lo contrario: para mí el sexo y la sensación de ser deseada que le acompaña es muy importante. Pero por mucho que yo lo intentara y planteara, él no quería. Lo peor es que me daba calabazas de una forma bastante vehemente.

Empecé a dudar de mí como mujer. De mi feminidad, de mi atractivo, de mi sexualidad... En esos tres años también engordé mucho para mi estatura, lo que desde luego tampoco ayudó a que yo me sintiera más femenina, más atractiva o más sexy.

Después de separarnos tuve la oportunidad de participar en un seminario de varios días de duración. Esos cinco días fueron un hito en mi vida. Allí oí hablar también por primera vez de la arcángel Anael. Las notas que tomé sobre ella eran por lo visto para mí, en aquel momento, especialmente importantes: Anael es el ángel de la sexualidad; nos ayuda a hallar la paz en nuestro cuerpo y a establecer el equilibrio entre *yin* y *yang*. Eso era justamente lo que yo deseaba y manifestaba. De este modo, el ángel Anael pasó a formar parte, consciente e inconscientemente, de mi vida.

Tras la separación no tardé mucho en recuperarme y sentirme bien. Casi me avergonzaba de encontrarme tan feliz a solas al cabo de tan poco tiempo. Era como si mi alma volviera a sentirse a gusto en mi cuerpo; y este último cambió. Con esta nueva sensación de valía propia también cambió mi imagen: de pronto volvía a ser consciente de mi feminidad y mi atractivo. Desde hacía tiempo no me había visto de esta manera. También me animaban las reacciones del mundo exterior, tanto de hombres como de mujeres.

Tres o cuatro meses después conocí a un hombre muy especial. Nos entendimos tan bien de buenas a primeras que no notamos cómo pasaban las horas volando. Quedamos en vernos de nuevo en una fecha muy señalada para ambos, cuatro semanas después. Antes él no podía, puesto que no vivimos en la misma ciudad. Durante esas semanas nos escribimos cada día varios SMS y correos electrónicos y hablamos durante horas por teléfono. Aunque nuestro contacto físico en la noche en que nos conocimos no fue más allá de un beso, ambos comenzamos de pronto a escribir con absoluta franqueza sobre cómo imaginábamos que iba a ser la próxima cita. Claro, que ambos éramos conscientes de que de alguna manera nos encontrábamos atractivos. En algún momento pudimos empezar a mencionar de repente, sin avergonzarnos, nuestros deseos y fantasías sexuales y describirlos con palabras. No se sabe cómo empezó, pero así fue.

Cuando volvimos a vernos al cabo de un mes, al comienzo estuvimos un poco cohibidos; estábamos uno frente a otro como dos adolescentes que han quedado por primera vez. Después vivimos las horas más bellas e íntimas que jamás he podido experimentar...

Aunque no nos conocíamos mucho, ambos nos teníamos una increíble confianza mutua.

Esto sucedió hace un año y medio. Con este hombre puedo vivir toda mi feminidad y sexualidad como nunca y como siempre había deseado en la intimidad. Cuando estamos juntos, entre nosotros impera una confianza absoluta y una profunda pasión. Hablamos con total franqueza de nuestros deseos y fantasías. Decidimos juntos hasta dónde queremos llegar. Con este hombre vivo actualmente las horas más hermosas, eróticas, emocionantes e íntimas. Me da la sensación de que me considera la mujer más irresistible del mundo.

Cuando en su día expresé mis deseos, no tenía ni idea de lo profundamente arraigados que estaban en mí. Hoy estoy agradecida por haber tenido noticias de Anael.

Reflexión

Hace muchos años me asombró mucho que el chakra sexual y el del cuello están muy unidos entre sí. Sucede muy pocas veces que sólo esté debilitado uno de los dos chakras, lo normal es que lo estén ambos o ninguno, porque los dos representan la capacidad de comunicación y la creatividad de una persona, aunque en planos distintos.

No es preciso que la energía sexual se aproveche exclusivamente en el plano físico, sino que es posible trasformarla y sublimarla maravillosamente para dar lugar a una obra de arte, un libro, una composición o algo parecido, pues la sexualidad y la creatividad van de la mano.

Claro que esto no significa que debas reprimir tu deseo sexual, aunque no debes dejarte dominar por tu sexualidad ni dejarte arrastrar a cometer actos en los que ya no eres dueño y señor de ti mismo.

Por mucho que numerosas personas no lo tengan en cuenta o no quieran ser conscientes de ello, las auras de los individuos se mezclan de un modo muy distinto si mantienen relaciones sexuales que si, por ejemplo, sólo bailan muy agarrados. Además, las parejas sexuales permanecen «colgadas» durante mucho más tiempo en el aura que las demás. Por eso vale realmente la pena pensar muy bien con quién –y con cuántas personas distintas– compartes tu cama o tu aura. La profunda familiaridad en el plano del alma, que puede conducir a una sexualidad sagrada, sólo se consigue, además, cuando entre tú y tu pareja reina una confianza absoluta, cosa que no es posible cuando uno cambia continuamente de pareja.

Ten en cuenta que es la mujer quien recibe al hombre en su seno y quien, por tanto, establece con el primer contacto íntimo una unión mucho más profunda con el hombre que a la inversa. A través del esperma absorbe toda la historia y todas las informaciones genéticas de un hombre en su interior, al margen de la posibilidad que existe de quedarse embarazada a raíz del coito. Por eso sucede una y otra vez que una mujer pierda totalmente su identidad cuando cambia de pareja como de vestido.

Aunque en tu vida no tengas siempre al mismo o la misma amante, sino a varios, un principio importante es que siempre seas sincero con tus parejas, que no las manipules (por ejemplo, para satisfacer el deseo sexual), que te mantengas fiel a ti mismo y que no te pierdas.

Has de ser consciente de que antiguamente la sexualidad no estaba separada del camino espiritual. Sin embargo, en muchos de nosotros todavía laten sentimientos de culpa ocultos o manifiestos con respecto al sexo, pues la Iglesia nos ha inculcado durante siglos que la sexualidad y la espiritualidad son incompatibles. Es hora de acabar con esta idea de una vez por todas. Tenemos cada vez más acceso a antiguas escrituras (Vedas, Tao, etcétera), y tradiciones (entre otras, las de los tiempos de la casta sacerdotal de los mayas y de las sacerdotisas de Isis) en las que incluso se describen técnicas para recibir inspiración divina a través de la sexualidad sagrada.

Esto es justamente de lo que se trata en los tiempos que corren: de unir sexualidad y espiritualidad y de sublimarlas para vivir la completa unidad con todo lo que existe y ascender.

En el camino hacia nuestra esencia, que no es otra cosa que luz y amor, es muy importante que mientras disfrutamos de nuestra sexualidad nos liberemos progresivamente de nuestro ego y nos dejemos guiar por nuestro sí-mismo superior.

- Para gozar realmente de tu sexualidad y poder vivirla en un plano superior es preciso que te sientas bien en tu cuerpo.
- ¿Cómo te sientes en tu cuerpo cuando lo piensas y sientes en tu interior?
- ¿Puedes ponerte (a solas) desnudo delante del espejo sin criticarte inmediatamente?

Acciones para hoy

✎ Realiza un ritual ante el espejo

Antes de empezar, créate un espacio sagrado.

Llama al ángel Anael a tu lado y pídele que te acompañe durante todo el día y te envuelva en su luz de color rojo oscuro, de manera que estés conectado con la frecuencia de la pasión. Respira hondo para absorber la luz en tu interior y relájate.

Desvístete y sitúate delante de un espejo. Antes de empezar a criticarte, alaba única y exclusivamente las partes de tu cuerpo que te parecen bonitas y déjate de toda crítica.

Vístete ahora de manera que te veas realmente atractivo, tal como se describe en la siguiente acción.

✎ Elige ropa atractiva

Vístete de manera que como mujer resaltes tu feminidad y como hombre tu masculinidad. Esto significa, por ejemplo, que como mujer te pongas falta o vestido y zapatos de tacón más alto, pues así te mueves al instante de un modo más femenino que con zapatos sin tacón y tejanos. Subraya también los atributos personales preferidos de tu cuerpo, como el escote, la cintura, el trasero o las piernas. ¡Enseña lo que tienes!

Claro que esto también es válido para cualquier hombre: no lleves pantalones anchos, sino aquellos que marquen tu trasero (tal vez respingón) y tus piernas. Si siempre andas con zapatillas deportivas, quizá haya llegado la hora de que uses otro tipo de calzado.

Se entiende, por supuesto, que no te estoy animando a mostrarte en plan provocativo u ordinario, pues enviarías una señal equivocada al universo y atraerías a personas de una longitud de onda que no necesariamente quisieras tener cerca.

Para mujeres: libérate de las energías de antiguas relaciones sexuales (método inspirado por Diana Cooper)

Créate sin falta un espacio sagrado antes de iniciar el proceso.

Lo mejor es que te acuestes en el sofá o en la cama, de manera que te sientas recogida. Vuelve a llamar al ángel Anael y también al ángel Shushienae (el ángel de la pureza) para que acudan a tu lado y pídeles que te envuelvan en su luz de color rojo oscuro y blanco brillante, respectivamente, y te acompañen durante todo el proceso. Respira hondo varias veces para absorber totalmente la luz de ambas ángeles en tu interior.

Después recuerda a los hombres con los que has mantenido relaciones sexuales (si no te vienen todos a la memoria, no importa, funciona de todos modos) y visualiza o imagina cómo todo el esperma de ellos sale de tu cuerpo en el plano energético. Respira hondo como mínimo tres veces contando hasta cuatro al aspirar (por la nariz) y espirando después lentamente por la boca exclamando «aaaaaaahhh». Notarás o sabrás cuándo el esperma habrá abandonado tu cuerpo en el plano de la energía.

Pide a continuación al ángel Shushienae que alumbre con su potente luz blanca tu cuerpo físico y todas las capas de tu aura de manera que vuelvas a sentirte completamente pura y en tu centro.

Vuelve a respirar hondo para absorber totalmente la brillante luz blanca en tu interior.

Después deja pasar un poco de tiempo antes de levantarte de nuevo.

También puedes realizar este proceso con tu pareja actual si tienes la sensación de perderte en él.

✣ Toma un baño sensual

Cómprate unas hermosas rosas rojas (no sólo para el baño). Llena la bañera de agua caliente y explica a las hadas florales que vas a arrancar los pétalos de algunas rosas para tomar un baño sensual sanador. También puedes echar unas gotas de aceite de rosas en el agua de la bañera, colocar unas velas en el borde y escuchar música.

Antes de meterte en la bañera, pide al ángel Anael que te envuelva de nuevo en su luz de color rojo oscuro.

Disfruta relajándote en la atmósfera sensual del agua y atendiendo a tus sueños.

✣ Recibe (y da) un masaje

Masajea a tu pareja y/o déjate masajear por él. Si en este momento no tienes pareja, reserva un masaje con un especialista, pues te permite experimentar la sensualidad de tu cuerpo.

✣ Crea una atmósfera sensual

Convierte tu vivienda en un lugar sensual: enciende velas (apagando todas las luces eléctricas) y varillas de incienso o una lámpara aromática y elige la música adecuada para crear una atmósfera sensual.

Si tienes pareja, también puedes preparar una maravillosa cena íntima con velas. Puede ser que esto estimule una unión sexual como nunca la has conocido.

Si no tienes pareja, puedes invitar a comer a una amiga o un amigo y pídele que al sentaros a la mesa primorosamente puesta solamente habléis de vuestra vida feliz y realizada con la pareja de vuestros sueños en todos los planos. De este modo creáis una magnífica oportunidad de que suceda.

Como «individualista» también puedes crearte una atmósfera sensual para ti solo y luego canalizar esa energía hacia un proyecto creativo.

Acciones para hoy y/o más adelante

◈ Ve a bailar –salsa, tango, samba, lambada– o a realizar una danza del vientre

Nada te hará sentir tan sensual y erótica como una de las danzas indicadas. Si a pesar de todo aún no las conoces, es un buen momento para que reflexiones sobre lo que te atrae verdaderamente y te apuntes a un curso o un taller de danza.

◈ Practica el yoga kundalini

También el yoga kundalini despierta la «serpiente» en la base de tu columna vertebral, tu fuero interno, de modo que te ofrece una magnífica posibilidad de conectarte con la fuerza de tu sagrada sexualidad. Apúntate a un cursillo.

◈ Unión sagrada

Como me comunicó el ángel Anael, es muy efectivo que la pareja, antes de comenzar el juego del amor, se siente uno frente al otro ligeramente vestidos o completamente desnudos y establezcan primero una unión sin tocarse mutuamente. Respirad con el mismo ritmo durante todo este rato, pues esto ayuda a poner en consonancia vuestras respectivas frecuencias.

Miraos durante un tiempo en silencio directamente a los ojos, pues son el espejo del alma y la fuente de la apertura a la intimidad. Tan pronto como comience a fluir energía entre vuestros ojos, centra tu atención primero en tu propio chakra del corazón y siente cómo se abre. Concéntrate acto seguido en el centro cordial de tu pareja y establece una comunicación entre vuestros dos corazones. Cuando percibas el flujo entre vuestros dos chakras del corazón, centra tu atención en tu chakra sexual y nota cómo late. Une ahora la energía de tu chakra sexual con la de tu amado o amada, hasta que percibas un intercambio en el plano energético.

Al final percibes la energía en tu tercer ojo y estableces también la comunicación con el tercer ojo de tu pareja.

Cuando percibáis ambos el flujo de energía entre vuestros tres chakras, estaréis unidos en todos los planos: el plano cordial, el plano físico y el plano espiritual-anímico. De este modo, la unión entre vosotros podrá convertirse en una experiencia sagrada y os hará ascender a planos superiores. ¡Disfrútalo!

Si tu pareja no se muestra abierta a estas cosas, podrás establecer la unión visualizándola. Como sabes, el cerebro no distingue entre lo que imaginas y lo que vives, y en ambos casos segrega las mismas sustancias.

Afirmación del alma

Pide primero al ángel Anael que te envuelva en su luz de color rojo oscuro y respira hondo antes de manifestar (a ser posible en voz alta):

Disfruto de los aspectos sensuales de mi cuerpo, pues me unen a mi creatividad y a la fuerza sagrada de la sexualidad.

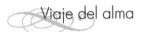

Viaje del alma

Antes de empezar, ten preparado algo para escribir. Es posible que durante el viaje o inmediatamente después de terminar desees anotar algo.

Aspira hondo con los ojos abiertos y espira lentamente mientras cierras los ojos a cámara lenta y ordenas al cerebro que pase automáticamente al estado zeta. Aspira hondo y espira todo el aire y relájate.

Deja correr los pensamientos como hojas que pasan flotando sobre un río y no los retengas. Suéltalos y relájate cada vez más. Nota como tu respiración te llena de múltiples energías y disfrútalo.

De pronto te ves envuelto en una luz de color rojo oscuro que hace que la sangre en tus venas fluya a borbotones y te haga sentir el ritmo de los latidos del corazón. Cada vez más energía se agolpa en tu interior hasta que, de pronto, oyes los sonidos desconocidos de un animal junto a ti. Giras la cabeza y percibes en medio de la noche estrellada, no lejos de ti, una reluciente pantera negra que te mira con el brillo intenso de sus ojos. Tal vez sientas primero un poco de miedo, pero ya se comunica telepáticamente contigo y te da a entender que no debes preocuparte. Simplemente quiere ayudarte a despertar de nuevo la pasión en tu interior. Visiblemente tranquilizado te acercas a ella y acaricias su brillante piel aterciopelada. La sensación es excelente y sabes que has encontrado a un nuevo amigo.

De pronto se pone en movimiento y le sigues por el árido paisaje. Puesto que no hay mucho que observar, te concentras ante todo en la madre Tierra bajo tus pies y de este modo percibes de pronto los latidos de su corazón con toda claridad. Mientras sigues caminando detrás de la pantera, que se mueve con desenvoltura, el latido de tu corazón empieza a sincronizarse con el de la Tierra y notas cómo con cada paso que das absorbes cada vez más energía a través de tus pies, de manera que caminas a pasos cada vez más grandes detrás de tu potente acompañante.

De pronto ves brillar algo en la lejanía. Se trata de una enorme hoguera, y cuando os acercáis compruebas que está rodeada de un círculo sagrado de piedras. Lleno de devoción accedes al lugar sagrado, acompañado de la pantera y descubres junto al fuego a un ángel de gran belleza, con cabello negro que ondea al aire y rodeado de un aura de color rojo oscuro. No es otra que el ángel Anael, quien ahora se acerca a ti y te habla con su voz profunda y sonora:

«Alma querida, ¡bienvenida! Este fuego a mi lado quiere ayudarte a despertar tu fuego interior y los fuegos de tus pasiones, que en parte todavía dormitan dentro de ti. Sólo cuando todos tus fuegos ardan como antorchas, pero de un modo sagrado, podrás disponer de todas tus fuerzas. Deja que te ayude».

Te toma de la mano y se acerca contigo al fuego. Notas que se propone cruzar el fuego contigo y dudas un instante. Vuelves a oír la profunda voz tranquilizadora de Anael a tu lado:

«No tengas miedo. No haré nada que pudiera perjudicarte ni lo más mínimo. ¡Confía en mí!».

Juntos os acercáis al fuego, que de pronto se parte en dos, de manera que podéis cruzarlo. Muy lentamente avanzáis entre las altas paredes de llamas candentes, hasta que Anael se detiene contigo en el centro de la hoguera y te dice:

«Únete ahora a la energía del fuego, de modo que tú mismo te conviertas en fuego. Mientras tanto trabajaré la base de tu columna vertebral para despertar muy suavemente a la serpiente que reposa allí, de modo que la energía kundalini pueda ascender en tu interior».

Te dejas penetrar cada vez más por la energía del fuego y notas cómo te unes con él. Al mismo tiempo percibes que una energía que te resulta familiar desde tiempos ancestrales asciende a lo largo de tu columna vertebral. Es una sensación cósmica que despierta en ti todos los sentidos de una manera que desde hacía tiempo no sentías. Una sensación de éxtasis y felicidad late en tu interior en un ciclo infinito de la fuerza primigenia y sabes, notas, ves, oyes, hueles que estás unido de nuevo a tus pasiones sagradas y que puedes sublimarlas de las más diversas maneras en tu camino de ascenso. Respira hondo para fijar todo esto dentro de ti.

El ángel Anael ha seguido tu trasformación con sus ojos brillantes llenos de alegría, y ahora te da de nuevo la mano y te conduce al otro lado del fuego, donde ya te espera la pantera majestuosamente erguida. Sospechas que quiere abrazarte y te acercas a ella. Cuando estáis abrazados, notas cómo también ella te trasmite su fuerza, de modo que volverás de este viaje mucho más fuerte.

Lleno de gratitud te despides del ángel Anael con un segundo abrazo intenso antes de emprender el camino de retorno con tu amiga la pantera.

Mientras avanzáis percibes con más fuerza todavía los latidos de la madre Tierra, que están perfectamente sincronizados con los tuyos. Sabes que a partir de ahora, gracias a que estás unido a ella, podrás fortalecer rápidamente de nuevo tu chakra raíz.

Estira brazos, piernas y tronco y disfruta al sentir tu cuerpo y el fuego que arde en su interior. Abre los ojos tan pronto como estés dispuesto.

Día 19

Haz las paces con la muerte gracias al arcángel Azrael

Quien es capaz de vivir con los ángeles vive de otra
manera que quien no tiene ese consuelo. Sin ángeles
tenemos muchas menos experiencias divinas.

GERHARD ADLER

«Te saludo, alma querida. SOY el arcángel Azrael. Mi mayor deseo es
comunicarte que la muerte no es más que otra forma de nacimiento.
Únicamente abandonas la envoltura corporal de tu existencia en la
Tierra y accedes a un plano superior, donde serás recibido por los ánge-
les, los maestros ascendidos y el consejo de sabios. Junto con nosotros re-
pasarás tu última vida y sabrás qué lecciones del alma –que te habías
propuesto antes de ver la luz de la Tierra– has cumplido y cuáles has
pasado por alto sin que las hayas asumido seriamente. Una vez hayamos
examinado todo con lupa, primero podrás sanar antes de someterte en

aquellos niveles a nuevos aprendizajes que te prepararán para las leccio-
nes del alma de tu nueva vida. Además te darás cuenta de todos tus
"enemigos" de tu última vida son todo menos enemigos, porque como ya
eres consciente en el plano de la razón, las cosas no son lo que parecen.
También te unirás a todos los miembros de tu familia de almas que se
encuentran en nuestro lado del velo. Por tanto, querido ser, podrás de-
ducir que realmente no hay motivo para temer a la muerte.

Claro, que la cosa cambia mucho cuando es un ser querido quien
muere antes que tú. Pero también en este aspecto puedo consolarte. Con
cada mes, o incluso con cada semana que pasa, el velo se vuelve más y
más fino en nuestro lado, de manera que te resultará cada vez más fácil
comunicarte con seres queridos difuntos. Te ayudaré de buena gana.
Bendito seas».

Arcángel Azrael: ángel del consuelo, que ayuda a acompañar a la
luz a los moribundos
Color del aura: blanco crema
Gema: calcita de color blanco crema

Al otro lado del velo

Pocas semanas antes de cumplir yo los ocho años murió Albrecht, el
mejor amigo de mi padre, en un trágico accidente en que quedó
sepultado bajo un alud en el Mont Blanc.

Su muerte me afectó mucho, pues él había sido para mí como
mi segundo padre, de modo que de inmediato enfermé gravemente. En realidad no fue más que un sarampión, pero cursó acompañado de fiebre alta. Ésta fue aumentando cada vez más, hasta que
finalmente la escala del termómetro se quedó corta y yo caí en
coma.

Todavía recuerdo muy bien cómo de repente vi un túnel que
estaba iluminado por la luz más brillante que jamás había visto.
Empujada desde mi interior crucé corriendo el túnel hasta llegar al

otro lado. Ante mis ojos se extendía un prado que parecía ser el paraíso, pues las flores eran mucho más relucientes e intensas que en la Tierra y me llegaban profundamente al alma. Me invadió una sensación de paz infinita y de estar por fin en casa. Los rayos del sol me acariciaban la cara, de manera que de puro gozo empecé a girar sobre mí misma cuando de repente vi a Albrecht ante mis ojos. Tenía un aspecto estupendo, estaba completamente ileso y rodeado de una radiante corona luminosa.

Llena de alegría me agarré de su cuello y exclamé: «¡Qué bien volver a verte! Aquí se está estupendamente. Me quedo contigo».

Albrecht soltó con cuidado mis brazos de su cuello, me miró a los ojos con una sonrisa cariñosa y sabia y contestó: «Querida Isabelle, esto no puede ser, porque rompería el corazón a tus padres. Además todavía tienes cosas que hacer en la Tierra».

Repliqué con tozudez: «¡Pero no quiero! ¡Esto me gusta mucho más!».

«Esto no puedes decidirlo tú, la decisión está únicamente en la mano de Dios».

En ese instante supe que no tenía más remedio que volver a la Tierra.

Intenté retrasar la despedida, pero finalmente llegó el momento de cruzar de nuevo el velo.

Seguramente en ese mismo instante me desperté del coma y le dije a mi madre, que había permanecido a mi lado: «Vengo de muy lejos y he visto a Albrecht. Me ha dicho que tengo que volver para que no estéis tan tristes».

Mi madre rompió a llorar, pues era consciente de que yo había tenido una experiencia cercana a la muerte y que había que dar las gracias a Dios de que todavía estuviera viva.

Años después enfermé gravemente de leucemia y muchos se sorprendieron al ver que la idea de que podía morir cualquier día no me infundía ningún temor. Sé muy bien que fue aquella vivencia al otro lado del velo la que me permitió mantener la calma ante la muerte.

Despedida angelical de papá

Pilar, una de mis ANGEL LIFE COACH®, vivió una historia muy emotiva:

A comienzos de marzo de 2011, mi hermana Antonia y yo nos propusimos ir a ver a nuestro padre, que estaba hospitalizado en España. Tras una operación a finales de febrero le diagnosticaron un cáncer terminal. Queríamos despedirnos de él y llevarle cartas y fotos de mis hijos. Pedí a los ángeles que nos acompañaran en este viaje, hicieran que resultara agradable y nos ayudaran a afrontar la situación.

En los cursos de Isabelle yo había aprendido que el arcángel Azrael es quien se encarga de preparar a las almas para el tránsito y de asistir a los deudos. Por tanto, pedí especialmente al arcángel Azrael que estuviera con mi padre y conmigo y toda mi familia.

Así que reservamos nuestros billetes de avión y un coche de alquiler. Todo fue bien: tuvimos un vuelo agradable de Fráncfort a Madrid y luego continuamos en coche en dirección a Cáceres. Entonces pedí a los ángeles que nos enviaran señales, aunque sabíamos y notábamos que nos acompañaban. Durante el viaje nos llamó la atención el primer coche que llevaba un 4 en el número de matrícula (el 4 es la cifra de los ángeles). Pronto Antonia y yo nos dedicamos a fijarnos en las matrículas de los demás coches. Tuvimos otra confirmación de que los ángeles estaban cerca por el hecho de que todas las matrículas tenían un 4 o bien porque la suma de todos sus guarismos siempre daba 4.

Finalmente llegamos a la clínica en la que se hallaba mi padre. Entramos en su habitación y enseguida me llamó la atención que las paredes estuvieran pintadas de un suave color vainilla. Noté un abrazo cálido y supe que Azrael estaba allí. Nuestro padre se alegró mucho de vernos y mientras estábamos charlando animadamente entró una enfermera para verle. Miré la placa en que estaba escrito su nombre y vi que ponía «Ángela». Se me escapó una sonrisa, porque veía que los ángeles se esforzaban realmente por darnos muestras de su apoyo.

Al día siguiente hablé con el médico responsable y ya no me causó ninguna sorpresa cuando vi que en su placa ponía «Ángel María». Me dijo que nuestro padre ya no viviría mucho tiempo. Estas palabras me afectaron profundamente, pero al mismo tiempo noté que me envolvía un calor agradable. Noté cómo me rodeaban dos grandes alas de ángel, que me daban protección y amparo.

Dos días después supimos que la vida de nuestro padre se apagaba. Sus hermanos y hermanas, además de Antonia y yo, estábamos ahora todo el rato con él. A la derecha de mi padre vi algo que me puso triste y al mismo tiempo me alegró enormemente: el arcángel Azrael miraba cariñosamente a mi padre y a todos los presentes. Era muy grande y la cabeza casi chocaba contra el techo. Al principio tenía las alas ligeramente extendidas, pero cuando estábamos todos en la habitación las desplegó por completo y nos rodeó con ellas. Azrael permanecía ahora todo el rato junto a mi padre y brillaba con su aura de color crema.

Cuando murió mi padre yo estaba junto a él; fue un momento lleno de paz. Mi padre dormía y simplemente dejó de respirar. Avisé a las enfermeras y a partir de entonces todo fue muy rápido. Vino una médica, poco después alguien de la funeraria y enseguida llevaron el cuerpo de mi padre al tanatorio de su pueblo.

Estábamos todos muy tristes y afectados, pero con el ánimo sosegado. Sentí una gran calma y gratitud, pues mi padre no había sufrido, sino que se había ido tranquilo y en paz.

El día del entierro, el ataúd con el cuerpo de mi padre se hallaba junto al altar de la iglesia. Los familiares estábamos sentados en los bancos delanteros, y mientras el cura pronunciaba el sermón volví a ver al arcángel Azrael, justo detrás del sacerdote. En el instante en que éste pasó a hablar de mi padre, Azrael «se fundió» con el cura, y las palabras que nos llegaron eran de consuelo. También la voz y la postura del cura cambiaron, volviéndose más agradables y suaves.

Estoy muy agradecida al arcángel Azrael por su ayuda. Hemos perdido a mi padre, pero Azrael nos ha permitido, con su presencia y su cariño, soportar la pérdida de este ser querido de la manera más liviana y agradable posible.

Reflexión

Aunque hasta ahora no hayas visto ni oído a ningún difunto, seguro que alguna vez ya has tenido la sensación de que alguien que ya estaba muerto te ha tocado ligeramente o ha dejado su marca sobre la manta de tu cama o algo por el estilo. Es posible que en esa ocasión también hayas percibido el aroma de esa persona.

Acción para hoy

Anota tus experiencias con difuntos
Piensa sobre ello en una atmósfera sagrada con velas, música y aromas agradables. Pide al arcángel Azrael que acuda a tu lado y te envuelva en su luz de color blanco crema. Respira hondo para absorberlo y anota a continuación tus recuerdos.

Escribe una carta a un difunto
Si hay algo que te habría gustado comunicar a uno o varios difuntos, escribe una o varias cartas. Puedes estar seguro de que tus palabras llegarán a destino y de que recibirás una respuesta.

Afirmación del alma

Pide antes que nada al arcángel Azrael que te envuelva en su luz de color blanco crema, y respira hondo antes de manifestar (a ser posible en voz alta):

La muerte es al mismo tiempo final y comienzo de un nuevo nacimiento. Soy inmortal.

Viaje del alma

Antes de empezar, ten preparado algo para escribir. Es posible que durante el viaje o inmediatamente después de terminar desees anotar algo.

Aspira hondo con los ojos abiertos y espira lentamente mientras cierras los ojos a cámara lenta y ordenas al cerebro que pase automáticamente al estado zeta. Aspira hondo y espira todo el aire y relájate.

Deja correr los pensamientos como pajarillos que pasan volando. Suéltalos y disfruta notando tu respiración, que te une a la respiración de Dios y te nutre. Con cada respiración que haces te relajas más y más.

Siente, contempla o imagina cómo te envuelve una luz cristalina que impregna todo tu ser y te une cada vez más a tu cuerpo luminoso. Nota cómo te expandes sin límites y te conviertes en un ser infinito entre el cielo y la tierra.

Te sientes completamente traslúcido, cuando aparece ante tus ojos un ángel sabio y cariñoso rodeado de un aura de color blanco crema. Es el arcángel Azrael. Su apariencia es tan dulce y bondadosa que te entregas lleno de confianza al proceso que te espera.

En ese instante os veis los dos encerrados en una columna cristalina que os rodea completamente y parece alcanzar hasta el cielo. El arcángel Azrael te coge de la mano y entonces empezáis a ascender muy lentamente por la columna de cristal. Subís cada vez más a través de las más diversas dimensiones hasta llegar al extremo de la columna cristalina y ante vosotros se abre un lugar paradisiaco. No quieres creerte lo que ves porque lo que aparece ante tus ojos es de una belleza tan indescriptible que te quedas sin habla. Disfruta el instante con todos los sentidos.

Después de contemplar un rato aparecen innumerables seres delante de ti: ángeles, maestros ascendidos, seres luminosos de todas las especies y personas queridas ya fallecidas que has conocido en tu vida. Todos te muestran un amor infinito y te sientes como si hubieras vuelto a casa. Y así es. Tu verdadero hogar no está en la Tierra, sino aquí.

Entonces te habla el arcángel Azrael:

«Alma querida, ¿entiendes ahora que la muerte no es terrible? Al contrario, te reúne de nuevo con las personas que amas y que se han ido antes que tú. También te esperan ángeles, maestros ascendidos y otros seres luminosos, que te ayudan a ascender a dimensiones superiores. ¿Reconoces ahora que no hay nada que temer? También volverás de nuevo a la Tierra cuando estés dispuesto para tus nuevas lecciones del alma. Todo va por su camino sagrado».

Notas cómo te liberas de una carga inmensa que te pesaba en el alma. Ahora puedes estar realmente contento de hallarte de nuevo unido a tus queridos seres difuntos. Constatas asimismo que todos ellos tienen un aspecto sano y magnífico y sabes que la muerte ha dejado de ser para ti una cosa terrible.

Disfrutas todavía durante un tiempo en las esferas superiores hasta que el arcángel Azrael vuelve a cogerte de la mano y emprende junto a ti el descenso por la columna de cristal.

Llegado el momento, te despides lleno de gratitud y sabes que todo está preparado para cuando suene la hora de que abandones la Tierra. Junto con Azrael emprendéis el descenso dentro de la columna hasta que vuelves a notar suelo firme bajo tus pies. Esto te sienta de maravilla, porque ahora estás realmente conectado con el cielo y la tierra. Respira hondo tres veces, estira piernas y brazos para arribar suavemente a tu cuerpo y al aquí y ahora, y abre los ojos.

Parte III

Manifestación

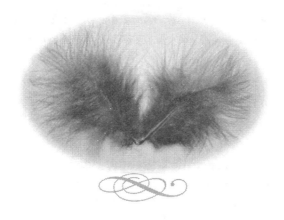

Día 20

Rebosa de gratitud con el ángel Ooniemme

Nunca un humano podrá ser igual que un ángel,
pero al menos deberíamos intentar equipararnos.

MATHILDE VON DER AUE

«*Te saludo, alma querida. SOY el ángel Ooniemme. El poder de la gratitud no conoce límites. Ella es la que te da fuerzas para hacer milagros junto con nosotros, los ángeles. Porque cuando rebosas gratitud, tu aura se pone a brillar con el resplandor más claro y la frecuencia de tus vibraciones aumenta de golpe de una forma que no tiene límites. En esos momentos estás tan impregnado de luz que te pareces más que nunca al ser luminoso que eres en realidad.*

Reconoce que son la insatisfacción y la ingratitud las que te lastran tanto y te dan a veces la sensación de no poder desplegar las alas. Sin embargo, si eres consciente de ello, te resultará fácil realizar una trasformación.

¿Acaso no ocurre que en cada instante hay algo de lo que puedes estar agradecido? ¿Acaso no tienes cosas para vestir y algo de comer?

¿Un techo que te protege? ¿Crees realmente que todo esto te viene dado? No, alma querida, no es así. Cuántas personas en la Tierra no tienen todo eso.

Así que te ruego que reconozcas día a día las bendiciones de tu vida con el corazón lleno de gratitud, y las sincronicidades y milagros proliferarán de forma maravillosa».

Ángel Ooniemme: ángel de la gratitud y de las bendiciones
Color del aura: blanco iridiscente
Gema: perla

Con gratitud y salsa al nuevo empleo

Jessica, una de mis ANGEL LIFE COACH®, experimentó la increíble fuerza de la gratitud:

Recién acabada mi carrera de dentista, no siempre me resultó fácil encontrar una consulta adecuada para mí. Cambié muchas veces de lugar de trabajo para constatar una y otra vez, por lo general al cabo de dos meses, que al parecer no existe el entorno perfecto para mí. ¿O simplemente resultaba demasiado difícil encontrarlo?

Así que de nuevo me encontraba en la tesitura de aspirar a cambiar de entorno laboral, de buscar uno que encajara mejor conmigo. Ahora bien, esta vez la cosa era distinta, pues yo había solicitado previamente la ayuda de los ángeles. Durante meses estuve escribiendo mucho en mi cuaderno de gratitud, anotando todo por lo que tenía que estar agradecida en mi vida y todo lo que quería manifestar para mi futuro, tal como recomienda Isabelle en su «Programa de nueve columnas» en su página web (www.DieEngelsonah. com). Uno de los temas centrales era el deseo de encontrar un nuevo puesto de trabajo.

De este modo, el ángel Ooniemme se convirtió en mi acompañante inseparable al anochecer. Yo hacía todo lo que podía y sabía que el esfuerzo adecuado sólo podía determinarse con ayuda de los ángeles.

Al cabo de unos dos meses, mi amiga Sabine tuvo la idea de hablar con su amable dentista con la esperanza de encontrar algo adecuado para mí. Él no le hizo concebir muchas ilusiones, pero mostró interés en conocerme. Me presenté y todo fue mejor de lo esperado, hasta el punto de que me ofreció de inmediato un puesto de trabajo. Yo estaba muy feliz y enormemente contenta con esta nueva oportunidad.

Poco tiempo después, sin embargo, me di cuenta de que para ello tenía que hacer algunas concesiones que no me gustaban. A pesar de todo seguí confiando, sin duda por efecto de la llamada de los ángeles y el deseo de mi corazón de gozar más de la vida, para poder deshacerme con más facilidad de las expectativas. Hice caso al instinto y me receté una terapia de baile de salsa, pues por desgracia llevaba tiempo sin prestar atención a esta faceta mía. Noté cómo de pronto me cargaba de vitalidad y di las gracias por el hecho de que los ángeles me hubieran llevado hasta ahí.

Un par de semanas después me despedí efectivamente de mi puesto de trabajo; mi decisión se produjo repentinamente, y sin que tuviera alguna oferta alternativa. Pero algo en mi interior me urgió a dar este paso a pesar de todo. ¿Quién me empujó a hacerlo?

Después de que el doctor H., el amable dentista de mi amiga, y yo no lográramos ponernos de acuerdo sobre mi salario, él decidió pedir consejo a un compañero de profesión que tenía ayudantes en sus consultas desde hacía años. Cuando volvimos a reunirnos, me informó de su visita: «Tengo una buena noticia para usted y una mala para mí».

¡Sorpresa! En la consulta en cuestión acababa de cesar la dentista ayudante y había una vacante. Me dijo que fuera inmediatamente a presentarme. Yo supe de inmediato que ésa era la respuesta del cielo a mis oraciones.

Ese puesto de trabajo superaba realmente todo lo que yo había deseado. Por fin había encontrado una consulta especial, en la que tengo muchas posibilidades nuevas y garantías de éxito. Mientras, la consulta ya mantiene una clientela fija para mí, y curiosamente una parte de esas personas sólo hablan español, ¡que es mi lengua materna! A esto se añade la gran oportunidad de poder concluir allí mi especialidad en cirugía oral, cosa que no es fácil de encontrar; éste era otro de mis deseos más ardientes que había tenido que dejar de lado. Mi trabajo tampoco interfiere en mi labor con los ángeles, pues los viernes por la tarde tengo libre y de este modo puedo acompañar muy bien los talleres del fin de semana. El salario es exactamente el que esperaba para poder liquidar de una vez mis deudas. Y lo mejor de todo esto es que ha sucedido sin que yo jamás hubiera enviado nunca mi currículo para aspirar a una plaza. ¡Estoy más que feliz, profundamente emocionada e impresionada!

Estoy agradecida desde lo más hondo de mi corazón de haber mantenido tanto tiempo la confianza y de haber ido soltando lastre. Era la única manera de darle al cielo tiempo y calma suficientes para concebirlo y planificarlo todo, para bien de todos los implicados.

Reflexión

Cuando la vida irrumpe de esta manera a nuestro alrededor, a veces creemos que no hay motivo para estar agradecidos. En realidad, incluso en los momentos aparentemente más oscuros hay numerosas bendiciones. Ahora bien, sólo cuando nos ponemos a enumerarlas («*count your blessings*», como dicen tan bien los angloparlantes) nos damos cuenta de cuántas son.

El poder de la gratitud

Todavía recuerdo muy bien cómo pude experimentar el increíble poder de la gratitud durante mi primera larga y terrible estancia en la unidad de oncología de la clínica de Grosshadern.

Un día conecté el televisor y en la pantalla aparecían imágenes crueles de la guerra de Chechenia. De repente me percaté de lo afortunada que yo era. En comparación con la pobre gente de allí, que tenía que temer por su vida y ver con sus propios ojos cómo mataban a sus seres queridos y destruían todo lo que poseían, en realidad yo no tenía más que un poco de leucemia (lo digo muy en serio). Desde luego que mi vida estuvo pendiendo de un hilo durante meses y también durante años, pero tenía un techo sobre mi cabeza, una cama para reposar, suficiente comida y una infinitud de personas que hacían todo lo que podían para mantenerme en vida. A diferencia de las personas que estaban en Chechenia, a mí no me iba tan mal.

En ese instante me di cuenta de que podemos dejar atrás todo victimismo si somos conscientes de que incluso en los momentos aparentemente más terribles de nuestra vida sigue habiendo suficientes cosas por las que podemos estar agradecidos. Cuando en aquella tesitura me puse a contar todo lo que me inducía a dar las gracias, resultó que había muchas más cosas que las que había pensado. Y lo curioso de esto fue que acto seguido atraje todavía más regalos por los que podía expresar gratitud.

La gratitud es realmente un imán inigualable para recibir todavía más bendiciones en esta vida. Hoy sé que en aquel entonces el ángel Ooniemme estaba a mi lado.

Acciones para hoy y el futuro

❧ Siente gratitud

Créate un espacio sagrado y pide al ángel Ooniemme que te envuelva en su luz blanca iridiscente y respira hondo. Nota cómo al hacerlo se te ensancha el corazón. Reflexiona sobre las cosas por las que puedes estar agradecido en la vida y anota todo lo que se te ocurra (personas, animales, situaciones, experiencias, cosas, etcétera). Si ya tienes un cuaderno de gratitud (*véase* más abajo), puedes utilizarlo, desde luego, para anotar todo esto.

Ahora piensa una vez más en tu pasado y reconoce lleno de gratitud qué magníficas bendiciones se ocultaban tras los problemas más difíciles, pues son ellas las que han hecho de ti esa persona maravillosa que eres hoy. Anota también estos regalos.

∾ Contempla la belleza de la creación divina

Siéntate ante una flor bonita y reconoce la excelencia de la creación divina. Disfruta de la visión y observa los formidables detalles hasta que tu corazón rebose de gratitud.

∾ Crea un «cuaderno de gratitud»

Cómprate un cuaderno o librito de hojas en blanco que sea bonito y suficientemente pequeño como para que siempre puedas llevarlo encima. Será tu «cuaderno de gratitud».

Una posibilidad es que anotes de inmediato todo lo que te hace sentir agradecido en el curso del día. Te asombrarás cuando veas cuántas cosas aparecen a menudo en la lista. Normalmente, al caer la noche ya ni te acuerdas, y por eso tiene sentido que registres las bendiciones en el momento en que ocurran.

Otra posibilidad consiste en trabajar cada mañana y/o cada tarde en tu cuaderno de gratitud. Antes de ponerte a escribir, llama al ángel Ooniemme y pídele que te envuelva en su luz blanca iridiscente; respira hondo para absorberla en tu interior. Escribe ahora en la página de la izquierda del cuaderno las cosas por las que estás agradecido y que ya están presentes en tu vida, por ejemplo: «Estoy tan agradecido (o: GRACIAS) por tener suficiente para comer». En la página de la derecha, apunta ahora todas las cosas que deseas de todo corazón, pero haciendo como si ya las tuvieras; por ejemplo, si estás buscando pareja: «Estoy tan agradecido (o: GRACIAS) por la relación con mi pareja del alma».

Puesto que tu corazón estará lleno de gratitud cuando hayas expresado tu agradecimiento por las bendiciones, personas, encuentros, etcétera, que ya están presentes en tu vida, la gratitud por las cosas que deseas tendrá el efecto de un imán mágico. No sólo yo, sino también algunos de mis clientes y participantes en talleres y sesiones de instrucción han manifestado de este modo deseos mayores o menores, como puedes ver en la historia de Jessica (*véase* la página 234).

✍ Recita el mantra «*grazie*»

En uno de mis talleres en Bolonia estaba yo hablando sobre la gratitud, la segunda columna de mi «programa de nueve columnas», cuando los ángeles me pidieron que recitara siete veces el mantra «grazie». Nunca lo había hecho, y lo que ocurrió entonces fue absolutamente fenomenal. A los 44 participantes se les pusieron a brillar los ojos y sus auras reforzaron claramente su resplandor. Cuando pedí a los ángeles que me explicaran el porqué del fenómeno, me dijeron que la palabra «*grazie*» tiene una vibración mayor que el equivalente en alemán («*danke*»), pues se deriva de la palabra «gracia» (en el sentido de «por la gracia de Dios»). Puesto que el organismo humano se compone en más del 70 % de agua, el mantra «*grazie*» tiene el mismo efecto maravilloso en las personas que el hecho de beber agua de un vaso o una botella que lleva escrita la palabra «*grazie*».

Pide ahora al ángel Ooniemme que te envuelva en su luz blanca iridiscente, respira hondo y recita siete veces el mantra «*grazie*».

✍ Muestra a otros tu gratitud

Escribe tarjetas, correos electrónicos o SMS de agradecimiento a las personas que son importantes para ti y comunícales lo agradecido que estás por el hecho de que estén en tu vida.

✍ Bendice a personas difíciles de tratar junto con el ángel Ooniemme

Cierra los ojos, pide al ángel Ooniemme que te envuelva en su luz blanca iridiscente y respira hondo. Piensa ahora en una persona que te hace la vida difícil o que te ha lastimado e imagina que se halla delante de ti. Mira a esta personas fijamente a los ojos hasta que veas su alma, su esencia, y repite cuatro veces o más (mejor en voz alta): «Te bendigo, … (nombre de la persona).

Acto seguido, respira hondo tres veces más y luego abre los ojos.

Este ejercicio se me ocurrió espontáneamente durante una conferencia en Italia, inspirado por Ooniemme para que el público percibiera la fuerza de los ángeles. Lo que sucedió entonces me asombró incluso a mí: un señor de pelo cano y trajeado, que hasta entonces parecía más bien escéptico, se puso a aplaudir lleno de entusiasmo, arrastrando a todo el público. Estaba exaltado, pues había percibido la energía de los ángeles de una manera tan palpable que le resultaba mucho más fácil bendecir de lo que él mismo pensaba. Experimentó lo que yo había descrito antes, a saber, que es imposible seguir sintiendo dolor cuando se bendice a una persona que nos ha lastimado con ayuda de la energía de los ángeles.

No puedo por más que aconsejarte que incorpores este ejercicio a tu vida cotidiana y lo ejecutes de inmediato cuando veas que alguien te desafía. De este modo perderás mucha menos energía y tiempo, pues tus pensamientos no girarán constantemente (hasta el infinito) en torno al comportamiento de una persona.

Bendice todo y a todos

Bendecir es algo maravilloso, pues modifica al instante las vibraciones de quien bendice y del bendecido; al fin y al cabo, la bendición arroja luz sobre los campos energéticos de los implicados.

Propongas lo que te propongas (un proyecto, un viaje, etcétera), bendícelo primero junto con el ángel Ooniemme. Hagas lo que hagas, bendícelo y verás qué magníficas sincronicidades se producirán en el camino.

Bendice tu jornada, tu comida, tu ciudad, a tu familia, a tus amigos, a tus «enemigos», bendice todo y verás que difícilmente podrás llevar la cuenta de tus bendiciones. ¡Empieza ahora mismo a bendecir!

A mí, por ejemplo, me encanta decir a las personas que «los ángeles os bendigan». Tal vez desees crearte tu propia fórmula de bendición.

Afirmación del alma

Pide primero al ángel Ooniemme que te envuelva en su luz blanca iridiscente y respira hondo antes de decir (mejor en voz alta):

Estoy tan agradecido por las maravillosas bendiciones de mi vida. Soy un imán de bendiciones en todos los planos.

Viaje del alma

Antes de empezar, ten preparado algo para escribir. Es posible que durante el viaje o inmediatamente después de terminar desees anotar algo.

Aspira hondo con los ojos abiertos y espira lentamente mientras cierras los ojos a cámara lenta y ordenas al cerebro que pase automáticamente al estado zeta. Aspira hondo y espira todo el aire y relájate.

Deja correr los pensamientos como pajarillos que pasan volando. Suéltalos y disfruta notando tu respiración, que te une a la respiración de Dios y de los ángeles. Con cada respiración que haces te relajas más y más.

Te encuentras en medio de una noche clara bajo el firmamento lleno de estrellas en la orilla de un lago mágico cuando, de pronto, aparece a tu lado un ángel hermosísima de cabello largo plateado y te envuelve en una luz blanca iridiscente. Es el ángel Ooniemme, que te abraza cariñosamente. Una sensación de gran amparo invade todo tu ser. Así te sientes trasportado por un amor infinito cuando Ooniemme se alza contigo por los aires. Voláis cada vez más alto hasta dejar atrás la Tierra. Seguís avanzando por las distintas dimensiones hasta llegar ante el maravilloso portal de un templo etéreo que parece estar cubierto por un finísimo polvo de estrellas de tanto que reluce. Estás completamente maravillado ante la belleza del templo.

De pronto se abre el portal al sonido de un timbre, como si lo moviera un mecanismo automático, y entras junto con el ángel Ooniemme en el templo más reluciente que jamás hayas visto. Todo brilla con la máxima claridad, de modo que tus ojos han de acostumbrarse primero a la intensidad de la luz antes de que puedas percibir otras cosas.

Finalmente, Ooniemme te indica con un gesto que te fijes en un trono cristalino que se halla en el centro de la sala reluciente y te pide que te sientes en él. No te lo piensas dos veces y, al instante, estás sentado en el hermoso trono, que parece estar hecho para ti. De inmediato notas cómo en tu interior comienza a ascender una energía cristalina y te sientes cada vez más ligero.

Entonces Ooniemme da un chasquido con los dedos y de pronto sostiene en las manos una maravillosa vara cristalina, una especie de varita mágica. Con sumo cuidado toca con ella tu chakra del corazón y disuelve con absoluta ternura todas las penas y frustraciones que todavía permanecían encerradas en su interior. Notas cómo el chakra del corazón se te abre cada vez más, igual que una hermosa flor de loto de color rosa.

Ahora Ooniemme vuelve a envolverte en su luz blanca iridiscente y sientes cómo te invade una ola de profunda gratitud.

Inmediatamente después, Ooniemme dibuja algo con su varita mágica en el aire y ante vuestros ojos aparece una enorme pantalla blanca en la que ves la imagen de todas las personas, animales, situaciones y cosas por las que puedes estar agradecido en la vida; igual que en una hermosa película.

Contempla tranquilamente las imágenes que aparecen en la pantalla y percibe la gratitud que asciende al hacerlo en tu interior. Entonces Ooniemme te dice:

«Querido ser, reconoce el maravilloso poder que encierra la gratitud. Permite trasformar totalmente una situación en cuestión de segundos. Así que te ruego de todo corazón que dejes entrar todavía más gratitud en tu vida, pues es ella la que podrá abrirte toda clase de puertas. Ella es el imán de tus sueños. Sé consciente de ello y elige sabiamente».

Cuando Ooniemme te rodea de nuevo con sus alas, no notas otra cosa que la más pura y profunda gratitud y sabes que de ahora en adelante aprovecharás de un modo mucho más consciente este poder celestial que está a tu disposición en todos los instantes de tu vida.

Finalmente ha llegado el momento de volver a la Tierra, y Ooniemme te ayuda a levantarte del trono y te conduce a la salida del templo. Juntos emprendéis de nuevo el vuelo de retorno y descendéis lentamente hasta que vuelves a notar el suelo bajo los pies. Toma contacto con la madre Tierra y da las gracias al ángel Ooniemme por el maravilloso viaje de aprendizaje. Estira brazos, piernas y tronco para volver totalmente al aquí y ahora y abre los ojos.

Día 21

Purifícate con ayuda del ángel Shushienae

Los ángeles son seres vivos como tú y yo,
pero sólo un alma pura es capaz
de verlos y entenderlos.

SÓCRATES

«*Te saludo, alma querida. SOY el ángel Shushienae. En estos tiempos turbulentos no resulta demasiado fácil vivir tranquilos y en paz, pues es preciso tomar alguna que otra decisión que influirá decisivamente en tu futuro. Más que nunca es sumamente importante que te tomes tiempo para purificarte y alimentar tu alma. Es la única manera de que te aclares suficientemente para tomar decisiones que estén en consonancia con tu plan de vida.*

Métete en el agua cuantas veces te sea posible, pues su fuerza purificadora ejerce un gran efecto en todos tus cuerpos, especialmente en tu cuerpo emocional. Sólo si tu cuerpo emocional está limpio estarás en condiciones de abrir cada vez más tu corazón, lo cual es imprescindible para convertirte en un canal cristalino para los mensajes de lo divino.

El corazón es el amarre de tus sentidos superiores; sólo cuando sea puro y abierto sabrás interpretar debidamente las percepciones de tus sentidos internos, de manera que seas capaz de adoptar tus decisiones desde tu corazón, desde el amor.

Si no te es posible meterte en el agua, viaja en tu imaginación a una cascada, ponte debajo y siente su fuerza con todos los sentidos. Cuanto más viva sea tu visualización, tanto más fuerte será el efecto purificador, pues tu cerebro no puede distinguir si se trata de la realidad o de una fantasía.

También puedes emitir que eres tan puro y trasparente como un cristal de roca. Sin embargo, no confundas pureza con ascetismo, sino que reconoce que cuanto más puro seas, tanta más alegría profunda podrás sentir. De esta manera desarrollas un cuerpo luminoso brillante y reluciente que te ayuda a encontrar la verdadera plenitud en tu vida. Mi mayor deseo es poder ayudarte en esta tesitura».

Ángel Shushienae: ángel de la pureza
Color del aura: blanco brillante
Gema: ópalo blanco

La verdad del silencio

Mientras escribía este libro tuve que trasladarme durante un tiempo a Niza, a mi querida «Baie des Anges» (bahía de los Ángeles). Este lugar tiene gran importancia para mí, pues allí se produjo en 2004, después de que yo enfermara de leucemia, un verdadero milagro de sanación que he descrito en otro libro. Por tanto, se comprende perfectamente que esta bahía ejerza un gran poder de atracción sobre mi persona. Siempre es un lugar de inspiración para mí, y eso fue también aquella vez.

Una mañana estaba yo sentada junto al mar bajo un sol reluciente, mirando al agua, que brillaba en magníficos tonos turquesa, una visión que nutre profundamente mi alma. Finalmente, decidí meditar junto con el ángel Shushienae para convertirme en un canal puro para los demás mensajes de este libro. Como de costumbre, aspiré profundamente con los ojos abiertos, los fui cerrando a cámara lenta mientras espiraba y di la orden al cerebro de situarse automáticamente en estado zeta.

Con el sonido celestial de las olas que rompían en la orilla se mezclaba un fuerte estrépito de una obra en el paseo que había detrás de la playa. Llamé a Shushienae para que acudiera a mi lado y le pedí que me envolviera en su blanca luz brillante, mientras yo me decía: «Todos los ruidos contribuyen a que tú te relajes todavía más».

Eso fue lo que sucedió: de pronto en mi interior no había nada más que silencio, a pesar del estruendo que me rodeaba. ¡Una sensación maravillosa!

Entonces oí la tierna voz de Shushienae junto al oído:

«La calma verdadera está en ti, no en lo que te rodea. Si en tu interior reina realmente el silencio, también lo hará fuera, al margen del ruido que se oiga allí».

Una vez más me di cuenta de lo importante que es meditar en todas partes. Sólo así aprendemos a guardar silencio incluso en medio del caos y recibir los mensajes que nos son necesarios. Claro que es más fácil guardar silencio en una montaña sagrada de la India, pero normalmente lo que más nos urge son respuestas cuando todo lo que nos rodea parece derrumbarse. Con ayuda del ángel Shushienae es posible: ¡inténtalo!

Acciones para hoy

❧ Ve al agua

Ve junto con el ángel Shushienae al agua y contémplala en silencio. El agua purifica de inmediato todos tus cuerpos, en especial tu cuerpo emocional. Siente cómo te notas cada vez más ligero, lúcido y limpio.

☜ Toma un baño, en casa o al aire libre

Si el tiempo lo permite y en la proximidad tienes un río, un lago o el mar, ve a nadar. Ésta es una de las mejores posibilidades para purificar suavemente todo tu sistema. Mete por favor la cabeza bajo el agua para limpiar todos tus chakras. (La piscina sólo sirve para esto si el agua que contiene no está clorada ni tratada con otros productos químicos).

Sin embargo, si hace demasiado frío para ir a nadar en la naturaleza, métete en la bañera y toma un baño alcalino profundamente purificador, a ser posible con sal del mar Muerto, pues es la que tiene la mayor concentración de minerales y libera las toxinas tanto físicas como psíquicas de tu sistema. También en este caso es importante sumergir la cabeza en el agua para purificar todos los chakras. Y no olvides llamar a Shushienae a que acuda a tu lado.

☜ Trabaja con el Pomander Blanco

Adondequiera que yo vaya, siempre llevo en el bolso el Pomander Blanco de la serie Aura Soma®, que tiene un efecto especialmente purificador sobre la totalidad del aura. Una se siente refrescada y limpia al instante nada más untar el aura. Al mismo tiempo equilibra todos los chakras y protege todo el campo magnético que nos rodea.

Acciones para el futuro

☜ Limpia tus chakras con Shushienae

Con el fin de ser un canal puro para los mensajes de los ángeles (y otros seres luminosos) es imprescindible que purifiques tus chakras regularmente (cada día o al menos varias veces por semana).

Una buena posibilidad consiste en pedir a Shushienae que purifique cada uno de tus chakras de abajo arriba o a la inversa con su brillante luz blanca. Notarás cómo te sientes entonces cada vez más ligero y puro.

Mi marido Hubert también es un fiel seguidor de la «Meditación de Shushienae» de mis «Angel Trance Meditationen» (n.º 12). La escucha cada vez antes de llevar a cabo una Angel Reading para poder ser un canal puro.

Yo, por mi parte, estoy encantada con la esencia de ángel n.º 12 (Shushienae) de los «Royal Remedies» de Roy Martina (www.roy-martina.com) y siempre la llevo encima, pues me ayuda a ser pura y tener las cosas claras.

Afirmación del alma

Antes que nada, pide al ángel Shushienae que te envuelva en su luz de brillante color blanco y respira hondo antes de decir (a poder ser en voz alta):

Elijo mis pensamientos y mis palabras sabiamente para ser puro como un cristal de roca.

Viaje del alma

Antes de empezar, ten preparado algo para escribir, ya que es posible que durante el viaje o inmediatamente después de terminar desees anotar algo.

Aspira hondo con los ojos abiertos y espira lentamente mientras cierras los ojos a cámara lenta y ordenas al cerebro que pase automáticamente al estado zeta. Aspira hondo y espira todo el aire y relájate. Deja correr los pensamientos como hojas que pasan flotando sobre un río y contempla tu interior. Con cada respiración que haces te relajas más y más. Disfruta al notar que cada respiración te purifica y te relajas cada vez más.

Nota, siente, ve o imagina cómo te ves envuelto en la luz blanca más brillante que jamás hayas visto y que muy suavemente impregna todas las capas de tu aura. Percibe cómo tu campo energético se torna cada vez más brillante y luminoso cuando te encuentras en un lugar divino en plena naturaleza. No lejos de ti oyes el murmullo de una cascada. Corres hacia allí y reconoces a un ángel hermosa de aspecto etéreo que se halla junto a la cascada. Es el ángel Shushienae, el ángel de la pureza. Shushienae brilla en el blanco más claro, en el que también te envuelve a ti cuando te rodea con sus alas. La sensación es maravillosa.

Entonces ella te da la mano y te conduce debajo de la catarata, cuya agua es muy especial. Procede de manantiales divinos y tiene un extraordinario efecto curativo y purificador. Lo notas al instante y percibes cómo purifica las capas sucesivas de tu aura. De una forma maravillosa te libera de pensamientos que estaban guardados en tu cuerpo mental y que ya no te son útiles, así como de emociones que estaban desequilibradas.

Con cada segundo que permaneces debajo de la cascada te sientes más lúcido y ligero, pues no sólo purifica todas las capas de tu aura, sino también cada uno de los chakras, hasta que todos relucen en su maravillosa pureza. Se convierten en una columna de luz blanca purísima, que une en sí todos los colores del arcoíris. Apoya esta purificación respirando a un ritmo fluido. Permanece bajo la cascada divina todo el tiempo que te parezca conveniente.

Acto seguido, Shushienae te envuelve en una suave toalla. Te sientes maravillosamente puro y abrigado. Disfrútalo.

Cuando finalmente miras a los ojos de Shushienae lleno de gratitud, en ellos reconoces que tu cuerpo luminoso está más vistoso que nunca.

Ahora únete de nuevo a la madre Tierra, estira las extremidades y el tronco para conectarte plenamente con tu cuerpo terrenal, el templo de tu alma, y abre lentamente los ojos.

Día 22

Amor incondicional y libertad de juicio gracias al ángel Adraniel

Amar para ser amado
es humano,
pero amar tan sólo por el amor
es cosa de los ángeles.

ALPHONSE DE LAMARTINE

«Te saludo, alma querida. SOY el ángel Adraniel. Es para mí una gran alegría envolverte en la frecuencia del amor, de manera que no exista ninguna otra cosa que amor.

Comprende de una vez que tú mismo eres exactamente eso: amor puro e incondicional cuya mirada penetra todos los velos de la ilusión y reconoce la verdad de las cosas, de modo que puede dejar atrás toda valoración y todo juicio. Porque al ser puro amor y ver con los ojos del amor, entiendes la realidad del conjunto y los nexos de orden superior inherentes a todas las situaciones y encuentros. De esta manera, la razón de ser de los juicios de valor se disuelve en un mar de benevolencia.

Cuando te halles en esta conciencia te verás a ti mismo y a los demás con nuevos ojos, pues de pronto percibirás en cada ser humano y en cada ser vivo la belleza, la magia y el amor que hasta ahora permanecían ocultos para ti. Reconoce que mirar con los ojos del amor no significa ser ingenuo, sino indagar en la verdad más profunda que encierran todas las cosas. De este modo te resultará mucho más fácil mantenerte en la frecuencia del amor, convertirte en amor, vivir en amor y ser amor. Con este ánimo te rodeo con mis alas y te sumerjo en el amor omnímodo de lo divino».

Ángel Adraniel: ángel del amor
Color del aura: rosa
Gema: calcita rosada

La calcita rosada

La última noche de la primera «Sesión Internacional de Formación ANGEL LIFE COACH®» en Weiler, Cris, uno de los participantes italianos, se me acercó y me preguntó si le podría ayudar en su apertura del corazón. Cuando finalmente todos estaban ocupados en poner cosas en sus tablones de visiones, me senté junto a él en el suelo e indagué.

«Sabes, Isabelle, ya he probado tantas cosas, he acudido a innumerables sesiones de formación, pero mi corazón no se ha abierto realmente», me dijo con voz triste.

Le miré profundamente a los ojos y vi cómo ascendían diversas imágenes que explicaban por qué le pasaba esto. Antes de decir nada, pregunté a los ángeles qué le aconsejarían. En ese instante percibí claramente la voz del ángel Adraniel, quien me dijo:

«Dale a Cris tu calcita rosada para la meditación de esta noche y que la conserve hasta mañana».

Me quedé estupefacta, pues normalmente nunca me desprendo de mis gemas. Sin embargo, las palabras de Adraniel habían sido tan firmes que no me quedaba otra elección. Además, para entonces ya había aprendido a no contradecir jamás a los ángeles, pues había vivido a menudo en propia carne las consecuencias de no hacerles caso y de actuar al dictado de mi ego. En aquella época ya prefería dejarlo estar.

De modo que fui a buscar mi calcita rosada del altar que habíamos erigido en el estrado y se la entregué a Cris con estas palabras: «El ángel Adraniel me ha dicho que te preste esta gema hasta mañana por la mañana, pues te ayudará a percibir tu corazón y volver a abrirlo poco a poco».

Cris me miró con expresión incrédula: por un lado, porque sabía que no suelo prestar mis gemas, y por otro porque dudaba un poco del poder de la calcita rosada. No obstante, al final me dio las gracias y cogió la piedra. Estuve conversando todavía un rato con él y le informé de diversas cosas sobre su corazón.

Finalmente llegó la hora de canalizar la habitual meditación de manifestación de la última noche. Casi todos los participantes estaban tumbados en el suelo con tu tablón de visiones colocado encima del corazón, cuando los ángeles se pusieron a hablar a través de mi persona. El ángel Adraniel nunca había aparecido antes en una meditación de manifestación, pero esa noche lo hizo. Se notaba realmente cómo se expandía la frecuencia del amor en la totalidad del enorme espacio que ocupábamos y cambiaban las auras de todos los presentes. Cuando volví a abrir los ojos al término de la meditación, el panorama era hermoso.

Desde luego que miré una o dos veces a Cris y enseguida supe que algo había cambiado en él.

Antes de despedirme y dar las buenas noches a todo el mundo, se me acercó y me abrazó con fuerza. «Es increíble, pero llevaba la calcita todo el rato en la mano izquierda y noté realmente como mi chakra del corazón ha estado trabajando durante la meditación. ¡Una sensación fantástica! ¡Mil gracias!».

A la mañana siguiente me devolvió la gema y me expresó su gratitud con solemnidad: «Has cumplido la promesa que me hiciste el primer día; tienes razón, este curso es distinto. Es la primera vez que vuelvo a casa completamente trasformado. ¡Gracias!».

La fuerza del amor

Un día un amigo me hirió con vehemencia en varios aspectos, lo que me desequilibró totalmente, cosa que no me ocurre con demasiada frecuencia. Tuve que abandonar de inmediato la casa en la que recibí la noticia, y con las lágrimas corriéndome por toda la cara estuve deambulando sin rumbo por las calles.

Finalmente me acordé del ángel Adraniel y de la fuerza del amor. Pedí a Adraniel que me envolviera en su intensa luz rosa del amor y respiré hondo varias veces: por un lado, para absorber la luz en mi interior y, por otro, para soltar el dolor. Noté al instante cómo se me caía un peso del corazón y me sintonicé de nuevo con la frecuencia del amor.

Cuando al cabo de una hora y media más o menos volví al punto de partida, estaba de nuevo plenamente en paz con el mundo y también con aquel amigo, pues era capaz de ver con los ojos del amor.

Durante mi ritual diario al final de la tarde constaté que ni siquiera había nada que perdonar, pues con la ayuda de Adraniel yo había dejado atrás tanto la herida como cualquier juicio de valor. Una vez más fui consciente de que el amor siempre es la respuesta ante cualquier cosa que nos suceda, pues es capaz de sanar todo, realmente todo. Por supuesto que toda la situación creada se superó pacíficamente. ¡¿Cómo podría ser de otra manera?!

Mi encuentro con el ángel Adraniel

Mi amiga Heike, que también es ANGEL LIFE COACH®, experimentó una rápida trasformación con el ángel Adraniel.

El día de mi cumpleaños tuve que trabajar hasta muy tarde, de manera que no tenía tiempo para celebrar. Por tanto, quedé para el día siguiente con mi pareja, Boris, y una de mis mejores amigas en el salón de té que más me gusta, donde también preparan platos veganos. El año pasado había celebrado mis cuarenta con una gran fiesta, y por tanto en esta ocasión quería hacer algo más íntimo. Debido a que mi amiga Catharina tenía que trabajar hasta tarde, tuvimos que quedar apenas una hora antes de que cerraran las tiendas. Pedimos primero té y poco después algo que comer. La camarera nos informó amablemente de que el arroz japonés mochi se había agotado y que sólo les quedaba arroz basmati. Eso no fue ningún problema para nosotros. Seguimos bebiendo un buen té, conversando animadamente y yo me sentía feliz.

Al cabo de un rato observé que una señora que había llegado más tarde que nosotros ya estaba comiendo. La conozco, pues es la propietaria de una tienda de cosméticos naturales que hay en la zona. Me sentí tratada un poco injustamente. «¿Acaso ella es más importante por ser tal vez cliente asidua? ¿Será por eso que le dan preferencia?», pensaba yo.

Ya estaba emitiendo juicios de valor y notaba cómo mi ego estaba dando con las espuelas. «No hay derecho, justo el día de mi cumpleaños me hacen eso. ¿Acaso no se han dado cuenta de que es mi cumpleaños? Hay tres camareros para todo el local, y entre los tres no son capaces de traernos puntualmente nuestra comida».

Que se encendiera mi ego era lo último que quería yo que sucediera en aquella cena con mis invitados. Por tanto, no hice caso de sus quejas y decidí conservar la calma. Ahora bien, en mi fuero interno se instaló una sensación ambivalente que no lograba erradicar.

Como se estaba haciendo tarde, dije intranquila a mis compañeros de mesa: «Pues sí que nos hacen esperar hoy con la comida. ¿No creéis que deberíamos decirles algo?».

Cuando finalmente llamamos a la camarera, ésta dijo: «Ahora ya es muy tarde para encargar comida, pues estamos a punto de cerrar. Además, lo que queréis comer se ha acabado».

Nosotros juramos y perjuramos que ya habíamos encargado la comida hacía bastante rato y que ella misma nos había informado de que ya no quedaba arroz japonés. Incluso un señor de la mesa de al lado intervino para corroborar que lo que decíamos era cierto. La camarera se vio en un aprieto: dijo que no lo recordaba y pidió disculpas, pero eso no resolvía el problema de que el establecimiento iba a cerrar de un momento a otro y de que ya no quedaba comida.

De repente me sentí muy frustrada y noté cómo la rabia me apretaba el cuello e incluso salían lágrimas de mis ojos. Mi ego insistió: «Yo ya sabía que eso no iba bien». Y la niña frustrada que llevo dentro también tomó la palabra: «A la otra señora le han dado lo que me correspondía a mí. ¡Si es el día de mi cumpleaños! ¿Por qué no me lo he merecido?».

Noté que el viejo tema de que otros reciben y yo no me desbordaba y reconocí mi tristeza ante Boris y Catharina. Ahora quise que este sentimiento se manifestara para examinarlo, pues en ese momento tenía la posibilidad de trasformar ese antiguo complejo.

Durante la instrucción para ANGEL LIFE COACH® por parte de Isabelle había oído que el ángel Adraniel podía ayudarme a este respecto, de modo que le pedí que inundara mi corazón con su maravillosa luz rosa: había que superar de una vez por todas ese complejo de salir siempre con las manos vacías y el hecho de encontrarme una y otra vez en situaciones que me ponían el tema delante de las narices y rebajaban mi valía personal. Así que me abrí al ángel Adraniel con el propósito de que esto ocurriera ahora, aunque yo estaba sentada en un salón de té y entre nosotros había un poco de nerviosismo.

De inmediato noté cómo mi corazón agarrotado se abría y empezaba a vibrar. Las ondas que emitía me llegaban incluso hasta el cuello, donde estaba enquistado mi complejo, y lo aflojaron. Conseguí respirar hondo y tranquilizarme. Un amor incondicional me invadió el corazón y me ablandé totalmente en mi actitud hacia mí misma, la mujer de la otra mesa e incluso la camarera. Mi niña interior se calmó de inmediato. Todo esto ocurrió en un abrir y cerrar de ojos. Aliviada di las gracias al ángel Adraniel. Conectada con el amor incondicional, yo ya no podía estar enfadada con la camarera. Era totalmente imposible, pues cualquier juicio de valor quedaba muy lejos.

Ahora teníamos que decidir rápidamente adónde queríamos ir para que nos dieran algo de comer. Yo tenía claro que no quería ir a cualquier sitio, pues con motivo de mi aniversario quería cenar absolutamente en plan vegano. Lo hablamos y propuse otro establecimiento que estaba en la misma calle. Entonces intervino de nuevo el hombre de la mesa de al lado, que se había enterado de que estábamos celebrando mi cumpleaños y de que queríamos tomar comida vegana: «El Kopfeck es una taberna de estudiantes. Yo os recomendaría más bien el Max Pett, que tiene más categoría. Con mucho gusto os acompaño hasta allí».

Reflexioné un instante: quería comer algo rápidamente, pero no gastar mucho dinero, pues mi economía no era boyante. Aun así, no tuve que pensarlo mucho: el día de mi cumpleaños me merecía gastar dinero en mí misma. Al parecer eran dos lecciones de golpe las que debía de aprender yo ese día…

Pagamos y me regalaron un trozo de pastel, para compensarme por el mal trago.

Nuestro vecino Joachim nos condujo finalmente al Max Pett. Resulta que él es miembro de la comunidad vegana de Múnich. De paso nos enteramos de que hay un local cerca de la estación central que vende *döner* vegano.

Esa noche acabamos, por tanto, celebrando mi cumpleaños en un país de jauja vegano y yo estuve flotando sobre una nube de amor incondicional. Fue maravilloso. Gracias a los ángeles y especialmente a ti, ángel Adraniel.

Acciones para hoy

✎ Absorbe amor incondicional cuando respiras

Decide conscientemente absorber amor incondicional cada vez que aspiras y desprenderte de todo juicio de valor cada vez que espiras. Por tanto, aspira amor incondicional y espira todo juicio de valor.

Hazlo siete veces seguidas y repite este proceso conscientemente como mínimo otras tres veces a lo largo del día, de manera que al final hayas efectuado 28 respiraciones con este propósito. Por supuesto, es aconsejable realizar este ejercicio en días posteriores: es muy eficaz y cambia al instante tu vibración.

✎ Encuentra una calcita rosada

Pocas veces he encontrado una gema cuyo efecto se note con tanta rapidez. Cuando alguna vez me han sacado de mis casillas, basta con que la tome en la mano izquierda, cierre los ojos y respire hondo tres veces para volver a sintonizar con la frecuencia del amor y sentirme de nuevo llena de amor. Se percibe perfectamente cómo esta piedra maravillosa cambia en pocos minutos la frecuencia de la persona que la lleva en la mano.

En el nombre del ángel Adraniel te aconsejo, por consiguiente, que te busques una calcita de color rosa.

✎ Mira con los ojos del amor

Contempla a un bebé o a un animalito mono (también sirve una foto) y percibe el amor incondicional que surge en tu interior. ¡Disfruta de esta sensación!

Acto seguido, contempla a tu peor «enemigo» y ve en él a un niño igual de mono e inocente. Tómate el tiempo que haga falta. Verás que de pronto te resulta muy fácil mirarle también a él con los ojos del amor.

✎ Abre tu Alto Centro del Corazón al amor incondicional

Acude a tu espacio de silencio, tu espacio de paz, tu santuario. Puede que sea un lugar que ya conoces, o un sitio creado por ti con ayuda de la fantasía. Llama al arcángel Miguel a tu lado y ten la certeza de que estás completamente seguro y protegido.

Percibe ahora tu espacio paradisiaco con todos los sentidos. Nota el suelo bajo tus pies, escucha los sonidos que te llegan, disfruta de los aromas y el magnífico entorno que se muestra a tus ojos.

Pide ahora al ángel Adraniel que se acerque y te envuelva en su intensa luz de color rosa. Respira hondo para absorberla totalmente.

Acto seguido, Adraniel envía su amor puro, sobrenatural, a tu Alto Centro del Corazón, que se halla a la altura del timo, para abrirlo cada vez más al amor incondicional, de manera que cada vez te resulta más fácil dejar atrás todo juicio de valor. Respira hondo conscientemente tres veces seguidas para unirte completamente a este amor.

Después di estas palabras (preferiblemente en voz alta) mientras aspiras: «*SOY...*» y mientras espiras: «*... amor puro*». Repítelo por lo menos tres veces.

Envía ahora este amor a tu vida cotidiana, a todas las personas que se cruzarán en tu camino, a todas las situaciones que puedan producirse, en suma, a todo el mundo. Contempla y siente cómo la fuerza del amor lo trasforma todo.

Finalmente, respira hondo otras tres veces, estira las extremidades y el tronco para volver plenamente a tu cuerpo y abre los ojos.

✑ Disfruta los abrazos de corazón a corazón

Para percibir más amor resulta maravilloso abrazar a otras personas de corazón a corazón. Esto significa que debes entregarte plenamente al abrazo, pues es necesario que vuestros chakras del corazón se toquen. Tampoco se trata de dar golpecitos en la espalda al otro mientras le abrazas, sino que has de guardar silencio y los dos debéis respirar hondo tres veces. Comprobarás cuánto amor se genera de esta manera.

Durante uno de estos abrazos se segrega oxitocina (también llamada «molécula del amor»), como señaló el bioquímico y autor inglés David R. Hamilton en su alocución durante la conferencia

«I CAN DO IT®» en Londres en septiembre de 2010. Esto explica también desde el punto de vista científico por qué nos sienta tan bien que nos abracen de esta manera.

A la luz de mis experiencias en los cursos de instrucción de AN-GEL LIFE COACH® puedo confirmar también que el ambiente cambia mucho cuando incluyo estos abrazos en la actividad durante el curso.

De modo que conviene que empieces hoy mismo y abraces por lo menos a una persona de corazón a corazón.

Afirmación del alma

Pide antes que nada al ángel Adraniel que te envuelva en su intensa luz de color rosa y respira hondo. Después di (preferiblemente en voz alta) estas palabras:

Decido ser y vivir cada vez más amor. Porque el amor siempre es la respuesta, cualquiera que sea la pregunta, el reto.

Viaje del alma

Antes de empezar, ten preparado algo para escribir. Es posible que durante el viaje o inmediatamente después de terminar desees anotar algo.

Aspira hondo con los ojos abiertos y espira lentamente mientras cierras los ojos a cámara lenta y ordenas al cerebro que pase automáticamente al estado zeta. Aspira hondo y espira todo el aire y relájate. Deja correr los pensamientos como pajarillos que pasan volando. Limítate a observar y no retengas nada mientras te relajas cada vez más. Disfruta notando tu respiración, que te llena de energía vital y relájate más y más.

Siente, ve o imagina cómo te envuelve una intensa luz de color rosa que te sintoniza de inmediato con la frecuencia del amor. Nota cómo esta luz acaricia suavemente tu aura y tu cuerpo físico. Respira hondo y absórbela totalmente en tu interior. La sensación es maravillosa y te relajas todavía más.

Ahora la luz suave y al mismo tiempo fuerte invade todo tu cuerpo hasta la última de las células, de manera que todas ellas comienzan a vibrar en la frecuencia del amor. De este modo vuelves a estar unido a tu modelo divino, tu verdadera esencia, que no es otra cosa que amor puro. Nota cómo todo tu ser palpita en la energía del amor, cómo emites ondas de amor a todo el universo.

De repente te das cuenta de que te hallas encima de una especie de peñón, desde el cual tienes una vista impresionante sobre un océano que brilla en todos los tonos turquesa. Lleno de emoción disfrutas del magnífico panorama cuando a tu lado aparece un hermoso unicornio blanco como la nieve que te mira a los ojos, y tú no ves en ellos más que el amor más puro e incondicional. Notas cómo la frecuencia del amor en tu interior aumenta todavía más.

Entonces, el unicornio dobla las rodillas para que puedas montar más fácilmente sobre su lomo y tan pronto estás sentado en su grupa extiende sus enormes alas blancas y ambos emprendéis el vuelo. Es una sensación increíblemente liberadora volar de esta manera sobre el océano brillante, pues a tu alrededor y dentro de ti se despliega una extensión infinita que hace que te sientas completamente libre.

Al cabo de un rato, el unicornio pone rumbo hacia una isla paradisiaca que se halla en medio del océano. Aterrizáis suavemente en uno de los lugares más bellos que has visto jamás. Estás rodeado de una vegetación exuberante, tan hermosa que no hay palabras para describirla ni por aproximación. Disfruta mientras miras en derredor, y nota cómo se expande cada vez más amor en tu interior.

Entonces aparece ante tus ojos un hermosísimo ángel de aspecto juvenil, envuelto en la luz de color rosa más brillante que hayas visto jamás. Es el ángel Adraniel. Te abraza con sus alas sedosas y tú no sientes más que amor puro e incondicional. En este abrazo celestial, Adraniel abre tu Alto Centro del Corazón de una forma mágica, de manera que en adelante te resulta cada vez más fácil sentir amor incondicional por todo y por todos y dejar atrás, por tanto, cualquier juicio de valor. Disfruta de esta sensación y de la felicidad de saber que todo, realmente todo, se puede superar, resolver y sanar con amor.

No existe nada más que amor en tu interior y tu entorno cuando Adraniel te conduce a un sagrado trono de piedra. Mientras tomas asiento, Adraniel despliega ante tus ojos una visión de lo que ha sido tu vida hasta ahora y te pide que envíes amor a todas partes. Percibes literalmente con tus propios ojos cómo tu vida se trasforma en muy poco tiempo en todos los planos a base de amor.

Acto seguido, Adraniel te pide que envíes este profundo amor a todas las personas y seres vivos, océanos y plantas, minerales y piedras, en suma, a todo lo que existe. Y de nuevo puedes ver cómo todo se torna positivo con ayuda del amor. Reconoces en la visión que te muestra Adraniel ante tus ojos que basta con que una fracción de la humanidad viva en esta frecuencia vibracional del amor incondicional, día tras día, para que haya paz en la Tierra. En ese instante decides hacer todo lo posible por ser una de esas personas. Envías la intención al universo de ser cada vez más amor con ayuda de los ángeles, de vivir el amor. Ahora respira hondo tres veces para afirmar esto en tu interior.

Lleno de profunda gratitud le das las gracias al ángel Adraniel con un fuerte abrazo antes de subir de nuevo a la grupa del unicornio para volver a casa volando.

Llegados a destino, desciendes suavemente del lomo del unicornio, le das las gracias abrazándole de todo corazón; ahora no eres más que amor puro. Estira las extremidades y el tronco y vuelve a conectar tus pies con la madre Tierra. Respira hondo una vez más y abre lentamente los ojos.

Día 23

Adquiere clarisensibilidad con el arcángel Ragüel

Una palabra que te haya puesto un ángel
en el corazón
es más saludable para el alma que mil palabras
que te hayan llegado de fuera a través del oído.

JAKOB LORBEER

«Te saludo, alma querida. SOY el arcángel Ragüel. Hay pocos momentos en la vida en los que no sientes nada. Aunque te parezca que estás aislado de tus sentimientos, percibes algo, estás triste, furioso, confuso, frustrado, indiferente, satisfecho, feliz, entusiasmado o algo por el estilo. Esto no podría ser si realmente carecieras de sentimientos. Por ello te ruego, en nombre de tu clarisensibilidad, que prestes más atención a ti mismo y a tus estados de ánimo, pues éstos contienen más mensajes de nosotros, los ángeles, que de lo contrario no te llegarían.

Percibe las reacciones de tu cuerpo en presencia de otras personas y reconoce su verdadera personalidad. De este modo te ahorrarás muchas penas.

261

También es tu sensibilidad la que te muestra en forma de sensaciones qué aspectos de tu vida requieren todavía un tratamiento adecuado. Pero no se trata solamente de esto. A menudo son también tus sensaciones las que te muestran el camino a seguir. Escucha sus mensajes con atención y actúa en consonancia con ellos. De este modo reconocerás qué obsequio contiene tu sensibilidad».

Arcángel Ragüel: ángel de la clarisensibilidad y de la armonía en las relaciones
Color del aura: azul celeste/colores de acuarela
Gema: aguamarina

Cómo Ragüel se convirtió en mi acompañante inseparable

Melanie, quien participó en uno de mis talleres, me contó la siguiente historia:

Todo empezó en Calabria en junio de 2010. Emprendí el viaje junto con mi pareja de entonces. Fue un periplo de tristeza, de separación, de lucha, pero también de amor infinito. Poco antes de partir, la esposa de mi jefe me recomendó el libro de Isabelle *Die Engel so nah*, que me acompañó durante todo el viaje, y a pesar de los graves problemas que había entre mi compañero y yo, durante todo ese tiempo mantuve una calma infinita. Notaba y sentía simplemente que todo está bien tal como es. Si bien durante todos los años anteriores los ángeles estaban presentes en mi vida, yo no era capaz de percibirlos ni sentirlos. El libro de Isabelle y ella misma fueron la llave que me abrió la puerta de mi espiritualidad, de acceso a los ángeles y a los seres luminosos. Hoy en día sé que el arcángel Ragüel ya estaba a mi lado durante el viaje a Calabria y me apoyaba constantemente.

La relación con mi pareja había sido desde el principio bastante tensa, pues nuestra felicidad había sido contaminada por la envidia y la malquerencia. El gran amor entre nosotros no pudo florecer nunca del todo, aunque estaba allí desde el principio. A pesar de las muchas separaciones, siempre volvíamos a juntarnos, y yo sentía desde que le conocía que él era mi pareja del alma.

Gracias al libro de Isabelle y a su historia, mis sentidos se abrieron y aguzaron durante el viaje. De pronto, yo era capaz de percibir y sentir cosas de las que hasta entonces ni siquiera sabía que existieran. Por ejemplo, cuando hicimos un periplo en barca por las islas Eólicas, sentí de repente la necesidad de subir con mi compañero a la cubierta. Le agarré de la mano y salí con él por la puerta corrediza. Y allí estaban: dos hermosos delfines. Saltaban en el agua directamente delante de nuestros ojos. El espectáculo no duró más que unos cuantos segundos, y nosotros fuimos los únicos que pudimos verlo. En la barca iban más de 60 personas, es decir, estaba llena de pasajeros, pero aquellos dos seres cariñosos y hermosos sólo se mostraron a nosotros dos. En aquel instante entendí claramente el porqué: era un mensaje del ángel Ramaela. Si el arcángel Ragüel no me hubiera llamado la atención, yo no habría percibido el mensaje de Ramaela. En ese momento ya tuve claro que todo seguía su curso y se hallaba sometido a un orden divino. Lo único que hay que hacer es intentar mirar a través del velo de la ilusión y ya aparece la «verdad» verdadera. Y justamente por esa razón yo ya sabía entonces que nuestra relación no resistiría en aquella época. Sentí claramente que habíamos llegado a un punto de saturación y que debíamos recorrer a solas una parte del camino de nuestras vidas. Así que sucedió lo que tenía que suceder: a comienzos de octubre de 2010 nos separamos.

Hoy en día sé que el arcángel Ragüel se dedicó intensamente a mi persona en aquella época, pero a pesar de ello no fui capaz de percibirlo hasta algunas semanas después.

Durante las primeras semanas que siguieron a la separación, mi ego se plantó delante de mí como un oso grande y no me dejaba seguir adelante. Caí en la autocompasión y me sentía como la niña más pobre y mísera del planeta. Aparte de dos maravillosas amigas y los vecinos más cariñosos del mundo, me parecía que estaba completamente sola. Había roto todo contacto con mi familia, ya no tenía pareja y habitaba en un piso de 80 metros cuadrados por el que pagaba 1.100 euros de alquiler al mes.

Pero así tenía que ser. De pronto emergió en la superficie mi yo más interno y el arcángel Ragüel logró ponerse en contacto conmigo. Me di cuenta de inmediato de que estaba inmersa en un proceso de autodescubrimiento, de autoestima y de maduración. Nadie me dijo qué tenía que hacer y qué no tenía que hacer. Por fin pude dedicarme enteramente a mí misma y conversar con los ángeles. Aparté al oso a un lado y comencé de nuevo a sentir. Sentí el amor, sentí que siempre tendría suficiente que comer, sentí el orden divino.

Y hete aquí que de pronto se abrió una puerta tras otra. Clientes asiduos me propusieron tutearnos y me invitaron a comer. Curiosamente, la mayoría de estas personas amables se hallaban en el mismo camino que yo (asesores vitales, médiums, astrólogos, etcétera).

También había algunas cuyos caminos volvieron a separarse del mío al cabo de unos meses. Sin embargo, ésta fue la única manera de aprender a confiar en mis sentimientos y en el corazón. Lo sentí simplemente: estaba preparada para dar los pasos siguientes.

Así se produjo mi primera visión, pues de pronto era capaz de ver y notar los signos. Poco antes de la Nochevieja me desperté por la mañana en mi cama y sentí que tenía que visitar la tumba de mi abuelo. He de decir que desde el entierro, hacía 20 años, no había vuelto a ir. Así que en plena Nochevieja fui al cementerio armada con una linterna. ¡Antes ni siquiera habría salido de casa a esas horas! De pronto sentía una confianza absoluta. Simplemente sabía que no pasaría nada. El ambiente en el cementerio era celestial: en todas partes ardían velas y para mi sorpresa había mucha gente. Junto al portal del camposanto pedí al arcángel Chamuel que me mostrara el camino y me puse en marcha.

Al cabo de un rato reapareció mi ego; yo quería acabar con todo eso, pero de repente me hizo una zancadilla y caí en algún lugar entre las tumbas. Mi sentimiento me había dicho todo ese tiempo que ése no era el buen camino, pero mi ego se interpuso como un gran oso. Noté directamente cómo Ragüel y Chamuel se hallaban delante de mí y me miraban burlonamente mientras yo yacía allí entre las tumbas, como si me preguntaran por qué no creía en mis sentimientos ni confiaba en ellos dos.

Así que me levanté como pude y les pedí disculpas, y hete aquí que al cabo de poco encontré la tumba de mi abuelo. Estaba emocionada y me sentía guiada por una mano milagrosa. Me habría gustado pasar toda la Nochevieja en el cementerio.

Desde aquel instante, mi abuelo me ha enviado continuamente señales. Cada vez descubría yo algo nuevo y sentía el orden divino. Una vez, una ardilla me acompañó en el cementerio durante todo el camino hasta la tumbas de mi abuelo, como si quisiera decirme: «¡Eh, tú, que todo está en orden! ¡Siente simplemente y confía!».

He de decir a este respecto que las ardillas me han acompañado a lo largo de toda mi vida y que siempre han estado y siguen estando presentes, particularmente en los tiempos difíciles, como por ejemplo durante la relación con mi pareja. Estos animales se nos han manifestado una y otra vez, con motivo de las peores disputas o de las vacaciones más hermosas. Siempre estaban allí. Uno de nuestros lugares energéticos era la Gruta de la Virgen en Trudering, donde una puede casi pasar la mano sobre la cabeza de las ardillas. También ahora voy a menudo a este lugar para «cargar las pilas» y sentir el amor, pues el amor sigue estando allí. Incluso con más fuerza que antes, por mucho que en estos momentos cada uno vaya por su camino y tenga que acumular experiencias. También esto lo siento con toda claridad.

Pocas semanas después recibí otra señal: una mañana me desperté sintiendo que había llegado el momento de escribir historias de arcángeles para niños. El primer cuento urgía, pues mi «casi sobrino» Lucas, hijo de mi amiga, sufría insomnio desde hacía semanas y tenía a sus padres al borde de la desesperación. Se despertaba por la noche bañado en sudor y sentía un miedo terrible a la oscuridad. Puesto que sólo tenía un año y medio, las explicaciones no servirían de mucho. Yo sentí que era mi misión quitarle ese temor, de modo que durante una meditación escribí la historia de Lucas y los arcángeles Ariel, Rafael y Chamuel.

Al día siguiente tuve la necesidad de ir a Ikea, pues me pareció que debía comprar algunas cosas para la habitación de Lucas con los colores de los arcángeles. Y a pesar de que en el aparcamiento de Ikea una furgoneta chocó contra mi coche, estaba interiormente tan tranquila que hasta yo misma me quedé asombrada. Percibí la emergencia de la situación, de modo que ni siquiera el capó abollado me distrajo de mi tarea.

Nada más entrar encontré un dosel para su cama que tenía forma de hoja de color verde claro, una lámpara que imitaba a una luciérnaga de color verde aún más claro, una rana que servía de estante de pared y una manta de color verde oscuro (para Rafael). Me agencié un pequeño león de peluche que ruge cuando se le oprime el vientre y fijé en su interior un cuarzo rosado. Con ayuda de los ángeles purifiqué todos estos objetos y los cargué con sus maravillosas energías.

Notaba con toda claridad que primero tenía que ahumar el cuarto de Lucas antes de colocar las cosas. Durante la operación se me manifestó el difunto bisabuelo de mi amiga. Le pedí de corazón que entrara en el cilindro de luz dorada y que se fuera al más allá. Cosa que hizo amablemente. Después colocamos con Lucas los regalos en su habitación.

A partir de la segunda noche, el pequeño ya durmió de corrido sin despertarse y a la noche se acostaba voluntariamente. Desde entonces, el león de peluche ruge como uno de verdad y se ha convertido en acompañante imprescindible del niño.

Hoy sé que mi sensibilidad no sería la misma si mi vida hubiera sido más sencilla. Es probable que nunca hubiera percibido a Ragüel y los demás ángeles. Así que tal como han ido las cosas, ahora puedo escribir esta historia, estoy rodeada de personas cariñosas y llevo una vida rica en emociones, una vida como dicta el amor y desean los ángeles. La vida es maravillosa, aunque en realidad sólo percibamos de veras alrededor del 4% de ella. Sólo apartando a un lado al propio ego y confiando en los ángeles entenderemos el orden divino y comprenderemos el 96% restante. Yo al menos lo intentaré pase lo que pase, y quién sabe adónde me llevarán todavía la vida y los ángeles.

Reflexión

Recuerda que tu cuerpo es la herramienta más maravillosa que te sirve de oráculo, pues lo tienes siempre a mano. Es como un barómetro sagrado que gracias a su sensibilidad recibe mensajes para ti. Por eso es tan importante que aprendas a interpretar las señales del cuerpo –como la piel de gallina, la presión en el estómago, la sensación de ahogo en el cuello, etcétera–, pues la piel de gallina, por ejemplo, no significa lo mismo en todas las personas. Algunas se ponen a temblar visiblemente cuando alguien manifiesta una verdad profunda, mientras que otras experimentan esta misma reacción cuando alguien miente.

Presta atención asimismo a cómo reacciona el cuerpo cuando conoces a una persona. También se trata de un mensaje que percibes por el canal de la clarisensibilidad.

Es importante no menospreciar la clarisensibilidad frente a la clarividencia y la clariaudiencia, pues en realidad es el canal a través del cual recibes la mayoría de mensajes, aunque quizá (todavía) no seas consciente de ello.

Acciones para hoy y el futuro

⊛ Atiende a tus sentimientos
Pide al arcángel Ragüel por la mañana que te envuelva en su luz de color azul celeste y respira hondo para absorberla. Acto seguido, pide a los arcángeles Aniel y Miguel que te envuelvan en su luz pla-

teada y dorada, de manera que la esencia de tu alma y todos los demás planos de tu persona queden protegidos, que se equilibren tus lados masculino y femenino y se sincronicen tus hemisferios cerebrales. Vuelve a respirar hondo para absorber plenamente la luz.

Envía ahora tu intención del día de percibir tus sentimientos y las reacciones del cuerpo para reconocer los mensajes que encierran.

✍ Huele el perfume de rosas

El perfume o aceite esencial de rosas contribuye a abrir aún más el chakra del corazón, el canal de la clarisensibilidad. Si no tienes rosas y aceite esencial de rosas en casa, busca al menos una rosa aromática de color rosa y olfatéala regularmente; ha de ser de color rosa porque el color también contribuye a seguir abriendo el chakra del corazón (el chakra que está relacionado con la clarisensibilidad).

✍ Reduce el consumo de azúcar y alcohol

Asegúrate de no tomar mucho azúcar, pues todo exceso del mismo falsea la percepción clarisensible, ya que en el cuerpo se trasforma en alcohol. Ten en cuenta que numerosos alimentos contienen azúcar y por eso es importante que antes de comprar nada leas atentamente la etiqueta de ingredientes.

✍ Emite instrucciones claras y protégete con la ayuda de los ángeles

Casi durante toda la vida me he sentido arrollada por los sentimientos que percibía en presencia de otros. Hasta hace pocos años no sabía que la «culpa» la tenía mi canal de la clarisensibilidad. Especialmente en los exámenes y conciertos de piano me resultaba muy molesto percibir los pensamientos y las emociones de los oyentes con tanta claridad que, a veces, tenía dificultades para concentrarme en las piezas que estaba tocando.

Sólo desde que sé que puedo controlar mi clarisensibilidad atenúo o refuerzo este canal y lo conecto o desconecto. Te recomiendo de todo corazón que también lo hagas. ¡Tú decides!

Antes siempre pensaba: «Soy simplemente demasiado sensible para poder protegerme», y por eso había épocas en que no podía salir de casa porque percibía físicamente los pensamientos y sentimientos de otras personas hasta el límite de lo soportable. Hoy en día sé que las personas utilizamos a menudo este «don» para sentirnos especiales. En realidad, no es más que una idea que tenemos grabada a la que nos aferramos para no tener que cambiar nada, pues puede ser una buena excusa en muchas situaciones.

Si crees realmente en el poder de los ángeles, no existe la menor duda de que el arcángel Miguel y también la arcángel Aniel pueden protegerte para que aprendas a ser sensible y al mismo tiempo a estar protegido. Lo único que tienes que hacer es decidirte y hacer caso omiso de tu ego, que te quiere convencer de que eres especial.

Si después siguen produciéndose situaciones en que has de luchar con tu clarisensibilidad, muéstrate agradecido, ya que de esta manera se te manifiestan cosas que todavía tienes que afrontar, pues aún no las has trabajado suficientemente. Ten en cuenta que los temas se resuelven por tandas, como las capas de la cebolla.

Afirmaciones del alma

Antes que nada, pide al arcángel Ragüel que te envuelva en su luz de color azul celeste y respira hondo; después recita (a ser posible en voz alta) las siguiente frases:

Mi cuerpo y mi chakra del corazón son mis mejores herramientas que me sirven de oráculo.
Sentir es seguro para mí.
Soy sumamente clarisensible.
Domino mi clarisensibilidad.
Puedo conectar y desconectar mi clarisensibilidad en todo momento.

Especialmente al hacer estas afirmaciones te recomiendo golpear alternativamente con el puño de una mano contra la palma de la otra dos o tres veces seguidas, y que lo hagas lo más rápidamente posible para fijar las afirmaciones en tu sistema. Finalmente, respira hondo tres veces.

Viaje del alma

Antes de empezar, ten preparado algo para escribir. Es posible que durante el viaje o inmediatamente después de terminar desees anotar algo.

Aspira hondo con los ojos abiertos y espira lentamente mientras cierras los ojos a cámara lenta y ordenas al cerebro que pase automáticamente al estado zeta. Aspira hondo y espira todo el aire y relájate.

Deja correr los pensamientos como hojas que pasan flotando sobre un río y contempla tu interior. Disfruta al notar la respiración que te purifica y te nutre cada segundo de tu vida y te une a la respiración de Dios y de los ángeles. Percibe cómo con cada respiración que llevas a cabo te relajas cada vez más.

Ahora ve cómo aparece a tu lado un ángel hermosísimo que te envuelve en su luz de color azul celeste. Reconoces en él al arcángel Ragüel y en su presencia te sientes de inmediato seguro y amparado.

Nota cómo la tierna luz invade todas las capas de tu aura y de tu cuerpo y te une cada vez más a tus sentimientos. La sensación es maravillosa.

De pronto, percibes el aroma incomparable de unas rosas en la nariz y te das cuenta de que te hallas junto con Ragüel en medio de una espléndida rosaleda. Estás rodeado de rosas de todos los colores y matices, que contribuyen con su perfume embriagador a que te relajes todavía más. ¡Disfrútalo!

Entonces el arcángel Ragüel te toma de la mano y te conduce a un círculo sagrado de piedras que hay en el centro de la rosaleda. Cuando penetráis en el círculo, sientes que tu frecuencia aumenta y todo tu ser comienza a vibrar.

Ragüel te pide que te tumbes en el centro del círculo de piedras sobre un lecho de pétalos de rosa de color rosa. Así lo haces y notas cómo el intenso aroma que asciende de las flores te traslada a un estado superior de la conciencia.

Te da la sensación de que estás flotando sobre la Tierra cuando Ragüel se inclina sobre ti y se pone a trabajar tu chakra del corazón. Muy suavemente disuelve antiguos sentimientos que ya no te sirven y percibes cómo el corazón se te ensancha cada vez más. Te invade una profunda sensación de felicidad.

Finalmente, Ragüel activa los sensores clarisensibles de tu organismo, de manera que a partir de ahora te resultará mucho más fácil percibir los mensajes clarisensibles directamente como tales. Es posible que en ese instante recibas mensajes. Presta atención.

Al cabo de bastante rato, Ragüel te pide que te levantes del lecho de flores y abandones con él el sagrado círculo de piedras. Percibes una profunda trasformación en tu interior cuando sales del círculo. Tus sentimientos se han vuelto más claros, de modo que ahora puedes interpretar sus mensajes con buen ánimo, soltura y alegría.

Respira hondo tres veces para afirmar en tu interior lo que acabas de vivir. Toma contacto con el suelo, percibe bajo tus pies las raíces que alcanzan hasta el centro de la Tierra. Estira las extremidades y el tronco para volver lentamente al aquí y ahora y abre los ojos.

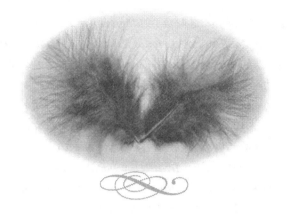

Día 24

Clarividencia con la arcángel Aniel

Si no lo hubiera vivido yo misma,
no creería posible que la visión de los ángeles
pudiese regalarnos tanta felicidad.

ANGELA VON FOLIGNO

«Te saludo, alma querida. SOY la arcángel Aniel. Es sumamente importante que en estos años de cambio de época entres en contacto progresivamente con la fuerza de lo divino-femenino y de tu lado femenino, independientemente de que seas hombre o mujer. Porque sólo de esta manera todas las capacidades suprasensoriales que has adquirido a lo largo de numerosas encarnaciones vuelvan a salir a la superficie. Al leer estas líneas puedes estar seguro de que alguna vez has vivido en Lemuria, la Atlántida, Egipto y/o Avalón, pues los recuerdos de estas encarnaciones, ocultos únicamente tras un fino velo, esperan ser resucitados y te conducen de una forma mágica una y otra vez a los lugares, las personas y los conocimientos idóneos.

Para recuperar tu visión interior y tu clarividencia te ruego que en adelante te retires regularmente del mundo, pues es la única manera de que tus visiones internas no se vean tapadas por las imágenes del mundo y malinterpretadas. En estos períodos de retiro, conéctate, cada vez que te parezca posible, con la energía de la Luna, que simboliza la energía femenina, saliendo a la noche y absorbiendo la luz de la luna. En particular la intensa frecuencia de las noches de luna llena te ayudará a abrirte y prepararte para las frecuencias luminosas cada vez más altas que penetran ahora hasta la Tierra. Pídeme en esas luminosas noches de luna llena que dirija su luz iridiscente hacia tu ojo interior para liberarlo paso a paso de sus innumerables velos, de modo que puedas ver claro como en los tiempos de tus grandes encarnaciones.

Es muy importante que sepas que con esta apertura se produce al mismo tiempo una sensibilización de ti mismo en todos los planos. Esto puede significar que ya no te serán posibles ciertas cosas que antes formaban parte de tu vida, pues tu frecuencia aumenta en espiral, por así decir con la ulterior activación de tu cuerpo luminoso, y te vuelves cada vez más lúcido. Por eso te ruego que estés muy atento a ti mismo y a las necesidades del cuerpo y del alma, para que puedas vivir este proceso con buen ánimo, soltura y compasión. Para estar protegido en el plano más profundo, pídeme cada mañana y cada noche que envuelva la esencia de tu alma en luz plateada, que al mismo tiempo te unirá a la parte femenina de tu ser. En este sentido te abrazo con mis alas y envío la esencia pura del amor a todo tu ser».

Arcángel Aniel: ángel del encanto y la feminidad, de la sensibilidad, de las energías lunares y de la intuición
Colores del aura: blanco azulado, plateado
Gema: piedra lunar

Encuentro con la arcángel Aniel

Mi querido amigo Jeshua, que también es miembro de mi equipo, me contó la siguiente historia:

Desde el curso de ANGEL LIFE COACH® de Isabelle al que asistí he mantenido una relación especial con la arcángel Aniel, que ha desempeñado un papel muy importante en la recuperación de mi intuición y clarividencia.

Un día en que llevé a cabo una lectura de cartas de ángeles para mí mismo, recibí el mensaje de Aniel de que durante un tiempo me pusiera en contacto cada noche con ella y con la Luna antes de acostarme. Hice lo que me ordenó y pude comprobar cada noche cómo fluía la energía de la luz lunar en mi tercer ojo. En los días siguientes estaba yo mucho más unido a mi intuición que antes.

Lamento tener que reconocer que llegó un momento en que sentí pereza y no me comunicaba ya cada noche con Aniel y la energía lunar. Sin embargo, al final, con ocasión de mi siguiente lectura de cartas de ángeles, recibí la noticia de que debía seguir haciéndolo y que era realmente importante para mí.

A pesar de todo no cumplí la orden a rajatabla, pero una noche fui de pronto consciente de lo importante que era, pues Aniel se ponía en contacto conmigo cuando no lo hacía yo. Yo estaba tumbado en la cama con los ojos cerrados, dispuesto a conciliar el sueño, cuando de pronto sentí una presión sobre mi tercer ojo. Era como si alguien estuviera tocándolo, aunque al abrir los ojos no vi a nadie.

Cerré los ojos y de nuevo sentí la presión, esta vez más fuerte que antes. Volví a abrirlos, pues sentí como si una mano real estuviera tocándome la frente. ¡Tampoco esta vez vi a nadie!

Al cerrar nuevamente los ojos, noté al instante ese contacto. Esta vez me llegó el mensaje de Aniel:

«Es sumamente importante que te pongas en contacto conmigo. Esto es una excepción. No lo volveré a hacer. Pero esta vez estoy trabajando sobre tu tercer ojo, aunque no te hayas tomado el tiempo para hacerlo».

Fue la sensación más curiosa que he tenido jamás: notar un contacto físico cuando en la habitación no había nadie, aparte de mí.

Sin embargo, el hecho es que desde aquel momento estoy mucho más unido a mi intuición que antes. Y cuando le hago caso, todo funciona a las mil maravillas. Las cosas y situaciones de mi vida se han tornado mucho más agradables, y se lo agradezco a Aniel de todo corazón.

Además, he constatado que a veces los ángeles hacen por nosotros cosas que nos benefician enormemente, aunque no pongamos nada de nuestra parte. Sin embargo, esto no es ni mucho menos una excusa para no hacer nada.

La arcángel Aniel me ha mostrado realmente el camino y ha contribuido enormemente a mi éxito y a mi manera de ser actual. Aunque mientras tanto he estado trabajando también con otros ángeles, sé muy bien que ella está conmigo y me guía por el camino del crecimiento, el éxito y la felicidad.

Reflexión

Tener clarividencia no sólo significa ser capaz de ver auras, ángeles y fenómenos similares, sino también de recibir imágenes simbólicas o tener sueños proféticos. Incluso puede suceder que recibas mensajes clarividentes a través de tus ojos físicos, por ejemplo cuando ves de pronto algo muy real y resulta que es la respuesta a una de tus preguntas que habías trasmitido a los ángeles.

Por esta razón es tan importante que emplees de manera más consciente tus ojos físicos si deseas ser (más) clarividente. Además, a partir de ahora no deberías decir nunca: «(Si es que) no veo nada», pues eso parece una afirmación. Si te oyes decir esa frase, a partir de ahora es mejor que digas en su lugar: «Con cada minuto que pasa veo más y más».

En este proceso son especialmente importantes las afirmaciones del alma del día de hoy.

Acciones para hoy y el futuro

⊛ **Utiliza los ojos físicos de manera más consciente**
Comienza a percibir tu entorno (personas, animales, lugares, cosas, situaciones, etcétera) con la mirada consciente, de modo que, por ejemplo, al final del día te acuerdes de la ropa que llevaban puesta las personas con que te has encontrado. Fíjate también conscientemente en el color de los ojos de todas las personas con las que hablas.

Contempla realmente todo lo que veas y comprobarás cómo mejora tu capacidad de visualizar y de ver con tu ojo interior.

⊛ **Recita «Om»**
Recita por la mañana y al anochecer, con los ojos cerrados, siete veces el mantra «Om» concentrándote en tu tercer ojo y arrastrando la «m» de «Om». Puede ser bueno que notes cómo empieza a vibrar, y es posible que al hacerlo también percibas colores luz.

Si quieres obtener resultados «visibles», la arcángel Aniel te recomienda que durante 21 días recites siete veces el mantra «Om» cada mañana y cada noche (*véase* también la página 289).

⊛ **Reduce la ingesta de determinados alimentos**
Ciertos alimentos merman la clarividencia en vez de favorecerla. Por eso es conveniente reducir la ingesta de los mismos. Se trata, concretamente, de todos los derivados lácteos, café, alcohol y azúcar. (No hace falta que mencione que la nicotina es mala para la salud).

Tan pronto como tu clarividencia esté bien desarrollada no tiene tanta importancia si ocasionalmente consumes un poco más de los productos señalados. En última instancia es mejor ser feliz y tener altas vibraciones que caer en el fanatismo y por eso estar siempre estresado.

⊛ **Pon una punta de cristal de roca sobre tu tercer ojo**
Para purificar y abrir tu tercer ojo, al limpiar tus chakras o durante una meditación para armonizar los chakras puedes colocar una pun-

ta de cristal de roca –con la punta mirando al chakra coronario– sobre tu tercer ojo. En este caso también tienes que hacerlo durante un período de tres semanas como mínimo si deseas obtener resultados más profundos.

Yo misma he puesto durante unos dos meses, cada mañana y cada noche, una punta de cristal de roca sobre mi tercer ojo al purificar mis chakras.

☞ Aprovecha la luz de la luna llena

Es probable que el día en que trabajas este capítulo no haya luna llena, pero de todos modos te recomiendo encarecidamente que aproveches la fuerza de la luna llena para tu tercer ojo.

La variante más potente consiste en acostarte una noche cálida de luna llena en una tumbona y pedirle a la arcángel Aniel que conduzca la luz de la luna directamente a tu tercer ojo para que elimine muy suavemente los recuerdos negativos (incluso de vidas anteriores) y contribuya a que seas capaz de percibir cada vez más con tu visión interior.

Claro, que también puedes pedirle lo mismo a Aniel si el clima es más frío, aunque en este caso seguramente no podrás permanecer mucho tiempo en el exterior.

☞ Da instrucciones claras

Recuerdo muy bien cómo me vi prácticamente desbordada de imágenes cuando volvió a desarrollarse mi clarividencia en esta vida. En parte, la avalancha de imágenes me resultó insoportable. Por eso, te recomiendo que comuniques de entrada a los ángeles, sin que haya lugar a ambigüedades, que serás tú quien decida cuándo querrás ver más o menos cosas. Es posible, en efecto, regular cierto grado de clarividencia como el brillo de un televisor. Tú decides, no lo olvides.

Además, por motivos de integridad no se debe utilizar la clarividencia para reunir informaciones sobre personas que nunca nos las comunicarían voluntariamente (a menos que se trate de un asunto de defensa propia). Los ángeles dan mucha importancia a este aspecto.

Afirmaciones del alma

Pide primero a la arcángel Aniel que te envuelva en su luz blanca azulada y plateada, y respira hondo antes de decir (mejor en voz alta):

Para mí es seguro poder ver.
Soy en gran medida clarividente.
Domino mi clarividencia.
Puedo conectar y desconectar mi clarividencia en todo momento como si se tratara de un televisor.

Para arraigar estas afirmaciones más profundamente en tu sistema, mientras las recitas puedes golpear con el puño de una mano contra la palma de la otra dos o tres veces y viceversa, cuanto más rápido, mejor. Acto seguido, respira hondo tres veces.

Viaje del alma

Antes de empezar, ten preparado algo para escribir; es posible que durante el viaje o inmediatamente después de terminar desees anotar algo.

Aspira hondo con los ojos abiertos y espira lentamente mientras cierras los ojos a cámara lenta y ordenas al cerebro que pase automáticamente al estado zeta. Aspira hondo y espira todo el aire y relájate. Deja correr los pensamientos como hojas que pasan flotando sobre un río y contempla tu interior. Disfruta al notar la respiración que te purifica y te nutre cada segundo de tu vida y te une a la respiración de Dios y de los ánge-

les. Percibe cómo con cada respiración que llevas a cabo te relajas cada vez más.

Ve, siente o imagina cómo te ves envuelto en una brillante luz plateada que impregna muy suavemente todas las capas de tu aura, tu cuerpo físico y cada una de tus células. Disfruta de la sensación de relucir cada vez más en el brillo de la luz plateada.

Te hallas en plena noche de luna llena en la orilla de un lago que refleja la luz plateada de la luna cuando aparece a tu lado un unicornio blanco como la nieve. Su belleza es tan sobrenatural que al verlo tu corazón se desborda de amor. Cuando, además te mira a los ojos lleno de amor puro, reconoces en su mirada tu verdadera pureza. Te invade una profunda sensación de felicidad.

Entonces el unicornio dobla las rodillas para que puedas montar más fácilmente sobre su lomo y acto seguido se eleva contigo por los aires y vuela cada vez más alto, hasta que llegáis a la cumbre de una montaña de cristal. Te deslizas de la grupa del unicornio al suelo y contemplas directamente delante de ti un maravilloso templo etéreo que brilla bajo una luz plateada. En la escalinata del templo ya te espera un ángel encantadora que parece una diosa lunar etérea. Es la arcángel Aniel que te recibe con los brazos abiertos. Os ruega, a ti y al unicornio, que entréis en el templo, y ante tus ojos se abre entonces un gigantesco espacio de altura insospechada que te da una idea de las dimensiones de la infinitud. De pronto notas cómo también tu aura comienza a expandirse hasta que dejas de percibir cualquier límite.

Ahora la arcángel Aniel te conduce hacia un lecho cristalino que se halla en el centro del espacio. Te tumbas encima y notas al instante cómo aumenta todavía más tu frecuencia y te relajas muy profundamente cuando Aniel se pone a trabajar sobre tu tercer ojo. Te libera con toda delicadeza de los velos del miedo que se han depositado sobre tu visión debido a experiencias traumáticas sufridas en otras vidas.

Notas una agradable vibración en tu tercer ojo, incluso en todo tu cuerpo, cuando Aniel comienza a activar tu ADN de 12 hebras, para que puedas ver en el momento oportuno tal como lo hacías en anteriores encarnaciones. Al mismo tiempo, el unicornio toca tu tercer ojo con su cuerno e inyecta un chorro de brillante esencia de las estrellas para abrirlo todavía más. Disfruta de la sensación y percibe estallidos de luz brillante u otras imágenes.

Respira hondo tres veces para anclar todo muy profundamente en el plano físico. Permanece tumbado durante un tiempo hasta que Aniel te incorpore muy suavemente y te coloque sobre el lomo del unicornio. Sentado sobre la grupa de éste, abandonas el templo despidiéndote y dando las gracias a Aniel y vuelves volando a la Tierra.

Cuando desmontas del unicornio te das cuenta de que también ves mucho más claro con tus ojos físicos, pues tu ADN se activa cada vez más. Toma contacto ahora de nuevo con la madre Tierra y nota las raíces bajo tus pies. Estira las extremidades y el tronco y respira hondo hasta que estés preparado para abrir los ojos.

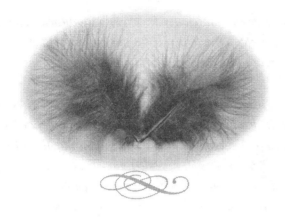

Día 25

Clariaudiencia con el arcángel Israfel

Nadie canta tan maravillosamente bien,
como el ángel Israfel,
y las estrellas vacilantes (dice la leyenda)
desisten de sus himnos y escuchan en silencio
el hechizo de su voz.

EDGAR ALLAN POE

A medianoche voló,
voló un ángel,
que en voz baja cantó.
Las estrellas y la luna,
y las nubes todas,
escuchaban el sonido celestial.

MIJAÍL LIÉRMONTOV

Te saludo, alma querida. SOY el ángel Israfel. Mi más profundo deseo es ayudarte a recuperar tu capacidad auditiva interior, de manera que estés nuevamente en condiciones de escuchar la música de las esferas y las voces de los ángeles procedentes de las dimensiones superiores, tu verdadero hogar. Esta música encierra una fuerza que es capaz de trasformar y sanar todo.

Para que puedas acceder otra vez a este don de la clariaudiencia hace falta contemplación y silencio. Porque cuando aprendes a acallar el mundanal ruido y a estar callado dondequiera que te halles, recibes las tiernas vibraciones de esos planos celestiales. Te llegarán mensajes de toda clase que te beneficiarán a ti y a tu entorno, de modo que sepas de qué naturaleza son tus tareas para trasformar el mundo en su núcleo para que se convierta de nuevo en un paraíso terrenal. Esto y nada menos que esto es el sentido de tu actual existencia terrenal, querida alma. Acepta este sentido desde lo más profundo del corazón y tu vida se trasformará de forma milagrosa, superando incluso tus sueños más audaces».

Arcángel Israfel: ángel de la música y de la música de las altas esferas
Colores del aura: blanco nacarado y rosa
Gema: rodonita

Componer con Israfel

Mi amiga Johanna, quien no sólo es pianista, sino también ANGEL LIFE COACH®, está encantada de colaborar con el ángel Israfel:

Hace más de un mes me encargaron componer una canción, concretamente una canción sobre ángeles. Esto me alegró mucho y de inmediato me vino la idea, pero debido a que como maestra de música y pianista siempre estoy muy ocupada y en mi vida privada tenía que resolver diversos problemas, no tenía mucho tiempo para dedicarme al encargo.

Así que pasé varias semanas con una vaga idea rondándome por la cabeza, pero no hubo nada más. De vez en cuando preguntaba a los ángeles cómo y cuándo iba a componer la canción, pero siguió sin ocurrir nada. Mientras, avisé a mi cliente de que el asunto se alargaría un poco. Por suerte no habíamos acordado ninguna fecha de entrega.

Un día en que estuve hablando por teléfono con Isabelle —un placer que por desgracia disfrutamos muy de vez en cuando— salió a relucir el tema de la composición y ella me dijo que lo probara con Israfel, el ángel de la música de las altas esferas.

Ahí se me abrieron los ojos y lo vi claro. Ésa era exactamente la información que todavía me faltaba; la verdad es que yo ya ni me acordaba de él. En este preciso instante supe que la canción ya estaba escrita.

Esa misma noche, después de trabajar, me senté, medité un rato y después pedí a Israfel que acudiera a mi lado. Noté cómo me envolvía una maravillosa luz iridiscente de color blanco rosado y sentí cómo mis chakras de los oídos se ensanchaban al instante y me invadía una especie de despreocupación.

En realidad había pensado en utilizar para la canción un bello poema o una oración, y por eso me puse a buscar en libros y en Internet. Pero de pronto supe que escribiría el texto yo misma.

Fui a buscar una hoja de papel y escribí el texto de la canción de un tirón, sin vacilar ni un instante. Fue como si escribiera un texto que me sabía de memoria desde hacía tiempo. Cuando volví a leerlo me quedé asombrada por su densidad y su vocabulario.

A la noche siguiente estaba muy cansada, pues ese día había tenido muchas clases. Sentía que no sabía cómo iba a poder componer, pero a pesar de todo me senté ante el teclado electrónico, me puse los auriculares y pedí a Israfel que me ayudara. Le dije que estaba muy cansada y falta de inspiración. Me contestó que pusiera las manos sobre el teclado y entonces toqué algunos acordes. En ese instante hallé el tono de mi canción y en la cabeza escuché retazos de una melodía. El texto estaba al lado de la hoja pentagramada y entonces anoté de un tirón toda la melodía, que se adaptaba perfectamente al texto.

En muy poco tiempo compuse todo el acompañamiento de la melodía. Era como si tuviera que ensanchar mi oído interior para escuchar una música muy baja y lejana, y a veces tardé un poco más porque no encontraba de inmediato los tonos que oía o porque no los oía claramente. En este caso pedía a Israfel que me ayudara y entonces la cosa iba mejor.

Cuando hube terminado, parecía como si saliera de un estado de ensoñación y volviera a entrar en mi cuerpo. Sólo entonces me di cuenta de que había estado dos horas componiendo y me sentía muy fatigada.

Al acostarme seguí oyendo la música como de otras esferas y a la mañana siguiente me desperté temprano, pero completamente fresca y repuesta y con el ánimo eufórico.

De la canción ya sólo me faltaba la parte intermedia y el final. Esto lo compuse esa misma noche de la misma manera que en la víspera, de modo que la canción quedó del todo lista en tres días.

No fue necesario introducir correcciones importantes; la canción ha quedado perfecta y estoy muy feliz con ella.

¡Muchas gracias a Israfel! Es como un altavoz mágico que amplifica la música de otra dimensión para que podamos escucharla mejor.

Acciones para hoy y el futuro

Escucha conscientemente con tus oídos físicos
– Dedícate un tiempo a guardar silencio y percibir todos los sonidos de tu entorno.

– Pon música y escucha conscientemente todas las voces, instrumentos, etcétera, que aparecen.

– Escucha conscientemente las voces de las personas de tu entorno personal, en la radio, la televisión o Internet, y percibe las diferencias de tono.

✎ Depura los chakras de las orejas

Para poder percibir mensajes con los oídos internos es necesario que depures regularmente los chakras de las orejas, pues en ellos se retienen todas las palabras negativas que oyes de otras personas, de los medios de comunicación y de tus propios diálogos internos negativos. Los chakras de las orejas se encuentran, por cierto, a derecha e izquierda encima de tus cejas y detrás de la frente.

Tienes varias posibilidades:
- Resulta muy eficaz juntar suavemente címbalos tibetanos delante de cada uno de tus chakras de las orejas. Su sonido los depura magníficamente. Notarás si es preciso aclarar de nuevo uno de los dos chakras o ambos con el sonido del címbalo.
- Llama al ángel Israfel y pídele que envíe una luz blanca nacarada y rosada a tus chakras de las orejas y los depure.
- También el arcángel Zadkiel, quien ayuda asimismo a activar la capacidad de la clariaudiencia, puede depurar tus chakras de las orejas con su luz violeta en forma de ocho horizontal (∞), que rodea los dos chakras y se cruza en tu tercer ojo.
- Otro método que también es muy efectivo consiste en pedir al arcángel Zadkiel que depure tus chakras de las orejas con ayuda de la llama violeta plateada.
- Por supuesto que también se depuran perfectamente cuando nadas en el mar o tomas un baño de agua salada y sumerges la cabeza. Lo importante es que esto también es válido para todos los demás chakras o canales.

✎ Recita «Om»

Si quieres obtener resultados «audibles», el ángel Israfel te aconseja que durante 21 días recites por la mañana y al anochecer, con los ojos cerrados, siete veces el mantra «Om» (*véase* también la página 279) concentrándote en tus chakras de las orejas. Puede ser bueno que notes cómo empieza a vibrar en su interior. Es posible que también oigas el «Om» con tus oídos interiores mientras recitas.

Es importante que decidas cuál de los chakras (tercer ojo o chakras de las orejas) deseas activar más antes de realizar el programa de recitación de 21 días. No es aconsejable que sigas activando todos estos chakras al mismo tiempo, pues se desconcentra la energía.

❧ Trabaja con rodonita y lapislázuli

Para oír cada vez más conviene trabajar con dos gemas distintas: rodonita y lapislázuli.

La rodonita te ayudará a percibir los sonidos de manera más consciente y profunda y escuchar –en consonancia con tu sabiduría interior y con la divina programación del tiempo– la música de las esferas. Puedes sujetar la piedra mientras escuchas música o prestas oído al silencio en tu mano receptora (la mano con la que *no* escribes). Presta atención al hacerlo.

Para abrir todavía más los chakras de las orejas puedes colocar dos piedras de lapislázuli de aproximadamente el mismo tamaño, y cargadas con la energía del arcángel Zadkiel (*véase* el ritual de las gemas en la página 18), encima de tus cejas sobre los chakras de las orejas mientras escuchas una meditación de depuración de chakras en CD o la llevas a cabo por ti mismo.

❧ Da instrucciones claras

Todavía recuerdo bien lo estresante que resultó para mí, en parte, el hecho de volver a desarrollar en mi vida de nuevo la capacidad de clariaudiencia. Oía sencillamente todo. Vivíamos en una casa extremadamente permeable a los ruidos, de manera que desde siempre estábamos bastante al tanto de las discusiones de los vecinos. Al recobrar la clariaudiencia, sin embargo, cuando mi marido sólo percibía que los vecinos de la casa de al lado estaban hablando, yo entendía de qué trataba la conversación. Cualquier ruido, por pequeño que fuera, parecía retumbar en mi cabeza. A menudo me resultaba insoportable. Finalmente tuve la idea de hablar con Zadkiel sobre este tema. Me dijo lo siguiente:

«*Dijiste que querías ser clariaudiente a toda costa. Ahora lo eres. Puedes decidir que deseas aprovechar este don de manera que sea agradable para ti; el deseo te será concedido*».

¡Funcionó realmente! Hoy en día soy capaz de concentrarme en medio de la mayor barahúnda que puedas imaginar, pues con ayuda de los ángeles consigo aislarme.

Por eso te ruego que desde el principio pidas a los ángeles con toda claridad que quieres ser *tú* quien decida cuándo deseas oír más o menos. Efectivamente, es posible conectar y desconectar la clariaudiencia como un aparato de radio. La decisión siempre es tuya. ¡No lo olvides!

Además es una cuestión de integridad que no se utilice la clariaudiencia para obtener información de alguien que nunca te la comunicaría voluntariamente (a menos que se trate de tu propia protección). Esto es muy importante para los ángeles.

Afirmaciones del alma

Pide primero al ángel Israfel que te envuelva en su luz nacarada blanca y rosada y respira hondo antes de manifestar (a ser posible, en voz alta):

Oír es bueno para mí.
Soy en gran medida clariaudiente.
Soy el dueño/la dueña de mi clariaudiencia.
Puedo conectar y desconectar mi clariaudiencia en todo momento como un aparato de radio.

Te recomienzo encarecidamente que mientras recitas estas afirmaciones golpees alternativamente con el puño de una mano contra la palma de la otra dos o tres veces y viceversa –cuanto más rápido, mejor– a fin de arraigarlas todavía más profundamente en tu sistema. Acto seguido, respira hondo tres veces.

Prepara algo para escribir antes de empezar. Es posible que durante el viaje o inmediatamente después desees anotar algo.

Aspira hondo con los ojos abiertos y espira lentamente mientras cierras los ojos a cámara lenta y ordenas al cerebro que pase automáticamente al estado zeta. Aspira hondo y espira todo el aire y relájate. Deja correr los pensamientos como hojas que pasan flotando sobre el río y contempla tu interior. Con cada respiración te relajas cada vez más profundamente. Disfruta sintiendo cómo la respiración te conecta con la respiración de Dios y relájate cada vez más.

Te hallas en medio de una mágica noche de luna llena en la playa de un océano agitado, sobre cuya superficie riela la luz plateada de la luna. Percibe el sonido de las olas con todos los sentidos, pero especialmente con las orejas interiores y exteriores, y escucha las energías de tu cuerpo.

Entonces aparece de pronto un hermoso ángel resplandeciente, rodeado de un aura traslúcida, de color blanco y rosado nacarado. Es el ángel Israfel. Todo su ser emite las altas vibraciones de los sonidos celestiales y notas cómo tu propia frecuencia se incrementa al instante en su presencia.

De repente percibes sonidos que te son familiares e Israfel señala hacia el mar: ves la potente aleta de una ballena que sobresale del agua. En ese momento el enorme animal emite uno de los cantos de ballena más hermosos que jamás han llegado a tus oídos. Escuchas lleno de respeto.

Cuando la ballena ha terminado, el ángel Israfel te toma de la mano y se eleva junto contigo por los aires. Subís y subís cada vez más, hasta que llegáis a un espacio supraterrenal, coronado por una gigantesca cúpula de cristal, creada con arreglo a las leyes de la geometría sagrada. Exactamente debajo de la cúpula se encuentra un trono cristalino, e Israfel te pide que te sientes en él. Cuando estás sentado notas un nuevo incremento de tu frecuencia vibracional mientras Israfel depura ya tus chakras de las orejas de todas las impurezas y palabras negativas que has pronunciado tú o han dicho otros. Tienes una sensación placentera por encima de tus cejas y notas cómo los chakras de las orejas comienzan a moverse a un ritmo pulsátil uniforme. Percibe la vibración con el oído. Entonces, el ángel Israfel se pone a cantar, emitiendo sonidos de tal belleza que en tu interior empiezan a resonar esferas cuya existencia ni siquiera habías sospechado. Gracias a la música de Israfel, tu alma asciende vibrando hasta alturas insospechadas y una sensación de felicidad infinita invade todo tu ser.

Sientes cómo tu cuerpo se torna cada vez más lúcido y se funde con tu cuerpo luminoso. El ángel Israfel te contempla con una mirada tan amorosa que te brotan lágrimas de emoción y profunda gratitud. De pronto, sabes desde lo más profundo del corazón que todo es posible, verdaderamente todo.

Diriges de nuevo la mirada hacia la cúpula sagrada antes de levantarte del trono cristalino y percibes sus secretos sonoros.

Finalmente ha llegado el momento de abandonar este lugar sagrado. Junto con el ángel Israfel sales del maravilloso espacio y vuelves volando a la Tierra. Aterrizáis muy suavemente y vuelves a notar a la madre Tierra bajo tus pies; ahora sabes que estás en contacto con el cielo y con la tierra. Estira todo el cuerpo y vuelve poco a poco al aquí y ahora. Abre los ojos cuando te sientas dispuesto.

Día 26

Clarisapiencia con el arcángel Uriel

¿Qué es la sabiduría de un libro
frente a la sabiduría de un ángel?

FRIEDRICH HÖLDERLIN

*«Te saludo, alma querida. SOY el arcángel Uriel. Tengo la acuciante
necesidad de introducirte más profundamente en el poder de tu clarisapiencia. Si fueras consciente en cada instante de tu vida de que eres uno
con todo lo que existe, tendrías acceso en todo momento a la totalidad
del saber. Porque la verdad es que en tu interior se halla, en el plano
subatómico, un sistema que te une siempre y eternamente con el conjunto del universo. Por tanto, puedes acceder a toda la información cuando
te hallas en un estado vibracional superior. Por este motivo es indispensable que te ocupes de ser un canal puro si tienes interés en percibir los
maravillosos mensajes de las altas esferas en forma de clarisapiencia. La
claridad de tu ser y tu capacidad para vivir en el aquí y ahora determi-
nan qué cantidad recibes del saber que se encuentra ininterrumpida-
mente en las partículas atmosféricas que te rodean. Por tanto, te ruego*

que permanezcas mucho tiempo en la magnífica naturaleza divina
para reforzar tus lazos con todas las formas de la energía y percibas la
unidad que subyace a todas las cosas. De este modo recibirás, con ayuda
de tu sabiduría interior, cada vez más mensajes que te están destina-
dos».

Arcángel Uriel: el ángel que despierta la clarisapiencia y revela cada
vez el paso siguiente
Color del aura: amarillo tierno
Gema: ámbar

Los rápidos del río de la vida

Arne, un amigo clarisapiente y ANGEL LIFE COACH®, recibió
una respuesta muy simbólica del arcángel Uriel.

Tras la separación y el divorcio de mi mujer tuve muchas relaciones,
pero ninguna verdadera. Había cerrado el corazón por completo, de
manera que nadie más pudiera hacerme daño. En esta fase también
mantuve una relación que duró algo más, aunque dejé a mi amiga
pasar hambre en el plano emocional, y cuando al final ella decidió
romper conmigo, al principio no me importó nada. Por aquella
época, sin embargo, comencé a abrir el corazón y poco a poco me di
cuenta de lo que había perdido. Así que emprendí una lucha, primero vacilante pero cada vez más intensa, por recuperar aquel amor
perdido. Lo probé todo para revitalizar aquella relación, pero ese
intento se asemejaba a un viaje por una montaña rusa, donde a ratos
me hallaba más cerca del objetivo y poco después a años luz de distancia.
    En uno de esos instantes me acordé del arcángel Uriel, que podía
mostrarme el paso siguiente que tenía que dar si le preguntaba. Así
que le pedí a Uriel que me mostrara en un sueño el paso siguiente
en mi camino hacia mi amor.

Tras un par de noches sin soñar, por fin tuve el sueño siguiente: estaba yo nadando en un río que conducía a una gruta, donde las aguas se tornaban cada vez más turbulentas y dejé de ver adónde me arrastraban; tampoco podía agarrarme a nada para evitar que me arrastraran. Al cabo de un rato vi ante mis ojos una abertura con dos posibles salidas; en la primera vi que las aguas estaban en calma y un largo tobogán placentero conducía al exterior de la gruta. La segunda salida parecía todo menos placentera y se asemejaba más bien a un torrente con muchos rápidos y saltos de agua. Yo quería tomar el camino «seguro», pero las aguas me arrastraban cada vez más hacia la salida turbulenta, a pesar de que intentara por todos los medios acercarme al largo y tranquilo tobogán. En un primer momento me sentía todo menos feliz cuando me vi arrastrado al torbellino y sacudido de pies a cabeza. Sin embargo, también me di cuenta de que el tobogán conducía a un paraje que parecía yermo y aburrido, mientras que al final del impetuoso descenso turbulento se presentó ante mí una verdadera revelación: un paraje lleno de belleza y abundancia. Tenía la sensación de encontrarme en el paraíso.

Después de despertarme me quedó claro el mensaje del arcángel Uriel. Hay momentos en la vida en que simplemente has de confiar y no tratar de buscar a toda costa el camino más fácil. Soltando amarras y dejándote llevar, todo acaba enfilando el buen camino, por mucho que éste esté sembrado de rápidos y torbellinos. Si se aborda la tesitura con soltura, uno no se golpea continuamente la cabeza contra las piedras. De este modo supe que debía confiar y elegir el camino turbulento para alcanzar la felicidad. Comoquiera que se presente ésta, seamos sinceros: ¿qué me puede pasar? ¡Me espera el paraíso!

Reflexión

La clarisapiencia es el más difícilmente asequible de los cuatro canales mediáticos, ya que este saber parece emerger de la nada. También resulta difícil determinar cada vez si se trata de un mensaje de los niveles superiores o de una comunicación del propio ego.

A la pregunta de cómo podemos diferenciar entre uno y otra, el arcángel Uriel responde:

«Cada vez que recibas algo sin previo aviso, pregúntate al instante: "¿Cómo me sentía en ese instante y algunos minutos antes?". Si te sentías bien y te hallabas en un alto nivel de vibración, puedes estar seguro de que se trata de un mensaje de las altas esferas. Sin embargo, si estabas de mal humor o en un estado similar y tenías un deseo intenso de recibir una respuesta determinada, lo más probable es que haya sido tu ego el que te ha enviado el supuesto mensaje. También ocurre que los mensajes que son importantes se repiten continuamente. Aparecen como un rayo caído del cielo sereno y no vienen abriéndose camino lentamente».

He de decir que esta respuesta de Uriel me ha ayudado muchísimo. Además, he constatado que este modo de diferenciar también se aplica a los demás canales.

Esto significa, en definitiva, que primero hemos de aumentar nuestro nivel de vibración si deseamos recibir mensajes claros. Ésta es justamente la razón por la que este libro está estructurado de esta manera: primero hemos de depurarnos para soltar lastre. Es la única forma de incrementar nuestra frecuencia y volvernos auténticos, para poder recibir finalmente mensajes claros «de arriba» y realizar la vida de nuestros sueños.

Acciones para hoy y el futuro

⤳ Anota tus vivencias «clarisapientes»

Créate un espacio sagrado y llama al arcángel Uriel a tu lado. Pídele que te envuelva en su luz amarilla, respira hondo y relájate.

Reflexiona sobre las cosas que supiste sencillamente de sopetón y anótalas. De este modo atraes más clarisapiencia.

❧ Sal a la naturaleza

Muchas personas que son más bien reflexivas y por tanto están predestinadas a ser clarisapientes, suelen ser extremadamente cerebrales, pues trabajan mucho, leen y se forman continuamente. A menudo se muestran también muy escépticas y dudan de si tomarse en serio cosas que llegan a su conocimiento de repente, como salidas de la nada. Para estas personas es sumamente importante que no pierdan el contacto con la naturaleza, pues es ella la que nos libera a los humanos con mayor rapidez del lastre innecesario. De este modo es mucho más fácil distinguir entre los mensajes del ego y los de los planos superiores.

❧ Ponte en contacto con un maestro de su especialidad

Para obtener conocimientos de otros niveles puedes ponerte en contacto con uno o varios maestros difuntos. Desde que sé gracias a Doreen Virtue que esto es posible, al estudiar una nueva pieza de piano me comunico con el compositor, ya fallecido, para saber cómo sentía la música y cómo podía interpretarla yo de la mejor manera (incluso en el aspecto técnico). De este modo aprendo mucho más rápidamente.

Cuando comencé a escribir mi primer libro, procedí de un modo un poco distinto: pregunté qué autor o autora quería ayudarme. La respuesta me llegó de inmediato y la ayuda se hizo notar.

Es totalmente cierto que puedes pedir ayuda de arriba para todas las tareas que te propongas.

Doreen, por ejemplo, pidió ayuda cuando hacía ejercicio, pues sentía fuertes dolores en el costado. En muy poco tiempo reconoció a Jim Fixx, el difunto autor de un libro sobre el modo de correr, que le dio consejos que resultaron prodigiosos. A partir de ese instante ya no tuvo más dolores de costado al correr.

Como ves, existen diversas posibilidades de obtener ayuda. Incluso si no percibes de inmediato a alguna persona, puedes estar seguro de que alguien está prestándote apoyo.

Ejercita la escritura automática

Prepárate depurando tus chakras y meditando.

Si es la primera vez que practicas la escritura automática, será conveniente que fijes un horario determinado y lo cumplas. De este modo, los ángeles, maestros y otros seres luminosos verán que te tomas en serio el contacto con ellos (al principio tenía que estar yo siempre dispuesta a escribir a las tres y cuarto de la tarde).

Tan pronto estés listo, llama en todo caso a que acuda a tu lado al arcángel Miguel, al que a veces tildan de «ángel expulsor»: se ocupa de que no pueda acceder a ti ningún ser de baja estofa.

Acto seguido, escribe la cuestión o el tema sobre el que deseas obtener respuestas. También puedes pedir que te responda un determinado ser o maestro difunto. Después escucha con todos los sentidos y anota todo lo que recibas.

Si la primera vez la cosa no da mucho de sí, no hay motivo para preocuparse, pues al fin y al cabo sabes muy bien que la práctica hace al maestro.

Afirmaciones del alma

Antes que nada, pide al arcángel Uriel que te envuelva en su luz de color amarillo claro y respira hondo antes de manifestar (a ser posible, en voz alta) lo siguiente:

Saber es bueno para mí.
Soy en gran medida clarisapiente.
Soy el dueño/la dueña de mi clarisapiencia.
Puedo conectar y desconectar mi clarisapiencia en todo momento como un aparato de radio.

Te recomiendo encarecidamente que mientras recitas estas afirmaciones golpees alternativamente con el puño de una mano contra la palma de la otra dos o tres veces y viceversa –cuanto más rápido, mejor– a fin de arraigarlas todavía más profundamente en tu sistema. Acto seguido, respira hondo tres veces.

Viaje del alma

Prepara algo para escribir antes de empezar. Es posible que durante el viaje o inmediatamente después desees anotar algo.

Aspira hondo con los ojos abiertos y espira lentamente mientras cierras los ojos a cámara lenta y ordenas al cerebro que pase automáticamente al estado zeta. Aspira hondo y espira todo el aire y relájate. Deja correr los pensamientos como pájaros que pasan volando. No los retengas y disfruta notando tu respiración, que te une a la respiración de Dios y te nutre. Con cada respiración te relajas cada vez más profundamente.

Siente, ve o imagina cómo te envuelve una brillante luz dorada que te une con la conciencia de Jesucristo y con tu verdadera esencia, tu energía básica. Disfruta percibiendo la columna energética dorada de tu interior, que encarna la sempiterna unión con el Cielo y la Tierra, de modo que puedas recibir en todo momento todo el saber que deseas obtener.

Entonces te das cuenta de que te hallas en un lugar de resplandeciente belleza. Te llaman la atención unas flores de todas las formas y colores imaginables. Su magnífico perfume te relaja todavía más profundamente, mientras percibes al mismo tiempo el sonido embriagador del mar al fondo. Aves exóticas emiten cantos melódicos y notas con más fuerza que nunca el lazo que te une con todo lo que existe.

De pronto te percatas de la presencia de un búho blanco sentado en un árbol encima de tu cabeza. Recuerdas que es el símbolo del conocimiento y la sabiduría, cuando también aparece el arcángel Uriel a tu lado. Te mira con sus amables ojos llenos de cariño y te indica que le sigas. Juntos camináis por el paisaje paradisiaco hasta llegar a un círculo de piedras encima de una colina sagrada, en cuyo centro se encuentra un trono de cristal. Uriel te pide que tomes asiento y apenas te has aco-

modado en el trono sagrado se sitúa detrás de ti y pone las manos sobre tus hombros. Te dice con voz clara lo siguiente:

«Alma querida, en este instante te hallas sentado sobre el trono de la conciencia. Contempla tu interior, comunícate con tu esencia –te ayudaré– y escucha las sabidurías que te sean reveladas. Tómate todo el tiempo del mundo, pues en este estado y sobre este trono tienes acceso a todos los conocimientos».

Mientras el arcángel Uriel guarda silencio, contemplas tu interior y empiezas a recibir. Tómate todo el tiempo que haga falta.

Al cabo de un buen rato, el arcángel Uriel vuelve a manifestarse y te devuelve suavemente al aquí y ahora.

«Puedes volver a este lugar cada vez que lo desees. Con el tiempo te resultará cada vez más fácil vivir este profundo estado de conciencia incluso en otros lugares, al margen de lo que esté ocurriendo en tu entorno».

Agradecido, te levantas del trono y abrazas a Uriel de todo corazón.

Percibes de nuevo la maravillosa naturaleza que te rodea, estiras todo el cuerpo y notas el lazo profundo que te une con la madre Tierra. Cuando estés dispuesto, abre los ojos.

Día 27

Visiones (de futuro) con ayuda del ángel Pashar

Enviaré a mi ángel delante de ti
para que te guarde en el camino
y te introduzca en la tierra que te he preparado.

ÉXODO 23,20

«Te saludo, alma querida. SOY el ángel Pashar. Si sólo supieras cuántas veces te visito en tus sueños y te proporciono visiones de tu futuro y del futuro de otras personas, entonces desearías de un modo muy distinto recordarlas por la mañana. La información que recibes está a veces llena de imágenes y fuerza simbólica y a veces es clara y transparente, hasta el punto de que no tiene nada que interpretar o adivinar.

De ahora en adelante debes abrirte a la recepción de todas las visiones que te esperan. Ten por cierto que no verás nada que no está destinado a ti, pero al abrirte de este modo, en tu vida reinará una claridad distinta, pues percibirás también cuándo las visiones de otras personas están destinadas a ti y son ciertas y cuándo no. Esto lo denomino «la trasparencia de la visión interior», que te ayuda a distinguir lo verdadero de los engaños del ego.

Aléjate de los falsos mensajeros del miedo, pues falsean tu visión del futuro. Los reconoces por sus ojos, que a veces encierran el brillo del fanatismo. Los verdaderos profetas no se presentan como tales, sino que irradian humildad y luz divina. Sus ojos, a su vez, encierran una trasparencia que no tiene parangón. Los reconocerás fácilmente.

Comunícate conmigo cuando lo desees y te ayudaré a distinguir las visiones verdaderas de las falsas».

Ángel Pashar: ángel de las visiones (también del futuro) y de los sueños
Color del aura: azul colombino
Gema: apofilita

La visión de Charles

No siempre recibimos personalmente las visiones de nuestro futuro. A veces también nos sirve otra persona de mensajera para ponernos en contacto con nuestro potencial. Esto es exactamente lo que sucedió en el «4.º Congreso Internacional de Angelología» en Hamburgo:

Apenas bajé del estrado después de presentar mi ponencia, se me acercó Charles Virtue, a quien había ayudado durante sus comienzos profesionales en Alemania. Estaba entusiasmado con mi discurso y me dijo: «¿Sabes qué he estado viendo durante toda la meditación que has canalizado?».

«No», contesté, «no tengo ni idea».

«Te he visto sentada ante un piano de cola canalizando al mismo tiempo música y meditación. ¡Era maravilloso! Es necesario que la hagas, pues aparte de ti no hay nadie capaz de hacerlo».

Me quedé boquiabierta, cosa que no me ocurre demasiado a menudo. Tardé efectivamente bastante rato en recuperar el habla, hasta que finalmente dije: «¡Guau! ¡Qué imagen! No tengo ni idea de si eso es posible…».

Charles sólo contestó: «¡Sin duda! Sé perfectamente que eres capaz».

Conté su visión a algunos amigos que son músicos; también ellos se mostraron más bien escépticos, pues no veían cómo podía funcionar algo así en la práctica, no en vano ya resulta bastante difícil cantar mientras se toca el piano. Y canalizar y decir cosas que no mantienen el ritmo con la música ya era harina de otro costal.

Olvidé todo el asunto hasta que un día me puse en contacto con el ángel Pashar y tuve exactamente la misma visión que me había descrito Charles.

Cuando pocos días después me enteré de que otra persona había tenido la misma visión, supe que había llegado la hora de ponerla en práctica. Se lo expliqué a Konrad, uno de mis editores, y también él se mostró entusiasta y dijo: «¡Eso tienes que hacerlo sin falta en el próximo congreso de angelología!».

Ahora me tocaba a mí encontrar la manera de convertir aquella visión en realidad. Para ser sincera, no tenía ni idea de cómo ensayar, así que pregunté a mis ángeles. Éstos se rieron y dijeron:

«Eres tú quien ha creado el "Angel Trance Coaching", que hace posible lo imposible. Así que dile a Florian [un amigo mío], *a quien has formado, que te dé un cursillo. Porque él no sabe lo difícil que es realmente, al contrario, está absolutamente convencido que eres capaz de hacerlo. Por eso, un cursillo de "Angel Trance Coaching" dado por él será más efectivo que si te canalizaras tú misma uno, pues tienes dudas de que sea posible».*

Dicho y hecho.

Así que estuve varios días oyendo cómo Florian me canalizaba un «Angel Trance Coaching» antes de empezar a ensayar. Y hete aquí que funcionó, paso a paso, hasta que finalmente, en el «5.º Congreso Internacional de Angelología», que tenía lugar en el Centro de Congresos de Salzburgo, me vi sentada en el estrado canalizando una meditación mientras tocaba en un piano de cola. El público me dedicó una cerrada ovación.

El coche de época

Jessica, que es dentista y ANGEL LIFE COACH®, se despertó una mañana recordando un sueño emocionante:

En diciembre de 2010 tuve la suerte de participar en el cursillo de ANGEL LIFE COACH® que dio Isabelle. Disfruté allí cada segundo que estuve, pues me sentó infinitamente bien estar rodeada de aquellas personas tan cariñosas. Se produjo en mí una profunda trasformación, como ha ocurrido siempre después de cada cursillo que he presenciado con Isabelle y su maravilloso equipo. Percibí la profunda compenetración existente entre Isabelle y su equipo, un sentimiento que yo también deseaba para mí. Tuve un breve sueño en el que yo formaba parte de un equipo así, incluso del equipo de Isabelle, y llevaba a cabo ese trabajo tan lleno de amor, pero no tenía ninguna relación personal con ella. Sin embargo, ese deseo era muy profundo y al mismo tiempo sumamente ligero. Lo mantenía sujeto cariñosamente a mi corazón como un globo para verlo ascender un segundo después por los aires con una mirada feliz. Después no he vuelto a pensar en ello en ningún momento: el asunto había desaparecido para mí en el cielo dentro de un bonito globo.

Entre Navidad y Reyes he estado bebiendo cada noche, antes de acostarme, medio vaso de agua y rogando encarecidamente a Pashar y Jeremiel que me ayudaran a recordar por la mañana lo que había soñado durante la noche. Este ritual me parecía emocionante, pues durante años yo había pensado que no soñaba, cosa que no puede ser, pues como sé hoy en día, todos soñamos.

En la novena noche tuve un sueño que me emocionó mucho, pues en mi fuero interno sabía que ese sueño tenía que ver con mi futuro. Hoy lo sé a ciencia cierta.

En mi sueño me vi en un seminario de Isabelle. Acto seguido salí del edificio en que había tenido lugar el seminario y vi en el otro lado de la calle a mi madre y mi padrastro, que estaban esperándome. Crucé la calle y fui corriendo hacia ellos, cuando de pronto se nos acercó un bonito Mercedes antiguo de color azul metalizado. Se detuvo junto a nosotros, pues había venido a recogernos. Subimos al coche y para mi sorpresa al volante se encontraba nada más y nada menos que Isabelle von Fallois. Para mí fue un sueño maravilloso, pues me infundió una sensación de esperanza en que todo saldría bien. ¡Iba por buen camino!

En febrero asistí finalmente a otro cursillo inolvidable de Isabelle, que esta vez impartió junto con Gary Quinn.

A la mañana del segundo día, Isabelle se me acercó y me contó lo siguiente: «Esta noche, los ángeles me han dicho que te pregunte si tienes tiempo y ganas de formar parte de mi equipo. ¿Qué te parece? ¿Te gustaría?».

Pensé que estaba soñando y supe que mi sueño había sido una señal y una visión al mismo tiempo.

Así son los ángeles, ¡los amo!

Ahora, Jessica forma parte de mi equipo.

Viaje visionario con el ángel Pashar

Ulrike y Helga, dos de mis ANGEL LIFE COACH®, tuvieron una aventura maravillosa:

Todo empezó en Munster durante nuestro curso de formación avanzada para ANGEL LIFE COACH® en noviembre de 2010. Isabelle nos condujo por una meditación titulada «Búsqueda de la visión con el ángel Pashar». Estuvimos contemplando nuestro futuro para averiguar qué ocurriría dentro de uno, dos, cinco y diez años en nuestras vidas. Sorprendentemente, ambas escuchamos durante la meditación la invitación a ir a Hawái.

Cuando después comentamos nuestras respectivas vivencias en el viaje visionario, descubrimos que las dos sentíamos un profundo deseo de conocer esas magníficas islas del océano Pacífico. Espontáneamente nos prometimos una a otra que la primavera siguiente iríamos juntas a Hawái, aunque no teníamos ni idea de cómo íbamos a reunir el dinero y mucho menos de cómo compaginaríamos este viaje con nuestras obligaciones familiares y otras tareas.

Ambas estábamos tan sorprendidas por la claridad y firmeza con que habíamos tomado esa decisión que no anunciamos nuestros planes más que a nuestras parejas, con el fin de no dispersar la fuerza de esa maravillosa energía. En el período que siguió no dudamos en ningún instante de nuestro objetivo, y si hablábamos de ello, únicamente comentábamos lo que nos esperaba: volar a Maui y observar las ballenas y delfines, ver la salida del sol en Haleakala, colocarnos bajo una catarata, bañarnos en los siete estanques sagrados de Hana y dejarnos hechizar por las magníficas puestas de sol junto al mar.

Los ángeles nos enviaban continuamente señales y nos aseguraban que el viaje tendría lugar. Por ejemplo, encontramos monedas estadounidenses, escuchamos una y otra vez la canción de Oz «Over the Rainbow» y muchas otras cosas. También nos hicieron saber que no sería un «viaje de vacaciones normal», sino algo muy «especial».

Mi amiga y yo estábamos en condiciones de confiar plenamente en los ángeles y nos dejamos llevar, dedicándonos a nuestro quehacer cotidiano. En lo más profundo de nuestro ser sabíamos que los problemas económicos y organizativos se resolverían antes de partir, y eso fue lo que ocurrió: el dinero apareció, los niños tenían quien cuidara de ellos y la gestión del hogar quedaba en buenas manos: estábamos listas. Dos semanas antes de la fecha prevista compramos nuestros pasajes por Internet, reservamos alojamiento para las dos primeras noches y alquilamos un automóvil para el período de nuestra estancia. En realidad pensábamos visitar no solo Maui, sino también Big Island. Por razones que entonces no nos explicamos, sin embargo, no encontramos ningún vuelo para Big Island. «Bueno», pensamos, «tal vez no deba ser».

Lo «especial» del viaje se nos reveló nada más llegar: llovía a cántaros, no había ni rastro del cielo azul, no conseguimos ningún coche y el alojamiento nos pareció a primera vista horrible. Todo era muy distinto de cómo lo habíamos imaginado.

Notamos cómo nuestro nivel de energía amenazaba con descender instantáneamente, pero nuestra profunda convicción de que teníamos que hacer este viaje, y nuestra confianza en el poder de los ángeles, que nos lo habían confirmado con sus señales, nos ayudaron a mantener alto el nivel energético y la conciencia de que nada es lo que parece.

El horrible alojamiento se convirtió incluso en nuestro «hogar»; nos encantaba volver al anochecer «a casa», y siempre había personas dispuestas a ayudarnos. Nos llevaban junto al mar, a la otra punta de la isla, nos acompañaban al supermercado y nos ayudaron, a pesar de todos los contratiempos, a conseguir un coche.

Para nosotras, todo eso era magia: la mera fe y la confianza en la gestión de los ángeles, así como la certeza de que ese viaje sería «especial», nos hizo vivir milagros todos los días. Nos encontramos con personas muy especiales que nos contaron historias fabulosas, nos colocamos bajo un salto de agua de 400 metros de altura, observamos las ballenas en el mar, vimos el sol como «ojo de Dios», vimos una magnífica salida del sol en la cumbre del Haleakala y un arcoíris sobre las nubes. Los ángeles nos guiaban y se ocupaban de nosotras en todo momento. Cuando el tsunami de Japón se acercaba a Hawái, nos «empujaron» al interior de la isla, a las montañas, sin que nosotras ni siquiera pudiéramos sospechar lo que iba a ocurrir en las horas siguientes. No fue hasta la mañana siguiente que nos enteramos de la gran catástrofe, cuando vimos las barreras en las calles y los coches de policía...

Ese viaje a Hawái nos ha cambiado a las dos, significó sanación y retorno al hogar al mismo tiempo. Gracias a los ángeles habíamos logrado mantener alto el nivel energético y mirar a través del velo de la ilusión.

Las cosas no son como parecen. La vida puede ser una «danza divina». Mahalo [«gracias» en hawaiano].

Reflexión

Créate un espacio sagrado y llama al ángel Pashar a tu lado. Pídele que te envuelva en su luz de color azul colombino, respira hondo y relájate.

Recuerda cuántas veces has tenido sueños o visiones que luego se han hecho realidad, y anótalos. De este modo atraes más sueños de este tipo.

Acciones para hoy y el futuro

∞ Soñar con Pashar

Antes de ir a dormir, llena un vaso de agua pura y siéntate en la cama. Llama al ángel Pashar y pídele que te envuelva en su luz de color azul colombino; luego respira hondo y di lo siguiente, sujetando el vaso entre las manos:

Con esto declaro el propósito de recordar fácilmente por la mañana los sueños y las visiones que recibo durante la noche.

Acto seguido, bebe un poco de agua y pon el vaso en la mesita de noche. Dado que el agua registra información, como sabemos gracias a Masaru Emoto (*Mensajes del agua*, entre otros libros), el agua del vaso también tomará nota de tu intención.

Cuando te despiertes por la noche o a la mañana siguiente, bebe antes que nada el resto del agua y di:

Con esto recuerdo mis sueños y visiones.

Tómate el tiempo que haga falta para recordar, sin hablar con nadie y ocuparte de nadie más. A veces, los recuerdos tardan un poco en surgir. Ten a mano un bloc de notas y un bolígrafo, de manera que puedas anotar de inmediato los retazos de memoria o las sensaciones que tuviste al despertar.

Algunos lo logran al primer intento, mientras que otros necesitan un poco de paciencia y han de repetir el ritual durante varios días hasta que consiguen recordar sus sueños y/o visiones.

✨ Sé receptivo a las visiones
También puedes pedir al ángel Pashar en todo momento, incluso durante el día, que te envuelva en su luz y emprenda contigo un viaje que tal vez te revele alguna que otra visión. En este caso es muy importante que previamente te crees un espacio sagrado, tal como se describe en la Introducción de este libro, antes de salir de viaje con Pashar. Por supuesto que también puedes utilizar con este fin el viaje del alma canalizado por mí.

Afirmación del alma

Pide al ángel Pashar que te envuelva en su luz de color azul colombino y respira hondo antes de manifestar (a ser posible en voz alta):

Soy receptivo a los sueños y visiones y los recuerdo en todo momento.

Viaje del alma

Prepara algo para escribir antes de empezar. Es posible que durante el viaje o inmediatamente después desees anotar algo.

Aspira hondo con los ojos abiertos y espira lentamente mientras cierras los ojos a cámara lenta y ordenas al cerebro que pase automáticamente al estado zeta. Aspira hondo y espira todo el aire y relájate. Deja correr los pensamientos como hojas que pasan flotando sobre el río y contempla tu interior. Con cada respiración te relajas cada vez más profundamente. Siente, nota, ve o imagina cómo te envuelve una brillante luz de los colores del arcoíris que impregna y purifica muy suavemente todas las capas de tu aura, tus meridianos, tus chakras y tu cuerpo físico, de modo que tú mismo empiezas a brillar cada vez más intensamente. Disfruta de esta sensación mientras te relajas todavía más profundamente.

Te encuentras al pie de una montaña mágica en plena noche estrellada. Aunque aparentemente no hay nadie contigo, te sientes completamente seguro y protegido. Escuchas los ruidos de la noche y percibes cada vez más, tanto con tus ojos físicos como con tu vista interior, cuando de repente aparece un brillante unicornio blanco a tu lado. Le miras a los ojos y te percatas de que se trata de un íntimo amigo de viejos tiempos, con el que has vivido y compartido muchas aventuras. Lleno de alegría y gratitud de volver a verle, rodeas su cuello con los brazos y sientes el profundo amor que os une. Sientes un gran calor en el corazón, pues sabes que a partir de ahora podrás reunirte en cualquier momento con este ser querido.

Entonces te envía por vía telepática el mensaje de que ha llegado el momento de que montes en su lomo, cosa que haces sin pensarlo dos veces. Acto seguido, extiende las alas y ambos subís por los aires. Ascendéis cada vez más hasta llegar a un vasto altiplano que parece una pista de aterrizaje. Allí ya está esperándoos Pashar, un hermosísimo ángel de aspecto juvenil que te recibe con los brazos abiertos. Expectante y picado por la curiosidad miras a un lado y a otro mientras Pashar parece dar órdenes en una lengua que desconoces.

No pasa mucho tiempo y un ruido que no sabrías clasificar llena el espacio encima de vosotros. Entonces reconoces un enorme objeto volador en el cielo que se acerca cada vez más velozmente hacia vosotros. El ángel Pashar y el unicornio permanecen tranquilos, de modo que tú tampoco tienes por qué preocuparte. Y hete aquí que en la pista aterriza una nave espacial de aspecto futurista de color plateado. Pashar se acerca a la nave, abre una puerta lateral y te invita a entrar. Te despides rápidamente de tu amigo el unicornio antes de penetrar en el vehículo galáctico. Pashar sube detrás de ti y toma asiento de la cabina de mando, mientras te recomienda que te acuestes en un lecho construido con materiales celestiales. Apenas lo has hecho, tienes la sensación de que el lecho te acoge en su regazo como el capullo protector de un gusano de seda. Ha llegado el momento y Pashar pone en marcha la nave, que comienza a desplazarse a la velocidad de la luz; tú pierdes todo sentido del tiempo y del espacio.

De pronto te das cuenta de que te hallas en tu futuro y ante ti aparecen imágenes sucesivas. Algunas son claras como el agua y otras están llenas de simbolismo. Tómate el tiempo que haga falta para observar con atención. No olvides que el ángel Pashar está a tu lado y si quieres te ayudará a comprender. No tengas prisa.

Le puedes pedir que te traslade a una época determinada –a un año o a cinco o diez años a partir de ahora– y así lo hará.

¿Qué percibes con todos tus sentidos internos y externos? ¿A qué personas ves? ¿O estás solo? ¿Estás en un edificio o al aire libre? ¿En una ciudad o en el campo? ¿En un país conocido o extraño? ¿Qué haces? ¿Vives tus sueños?

Si lo que percibes no te alegra el corazón, llama de inmediato al ángel Pashar y pídele que lo trasforme todo con la fuerza del amor, de manera que ante tus ojos aparezcan nuevas imágenes placenteras. No olvides que todo es trasformable, pues toda materia es energía.

Te darás cuenta de cuándo habrá llegado la hora de volver con Pashar en la nave espacial al aquí y ahora.

El viaje de retorno es todavía más rápido que el de ida. Al cabo de pocos segundos aterrizáis en el altiplano, donde ya os espera el hermoso unicornio. De un salto te apeas de la nave y corres a su encuentro; le cuentas todo lo que has vivido. Él te mira profundamente a los ojos y tú sabes qué fiel amigo tienes ahora de nuevo a tu lado. Os despedís del ángel Pashar y volvéis volando al pie de la montaña mágica. Suavemente bajas del lomo del unicornio y notas de nuevo a la madre Tierra bajo tus pies. Respira hondo tres veces y vuelve lentamente a tu cuerpo. Estira las extremidades y el tronco y abre los ojos.

Anota ahora las imágenes y visiones de tu futuro que hayas percibido, ya que es posible que en un momento posterior puedas interpretarlas mejor.

Comoquiera que hayan sido estas visiones, puedes estar tranquilo, porque el futuro no está predeterminado. Puesto que has visto posibles potencialidades del futuro, ahora sabes qué has de hacer. O bien se trata de elegir los pensamientos y acciones idóneos para llegar exactamente a ese futuro, o bien de trasformar tus ideas y tus actos de manera que también cambie el potencial de futuro. No olvides que para los ángeles y la fuerza del amor no hay nada imposible.

Día 28

Manifestar milagros con el ángel Amied

Los milagros están
para enseñarnos
a reconocer las maravillas en todas partes.

SAN AGUSTÍN

«Te saludo, alma querida. SOY el ángel Amied. Ha llegado el momento de que entiendas la alquimia de los milagros. No se trata de no albergar deseos en tu interior, sino todo lo contrario. Atrévete a confesarte tus más íntimos y fervientes deseos, por mucho que puedan parecerte utópicos. Sintoniza la resonancia de tu corazón, que muchas veces es más potente que la fuerza con que se manifiesta tu espíritu, y lleva esos deseos en tu interior sin depender lo más mínimo de ellos. Puede que esto te parezca difícil, pero ése es el secreto de la alquimia de los milagros. Aprendiendo a confiar en el fluir de la vida porque en lo más hondo de ti mismo sabes que todo lo que ocurre está en consonancia con un plan superior, lo conseguirás con buen ánimo, soltura y compasión.

Ponte en contacto conmigo y con la energía del diamante y notarás cómo en tu interior surge cada vez más la clara y al mismo tiempo hu-

milde conciencia de que mereces plenitud en todos los planos. Esta con-
ciencia, la capacidad de confiar incondicionalmente, de soltarte plena-
mente y de vivir en consonancia con Dios y los ángeles, es lo que yo lla-
mo la alquimia de los milagros. Así es como Jesucristo manifestó sus
milagros, del mismo modo que tú puedes hacerlo, pues el propio gran
maestro del amor ha dicho que los humanos serán capaces de hacer los
mismos milagros que él. En este sentido te rodeo con mis alas, te lleno de
blanco puro y te pongo en contacto con la conciencia de Cristo. ¡Que los
milagros estén contigo!».

Ángel Amied: ángel de los milagros
Color del aura: blanco puro
Gema: diamante

Encuentro soñado

Debido a los numerosos tratamientos de quimioterapia a que tuve
que someterme, yo tenía los órganos del vientre bastante deteriora-
dos. Después de cada comida me retorcía de dolor. Sabe Dios que
estoy acostumbrada a soportar algunas cosas, no en vano cuando era
pequeña en mi casa reinaba el lema de que «un luchador de yudo no
conoce el dolor». Mi padre era maestro de yudo, y yo misma comencé a practicarlo a partir de los cinco años; me gustaba y partici-
pé durante años en campeonatos.

De todos modos, en el verano de 2002 estaba tan cansada de
luchar con las secuelas de la quimioterapia que no sabía si seguiría
ni cómo lo haría. Hubert, mi marido actual, y yo estábamos deses-
perados, pues entonces todavía no éramos conscientes de lo cerca
que están realmente los ángeles de nosotros.

Entonces tuvimos de pronto la idea de hacer una excursión a
Landsberg y en un momento dado entramos en una librería. Rebus-
camos en los estantes en busca de libros sobre alimentación porque
yo necesitaba encontrar una manera de poder comer sin encontrar-

me después todavía peor. Al final descubrimos un libro muy interesante sobre el ayurveda, y casi en ese mismo instante se cayó un libro del estante que logré cazar al vuelo; se titulaba *Guiados por los ángeles* y, en realidad, ese libro no había perdido nada en la sección de obras sobre alimentación. Lo abrí y en un abrir y cerrar de ojos me quedé embelesada. Hubert lo compró para mí, junto con el libro sobre la medicina ayurvédica. En casa no podía soltarlo de las manos; con cada palabra que leía me crecía la esperanza. Estaba tan entusiasmada que encargué de inmediato otro ejemplar para Hubert, y así estuvimos sentados ambos en armonía en el sofá leyendo el maravilloso libro de angelología de Gary Quinn. ¡Volvíamos a ver luz al final del túnel!

A mí no sólo me emocionó que Gary Quinn tuviera esa buena comunicación con los ángeles, sino también su vida en Hollywood, pues desde joven yo había leído mucho sobre Hollywood y visto las películas de sus estudios, a pesar de que en mi casa no hubiera televisor. Siempre sentí atracción por la idea de pasar un tiempo en Los Ángeles (también por su nombre).

Así que aquella experiencia despertó en mí el profundo deseo de conocer a Gary Quinn. ¡Qué no habría dado yo por conseguir el dinero para tomar un avión y volar a Los Ángeles y tener una sesión con él! Claro que esto era impensable, aunque conservé este deseo en el corazón sin manifestarlo.

Los años pasaron volando hasta que de repente yo misma tuve encuentros con ángeles y me convertí en autora de libros de angelología. Aquel deseo de conocer en persona a Gary Quinn cayó completamente en el olvido.

En marzo de 2010 me invitaron a la «Feria de la vitalidad» en Zúrich. Pocos días antes me enviaron el programa y constaté que Gary Quinn sería uno de los ponentes. Mi pulso se aceleró y de nuevo me invadió aquel profundo deseo de conocerlo. Sin embargo, cuando repasé el programa con más detenimiento, vi que iban a participar como una cincuentena de oradores, de modo que no había ninguna garantía de que nuestros caminos se cruzaran. Pedí de inmediato a la arcángel Ariel que me ayudara con la manifestación.

Puesto que yo ya había manifestado muchas veces algo en el avión, durante el vuelo a Zúrich volví a ponerme en contacto con ella, así como con Amied, el ángel de los milagros. Me gusta volar, y entre las nubes me siento más cerca de los ángeles y todo parece posible.

Entonces percibí de pronto la cariñosa voz de Amied:

«No hace falta que hagas otra cosa que estar en el aquí y el ahora. Todo sucede como tiene que ser».

Así que dejé de preocuparme por el asunto y decidí confiar.

Al caer la tarde fui a pasear con mi asistenta Dani junto al lago de Zúrich y trasmití mi deseo al agua.

Llegado el momento, Dani y yo acudimos al lugar en que se celebrara la «Feria de la vitalidad», donde yo tenía que dar un conferencia en el simposio sobre los ángeles. Puesto que esa feria es un acto multitudinario en el que se pronuncian ponencias simultáneamente en muchas salas, al principio no teníamos ni idea de adónde teníamos que dirigirnos.

Por fin llegamos a la sala correspondiente y abrimos con cuidado la puerta trasera para entrar sin hacer ruido. Entonces vi que el orador que me precedía ¡era Gary Quinn! No podía creer lo que veía con mis ojos y pedí al instante a Ariel y a Amied que me ayudaran a tener la ocasión de decirle por lo menos «hola» antes de pronunciar mi ponencia.

Cuando él acabó de hablar fui hacia la parte delantera para depositar mis cosas sobre la mesa mientras él todavía estaba hablando con una mujer del público. Yo sólo quería darle las gracias por su libro, que me había armado de valor para continuar. Sin embargo, todo se precipitó de pronto y no llegué a hacerlo. Al acercarme se giró hacia mí, me miró con una gran sonrisa a los ojos y me dijo: *«It is so great meeting you. I have heard so much about you!».* (¡Qué bien que nos hayamos encontrado! He oído hablar mucho de ti»).

Yo me quedé boquiabierta por la sorpresa, pues eso sí que no me lo esperaba, que Gary Quinn, el *coach* de las estrellas de Hollywood, ya hubiera oído hablar de mí. Finalmente logré reponerme y le di las gracias encarecidamente. Puesto que yo tenía que ponerme a hablar ya, nos despedimos con un abrazo y decidimos volver a encontrarnos al día siguiente con ayuda de los ángeles.

No obstante, antes de que yo empezara con mi conferencia, envié una rápida oración de agradecimiento a los ángeles, pues esa sincronicidad no me la había podido ni imaginar.

Al día siguiente volvimos a pasar nuestros apuros para enterarnos de en qué sala estaba Gary Quinn dirigiendo un taller. Al final, Dani y yo la encontramos y estuvimos escuchando durante la hora que restaba. Dani estaba emocionada y dijo: «Tú y él tenéis que trabajar juntos. ¡Sería el no va más!».

En el fondo del corazón yo le daba la razón, pero como siempre dejé correr el deseo de inmediato, pues tenía claro de que si no lo hacía, Gary notaría cierta expectación por mi parte y lógicamente se retraería.

Al término del taller, Gary y yo estuvimos hablando todavía un rato, intercambiamos todos los datos y decidimos permanecer en contacto.

Pocos meses después recibí un correo electrónico suyo que me hizo saltar de alegría. Me preguntaba si me gustaría organizar junto con él «talleres de angelología».

¡Era mi mayor deseo! Nos pusimos de inmediato a planificar y poco después intervino él como invitado especial en mi programa de radio «Angel Messages».

Después estuvimos juntos en el estrado en el «Primer Congreso Internacional de Angelología en Italia» y hemos dado talleres conjuntamente en Alemania y Austria. Además, nos hemos hecho buenos amigos.

Si alguien me hubiera dicho hace nueve años que una vez estaría a punto de impartir un taller conjunto a solas con Gary Quinn en el gimnasio de un hotel haciendo ejercicio, le habría tomado por loco: en aquel entonces yo estaba gravemente enferma, no me dedicaba realmente a los ángeles, Múnich y Los Ángeles estaban en las antípodas, es decir, no había nada que nos pusiera en contacto. Era una perspectiva lisa y llanamente imposible.

Sin embargo, con ayuda de los ángeles, en particular de Amied, los milagros son posibles, como puedes ver en esta historia real. Deja el «cómo» en sus manos y no te preocupes para nada de tus deseos más profundos. Y lo que sucederá será mejor que lo que podías ver hasta en tus sueños más audaces.

Un salvamento milagroso

Karin, una de mis lectoras, vivió un milagro en carne propia:

Ocurrió un domingo de agosto de 2009. Un buen amigo mío y yo fuimos a una excursión en canoa. Hacía un estupendo día de verano y el ambiente era sumamente placentero: la naturaleza, los demás participantes, todo. Puesto que para hacer el periplo entero se necesitaba un día, en nuestro grupo intercalamos numerosas pausas y nos lo pasábamos muy bien.

Al caer la tarde sucedió: más o menos un kilómetro antes de llegar, resbalé cuando mi amigo y yo llevábamos la embarcación a cuestas y me caí en el agua poco profunda. Me quedé tumbada de espaldas y no podía levantarme; me encontraba en estado de shock y sólo me enteré fragmentariamente de lo que ocurrió después, aunque mi acompañante me lo contó más tarde. Él se puso nervioso y pidió ayuda, aunque él mismo es enfermero, pero también se hallaba en estado de shock. Delante de nosotros iban dos hombres jóvenes en su canoa, que acudieron a ayudarnos, para gran alivio de mi amigo, que no entendía qué estaba sucediendo en ese momento.

Uno de los dos hombres jóvenes –por desgracia sigo sin saber su nombre, lo llamaré Miguel– era socorrista; me sacó del agua y me tumbó en un lugar un poco elevado, algo así como un islote. Yo gritaba de dolor y era incapaz de mover las piernas. Además, tenía frío, y aunque no lo dije, él me puso un jersey alrededor de los hombros, como si fuera una cosa rutinaria. Sigo oyendo hoy su voz: «¿No puede usted mover los pies?».

«No, no puedo», fue lo único que contesté.

En la lejanía oí decir a uno de los miembros de nuestro grupo: «Por Dios, es probable que esta joven se haya roto la columna y se quede paralítica. Hemos de llamar rápidamente a que vengan con un helicóptero».

Yo me puse a llorar, pero el socorrista Miguel me tranquilizó. Sólo añadí: «No, no es cierto, porque sé que mis ángeles están aquí».

En pocos minutos se presentó toda la brigada de socorro: el médico, los bomberos, una ambulancia y otros socorristas. Puesto que yo seguía gritando de dolor, el médico me administró una especie de anestesia y entonces me llevaron al hospital más cercano. Allí no sentía más que frío. El médico de urgencias me administró otra inyección de algún analgésico y acto seguido me hicieron una tomografía de la columna y me tomaron algunas radiografías.

El médico se quedó estupefacto cuando no vio nada raro en ninguna parte: «No podía ni puedo creer que no tuviera usted ni una magulladura a raíz de ese accidente. Le he hecho dos radiografías y no he podido observar ninguna anomalía». Negando con la cabeza, añadió: «Una lesión de la columna vertebral habría sido lo normal; yo ya la veía sentada en una silla de ruedas. Pero que no le falta nada de nada es un milagro».

También me contó que cuando estuve bajo los efectos de la anestesia no paré de llamar a mis ángeles y le pregunté si ya estaba yo en la otra orilla.

«Sí», confirmé con una sonrisa, «noté a mis ángeles cerca después de llamarles».

Esto, no obstante, ya fue demasiado para el doctor, quien opinaba que se trataba –que no es poco– de un milagro.

Para manifestar mi gratitud, a la semana siguiente puse un anuncio en la prensa y di las gracias por la ayuda recibida y el trabajo del equipo de salvamento. Y un MUCHAS GRACIAS en mayúsculas a mis ángeles.

Reflexión

Créate un espacio sagrado y llama al ángel Amied a tu lado. Pídele que te envuelva con su luz blanca en la frecuencia de los milagros, respira hondo y relájate.

Trata de recordar cuándo ha ocurrido algún milagro en tu vida. ¿No se produjeron siempre en momentos en que estabas del todo despreocupado y plenamente en armonía con todo?

Acciones

∼ Sé consciente de los milagros de tu vida

Anota todos los milagros, grandes y pequeños, que se han producido hasta ahora en tu vida, pues de este modo abonas el terreno para que se produzcan otros.

∼ Encuentra un diamante para ti

Por supuesto que soy consciente de que las piedras preciosas cuestan lo suyo. Sin embargo, no se trata de que te compres un anillo de brillantes supercaro, sino un pequeño diamante fino que también puede permitirse un «monedero menor». Yo misma me he comprado un diamante Herkimer en una tienda espiritual londinense con el curioso nombre de *Buddha on a Bicycle* (Buda en bicicleta). Aunque la gema es diminuta, irradia mucha fuerza y me ayuda magníficamente a manifestar milagros.

Hablando de esto acabo de recordar que hace algo más de un año me hice elaborar en Maui, en Hawái, un buda que en lugar del tercer ojo tiene un pequeñísimo diamante azul, pues Amied me había dicho que es necesario que me una también físicamente con la energía diamantina (en aquel momento todavía no tenía mi diamante Herkimer). Entonces hacía falta valor para permitirme ese gasto, pero ahora constato que precisamente gracias a ello mi situación económica ha mejorado bastante.

Oración trasmitida por el ángel Amied

Querido padre, querida madre en el cielo,
os doy las gracias de todo corazón por el milagro de mi vida,
por el milagro de mi respiración,
por el milagro de mi cuerpo tan complicado pero que funciona tan fe-
nomenalmente,
por el milagro de mi espíritu,
por el milagro de mi alma,
por el milagro de mi corazón,
por el milagro de mi esencia divina,
por el milagro de mi unión con todo lo que existe,
por el milagro de cada nuevo día,
por el milagro de las infinitas posibilidades,
por el milagro de que los milagros formen parte de mi vida cotidiana.
¡GRACIAS!

Esta oración no sólo está pensada para el día de hoy, sino como acompañante cotidiano de tu vida a partir de hoy. Apúntala en tu cuaderno de gratitud y reza a menudo, de modo que todos los días se produzcan milagros en tu vida.

Afirmación del alma

Pide primero al ángel Amied que te envuelva en su luz blanca más pura y respira hondo antes de manifestar (a ser posible en voz alta) lo siguiente; mientras lo haces puedes sujetar tu diamante en la mano receptora, es decir, en la mano con la que *no* escribes:

Confío de todo corazón en el plan de mi vida y la alquimia de los mi-
lagros. Me desprendo de toda adherencia y soy un imán para los mila-
gros.

Viaje del alma

Antes de empezar, ten preparado papel y lápiz para escribir; es posible que durante el viaje o inmediatamente después de terminar desees anotar algo.

Aspira hondo con los ojos abiertos y espira lentamente mientras cierras los ojos a cámara lenta y ordenas al cerebro que pase automáticamente al estado zeta. Aspira hondo y espira todo el aire y relájate. Deja correr los pensamientos como hojas que pasan flotando sobre el agua de un río y no los retengas. Suéltalos y relájate cada vez más. Disfruta notando tu respiración, que te nutre y te conecta con la respiración de Dios. Respira hondo y relájate todavía más.

Estás envuelto en la luz blanca más pura que jamás hayas visto. Te impregna con absoluta suavidad y al mismo tiempo con una fuerza infinita, pues encarna la gama completa de todo el espectro cromático, de modo que tu cuerpo luminoso puede florecer plenamente en todos los colores del arcoíris. Nota cómo te conviertes progresivamente en luz y tu aura se extiende hasta el infinito.

En este instante se restablece plenamente tu conexión con tu patrón divino y tu matriz celestial. Todo tu ser comienza a vibrar en las armonías de las esferas, que te convierten en un cuerpo de resonancia de los milagros.

Te vuelves cada vez más ligero y más lúcido, de manera que te elevas sin ayuda de nadie por los aires dibujando espirales cósmicas. Asciendes cada vez más alto, más alto y más alto, hasta que llegas a un templo de luz etéreo de la séptima dimensión. Este templo que brilla con una luz sobrenatural está rodeado de un sinnúmero de unicornios, cuya vibración es tan pura que tu frecuencia se incrementa de nuevo en un múltiplo en consonancia con la de ellos. Disfruta de la sensación de ser completamente uno con esos nobles seres divinos.

Entonces aparece un magnífico ángel de cabello cano y barba blanca en el portal del templo. Está rodeado de un aura blanca llameante, que lo envuelve como una corona de rayos de luz. No es otro que el ángel

Amied, el de los milagros. Te da la bienvenida con los brazos abiertos y te conduce al interior del templo mágico. En tus viajes has visto muchas cosas, pero la belleza de este templo supera todo lo que hayas podido ver con anterioridad. Imbuido de devoción intentas absorber en tu interior todas las impresiones y registrarlas, cuando de pronto descubres en el centro de la sala sagrada, en el suelo, un gigantesco mosaico con la estrella de seis puntas, el sello de Salomón. Sabes qué tienes que hacer ahora: te acercas a la señal y te sitúas en el centro del mosaico.

Notas cómo en tu interior se expande una claridad cristalina que supera todo lo que hasta ahora has experimentado en este terreno. Comprendes con todo tu ser qué significa «como arriba, así abajo»: todas las leyes divinas y terrenales se manifiestan en ti de un modo que comprendes toda tu vida y el devenir del mundo. Todo está invadido por una claridad infinita.

Entonces el ángel Amied se acerca a ti y te alcanza una bola de cristal de purísima luminosidad. Con palabras suaves te dice:

«Alma querida, ésta es la bola sagrada de las visiones y de los milagros. Contempla su interior y reconoce los milagros de tu vida. En el momento en que tu corazón se desborde de gratitud, comunícate con tus deseos más profundos y considéralos cumplidos en esta bola de cristal de los milagros».

Ahora haz lo que te indica.

Al cabo de un rato vuelves a escuchar la voz cariñosa de Amied:

«Tan pronto como se hayan desplegado las imágenes en su interior en consonancia con tus sentimientos, deja que la bola ascienda y encuentre su camino al universo y sabe que todo tendrá lugar en el calendario divino. Porque así es, así ha sido y así será siempre».

De nuevo haces lo que se te indica y notas la fuerza y la magia que encierra este ritual. Finalmente sueltas la bola de cristal que asciende y encuentra por sí sola el camino de salida del templo de luz.

Una vez más echas un vistazo a la redonda en la sala sagrada y sabes que a partir de ahora estás totalmente trasformado, pues has entendido las leyes de la manifestación y de la alquimia de los milagros hasta lo más profundo de tu ser. Lleno de honda gratitud sales junto con el ángel

Amied del resplandeciente templo luminoso y lo estrechas íntimamente entre tus brazos.

Mientras tanto, los unicornios han formado un círculo sagrado a tu alrededor y te comunican por vía telepática lo siguiente:

«Querido amigo, querida amiga, eres igual que nosotros una criatura pura, divina. No lo olvides nunca y vive en consonancia. Y tu vida será un único milagro».

Una sensación de felicidad infinita invade todo tu ser y te unifica totalmente con todo lo que existe. Y tu traje de luz brilla en todos los colores del arcoíris y te lleva sin ningún esfuerzo por parte tuya, en suaves movimientos descendentes, de nuevo a la Tierra. Ésta aparece ante ti, después de este viaje, bajo una luz completamente nueva, porque sabes que eres un creador más entre el Cielo y la Tierra y que puedes traer el paraíso a este mundo.

Respira hondo varias veces para fijar todo este conocimiento muy profundamente en tu ser. Toma de nuevo contacto con la madre Tierra, percibe bajo tus pies las raíces que alcanzan hasta el centro de la Tierra. Estira las extremidades y el tronco y vuelve enteramente al cuerpo, el maravilloso templo de tu alma, y al aquí y ahora. Abre lentamente los ojos.

Epílogo

En la magia de la plena realización
reside la fuerza de un maravilloso nuevo comienzo.

ARCÁNGEL RAZIEL

Ha llegado el momento: ¡has cruzado la meta! Te felicito de todo corazón.

También los ángeles te dan la enhorabuena por haber sabido reunir la energía necesaria para abordar de una forma tan intensa tu propia vida y trasformarla. Puedes estar orgulloso de ti mismo. ¡Sigue así!

Tenemos aún una última tarea para ti, pues queremos que percibas realmente tu éxito y sepas aprovecharlo para alcanzar nuevas metas:

Reflexión

Créate un espacio sagrado y reflexiona sobre todo lo que han conseguido en las últimas semanas y lo que ha cambiado en ti.

Acción

Anota tus logros para que atraigas más.

Propósito

Emite al universo tu propósito de que a partir de ahora la práctica espiritual diaria forme parte de tu vida y actúa en consecuencia. Los ángeles y yo te prometemos que no te arrepentirás.

Agradezco de todo corazón tu confianza y tu valor para realizar este viaje junto con los ángeles y conmigo.

¡Gratitud infinita, luz celestial, la bendición y el amor de los ángeles y, por supuesto, muchos milagros para ti!

¡Aloha!
Big Angel Hug
Isabelle von Fallois
Malta, 4 de junio de 2011

Agradecimientos

Doy las gracias de todo corazón a todos los ángeles, angelotes, diosas, hadas, maestros ascendidos, ballenas, delfines y animales de poder, que me han apoyado sin descanso en la elaboración de este libro y en general me ayudan, enseñan e inspiran, de modo que sea yo capaz de cumplir mi *dharma* con su ayuda.

Junto a estos maravillosos seres, mi mayor gratitud es para mi marido Hubert. Para poder tener acabado el libro en la fecha deseada por la editorial a pesar de los numerosos viajes que implica mi profesión, él no sólo ha renunciado a muchísimas horas de nuestra vida privada, ya de por sí bastante limitada desde el punto de vista del tiempo, sino que además me ha apoyado de un modo fenomenal en todo lo que ha podido. ¡Te doy las gracias por ello, Hubert, de todo corazón!

En este contexto quiero expresar mi especial agradecimiento a dos autoras, pues me han inspirado con sus magníficas obras y cursillos a concebir este programa de 28 días con los ángeles. Se trata de Julia Cameron (*El camino del artista*) e Ilona Selke (*Living from Vision*®). ¡Os doy las gracias de todo corazón!

Querida Uschi y querido Gero, mil gracias por dejarme que entre viaje y viaje pudiera retirarme brevemente en el refugio hogareño para que «el mundo me olvidara» y yo poder seguir trabajando en este libro tranquilamente y rodeada de atenciones.

Querida Susanna, como siempre ha sido una gran placer estar contigo por un tiempo, dejándome mimar y continuando con la escritura del libro. ¡Muchas gracias!

Querido Gido, hermano gemelo de los viejos tiempos, gracias por apoyarme contra viento y marea y por inspirarme continuamente.

Querida Dani, es una bendición tenerte a mi lado. Te doy las gracias de todo corazón por resolver tantas cosas que sin ti me impedirían hacer lo que hago.

Querido Michael, ¡qué bien que te he encontrado «de nuevo»! Gracias por apoyarme a mí y a mi trabajo con tanto cariño.

Querido Gary, es simplemente como un sueño que nuestros caminos se hayan cruzado en esta vida y ahora podamos realizar juntos una labor tan maravillosa. Te doy las gracias de todo corazón por tu amistad y tu confianza en mí.

Querido Wayne, fue un milagro que nos conociéramos a raíz de tu leucemia. Estoy muy conmovida por tu confianza en mi capacidad y te agradezco infinitamente que me dejaras apoyarte en tu proceso curativo.

Querido Patrick, te estoy profundamente agradecida de que gracias a tus divinas clases de yoga me hicieras percibir de nuevo la fuerza de mi organismo.

Gary, Peggy, Dani, Gido, Joey, Florian, Susanne, Roy, Ruth, Johanna, Patricia, Hubert, Britta, Stephanie, Gabriele, Katarina, Pilar, Jessica, Cris, Heike, Melanie, Jeshua, Arne, Ulrika, Helga y Karin:

queridas y queridos todos, mi más sincera gratitud por vuestras maravillosas historias que aportan tanta vida a este libro.

Querido equipo de instructores angelicales (Dani, Michael, Gido, Patricia, Susanna, Johanna, Jeshua, Jessica, Iwan y Hans), os doy las gracias de todo corazón por vuestro magnífico apoyo en mis talleres y cursillos en Alemania y en el extranjero. ¡Sois los más grandes!

Queridos y queridas participantes, lectores y lectoras, oyentes, también a vosotras y vosotros os doy las gracias por dejarme que os acompañe en un trecho de vuestro camino, por inspirarme y por enseñarme tantas cosas.

Estoy especialmente agradecida, asimismo, a «mis tres chicos», Jeshua, Florian y Joey. Ha sido para mí muy enriquecedor y emocionante poder daros clase y veros crecer a lo largo de 21 días. El tiempo que pasamos juntos me inspiró mucho para mi libro. ¡Conservad el espíritu de los ángeles, siempre!

Querida Birgit-Inga Weber, quiero expresarle mi profunda gratitud por la cuidada revisión de este manuscrito. Siempre he tenido la sensación de que usted siempre ha entendido qué era lo que me importaba. ¡Un verdadero regalo!

También quiero dar las gracias a todos los maestros vivos y difuntos cuyas sabidurías me inspiran cada día.

Claro, que podría seguir con los agradecimientos durante un buen rato y nombrar a innumerables personas, pero esto se saldría del marco de este libro. Estoy segura de que sabéis que os tengo en mente.

Bibliografía

BARON-REID, Colette: *Remembering the future*. Hay House, Inc., 2007.

CAMERON, Julia: *El camino del artista*. Madrid, Aguilar, 2011.

CARROLL, Lee/Kryon: *El viaje a casa*. Barcelona, Obelisco, 2001.

COOPER, Diana: *Las cartas de la Atlántida*. Barcelona, Obelisco, 2012.

EMOTO, Masaro: *Mensajes del agua*. Barcelona, La liebre de marzo, 2010

FREEDMAN, Rory/BARNOUIN, Kim: *Flaca y espléndida*. Barcelona, Ediciones El andén, 2008.

FÜNGERS, Elisabeth: *Ayurveda – Das Kochbuch*. Múnich, Südwest, 2003.

HAY, Louise L.: *Usted puede sanar su vida*. Barcelona, Urano, 2007.

JOSEPH, Arthur Samuel: *Vocal Power*. San Diego, Jodere Group, Inc., 2003.

LOVE, Roger: *Love your voice*. Hay House, Inc., 2007.

MELCHIZEDEK, Drunvalo: *The Ancient Secret of the Flower of Life*. Flagstaff, Light Technology Publishing, 1999.

PIRC, Karin/Kempe, Wilhelm: *Kochen nach Ayurveda*. Niedernhausen, Falken, 1996/1999.

QUINN, Gary: *May the angels be with you*.

SILVERSTONE, Alicia: *The Kind Diet*. Emmaus, Rodale Inc., 2011.

VIRTUE, Doreen: *Mensajes de tus ángeles*. Madrid, Gaia, 2012.

VON FALLOIS, Isabelle: *Die Engel so nah - Meine Krankheit als Weg zu innerem Frieden*. Zúrich, Lichtwelle, 2010.

—: *Die Erzengel – 15 Begleiter auf dem Weg in ein erfülltes Leben.* Burgrain, Koha, 2009.

Engels Botschaften (calendario). Múnich, arsEdition, 2010.

Soportes sonoros

Aeoliah, *Angel Love* (CD)
Drucker, Karen, *The Heart of Healing* (CD)
Von Fallois, Isabelle, *Angel Trance Meditationen* (MP3)
(www.angelportal444.com)
Sitas, Lajos, *Snowflake* (CD)

Diversos

Aura-Soma y otros productos
www.aurasomashop.at

Osos energéticos
www.bennybaer.de

Esencias de ángeles de «Royal Remedies»
www.roymartina.com

Índice

Parte 3. Manifestación